LA CUENTISTICA MEDIEVAL EN ESPAÑA:
LOS ORIGENES

María Jesús Lacarra

CUENTISTICA MEDIEVAL EN ESPAÑA: LOS ORIGENES

DEPARTAMENTO DE LITERATURA ESPAÑOLA
UNIVERSIDAD DE ZARAGOZA

Autor: MARIA JESUS LACARRA

Edita: Dpto. de Literatura de la Universidad de Zaragoza.

Depósito Legal: Z-1.441-79

ISBN: 84-600-1575-0

Imprime: INO-Reproducciones
Sta. Cruz de Tenerife, 3. ZARAGOZA

A Juan Manuel

PRESENTACION

Inaugura este libro una nueva colección de Publicaciones del Departamento de Literatura Española de la Universidad de Zaragoza, que continúa la iniciada en "Planeta-Universidad". Y acaso convenga, ante todo, valorar el hecho en sí mismo. En un momento en que resulta ya tópico hablar de la muerte de la Universidad, he aquí que, en el espacio de poco más de un año, un equipo de jóvenes profesores ha fatigado las prensas con ocho libros que abarcan todo el arco de la literatura española —medieval, áurea y contemporánea— y que van desde ediciones críticas o investigaciones que exhuman autores injustamente olvidados, a estudios que se atreven como alternativa en la lectura de obras muy trilladas. Y aún quedan en las prensas cuatro títulos que verán la luz en pocos meses.

Escribo estas líneas en Salamanca, recién incorporado a su cátedra de literatura española. Puedo ahora ver, con perspectiva exenta de ofuscación vanidosa, el camino recorrido. La multiplicación de alumnos coincidió en Zaragoza con la puesta en marcha de la nueva Sección de Filología Hispánica. Si la infraestructura bibliográfica resultaba más aceptable gracias a la lucidez y la constancia del Prof. Francisco Ynduráin, hubo que improvisar la mayor parte del profesorado. Correspondió a mi antecesora en la cátedra, la Prof. Pilar Palomo, la tarea de impulsar su formación básica, que cuajó en una larga serie de espléndidas tesis doctorales. Quedaba así abierto el camino a una ulterior formación especializada, que vino a potenciar la nueva Ordenación del Plan de Estudios, dividiendo la responsabilidad docente de la literatura española en tres grandes compartimentos de época.

I

Vocada por tradición familiar a la literatura medieval, María Jesús Lacarra comenzó por realizar su tesis de licenciatura sobre las estructuras del *Sendebar*. Un trabajo —lo digo ajeno a cualquier prurito de dirección— que revela una insólita madurez. Diríase que la formación en el Bachillerato alemán no sólo ha familiarizado a la investigadora con la lengua germánica y otras europeas, sino que imprimió en ella una peculiar forma intelectual: voluntad de llegar al fondo de los problemas agotando sus recodos más íntimos; escrupulosidad en la consulta y manejo de las fuentes; propósito, en fin, de realizar una obra seria, presentada, por contraste, en forma austera.

Este libro que me honro, muy de verdad, en prologar, es la continuación de aquel estudio y constituye la quintaesencia de su laureada tesis doctoral. Es posible que esa austeridad a que acabo de referirme, precipite en algún desavisado lector —tantos en este tiempo de prisas— un juicio de corto alcance. Me atrevo a pedir, por ello, que se valore con detención el rigor con que aquí se examinan los temas de tradición y fijación del corpus textual de la cuentística del XIII. Representa una muestra de lo que pocos se deciden a afrontar en España, volcada como está la mayor parte a la construcción de castillos intratextuales. Debo enseguida enfatizar, ya que la autora no lo hace, un subyacente vector de intención. La investigación positivista no se agota aquí en sí misma. Bajo el escueto entramado de ediciones, traducciones y reelaboraciones, gravita hacia una categorización histórica: el por qué y la función de toda esa corriente narrativa en el medievo español. ¡Todo un modelo de revitalización de una vieja metodología!

En minuciosa tarea de lanzadera —de la facecia básica a su formalización hispánica y de un motivo dado a su fuente originaria— la autora va tejiendo después el cañamazo del código al que la cuentística sirve de vehículo. La determinación específica de motivos elegidos o descartados y el análisis de las flexibilizaciones a que todo ese material es sometido en la *retractatio*, revelan, mejor que largos discursos analíticos, la sociología de la producción literaria y su inserción en el sistema. Pero este es un libro de una *scholar* literaria y todo en él está visto desde la literatura y hacia ella. Diría mejor que, en la base, desde la filología, puesto que en el rigor del análisis filológico se sustentan las construcciones estructurales.

De la tradición oral a los libros *de regimine principum*, los manuales de cortesanía o los tratados ascéticos, a la predicación, la materia narrativa de procedencia oriental constituye, con su

II

largo acarreo, un mundo complejo de difícil exploración. Debemos a María Jesús Lacarra una guía clarividente y segura. Con ella podemos, desde ahora, no sólo recorrer sin desorientación el laberinto, sino, también, jalonar las etapas del género narrativo. Yo que seguí de cerca el laborioso camino de su investigación, saludo en la autora a una medievalista consagrada, que ha de darnos — ¡al tiempo! — muchos frutos granados.

Víctor García de la Concha

INTRODUCCION

Las colecciones cuentísticas del XIII, *Calila, Sendebar* y *Barlaam,* suelen incluirse en las historias de la literatura bajo el epígrafe de "prosa pre-alfonsí", junto con los catecismos didáctico-morales como el *Bonium,* la *Poridat de las poridades,* el *Libro de los buenos proverbios,* etc., con los que guardan estrecha relación. Tal catalogación denuncia un juicio condicionado a la labor de Alfonso X antes que a sus méritos propios. Cuando se habla de éstos, se destaca su importancia filológica e histórica como primeros testimonios de prosa literaria y difusores de una temática oriental. Sin embargo, el mínimo interés concedido por los manuales a los textos didácticos del XIII contrasta con su pasada popularidad. En un sugestivo estudio[1], K. Whinnom enumera las escasas obras medievales reeditadas en los siglos XV y XVI: los *Proverbios en rima del sabio Salomón,* el *Tratado llamado espejo de doctrina* de Pedro de Veragüe, el *Bonium o bocados de oro,* el *Libro de los doce sabios,* el *Calila e Dimna,* el *Sendebar,* el *Caballero Zifar* y, con ciertas reservas, el *Amadís de Gaula.* De estos ocho títulos, seis, los *Proverbios,* el *Bonium,* el *Libro de los doce sabios,* el *Calila,* el *Sendebar* y, parcialmente, el *Zifar,* donde se incluyen cuentos orientales y una versión de las *Flores de filosofía,* pueden vincularse a la corriente didáctica conocida en España a partir del XIII.

La existencia de nuevas versiones de las colecciones cuentísticas prueba cómo la afición por el género se mantuvo constante, aunque sufrieran sucesivas adaptaciones. De 1445 es el *Exemplario contra los engaños y peligros del mundo,* retomado del original latino del *Calila,* y en 1654, V. Bartolomeo Brattuti, intérprete de lenguas orientales en la corte de Felipe IV, inició una incompleta traducción del turco denominada *Espejo político y moral para príncipes y ministros y todo género de personas.* Durante los siglos XV y XVI circularon diferentes versiones del *Sendebar* procedentes de la rama occidental; des-

---

(1) K. Whinnom, *Spanish Literary Historiography: Three Forms of Distortion,* An Inaugural Lecture delivered in the University of Exeter on 8 december 1967, University of Exeter, 1967, p. 10.

pués, la obrita continuó su fortuna en forma de pliego de cordel junto a otros cuentos orientales como la *Doncella Teodor*. No obstante, en épocas más recientes, estos géneros breves fueron perdiendo popularidad, siendo relegados a la categoría de "menores".

Esta progresiva decadencia tiene hoy su reflejo en la bibliografía. Las ediciones críticas del *Sendebar* y el *Calila* son únicamente accesibles a un reducido círculo de lectores. Por lo que respecta a los estudios, el panorama es semejante. A partir del XIX, algunos orientalistas centraron su atención en estas colecciones, dando origen a una numerosa e ilocalizable bibliografía. Sin embargo, falta todavía un panorama actualizado donde se confronten las antiguas opiniones con los estudios parciales que han ido apareciendo[2]. Tarea ésta erizada de dificultades y prácticamente inabarcable. Baste recordar, siguiendo a V. Chauvin[3], que el *Calila* ha sido traducido a más de cuarenta lenguas y se conservan más de doscientas versiones diferentes. Sólo de la rama occidental del *Sendebar* tenemos más de cuarenta versiones distintas. Pero, si inicio mi obra con este panorama no es sólo para tratar de llenar un hueco, sino con la esperanza de aclarar algunos problemas de los textos castellanos. El conocimiento de las traducciones precedentes puede restituir a las versiones alfonsíes su sentido originario, en ocasiones alterado.

Dejando aparte el rastreo de fuentes e influencias, la crítica no ha mostrado gran interés por estos cuentos, marginando otro tipo de análisis, temáticos o formales. Las palabras de J. E. Keller, escritas hace unos años, todavía tienen actualidad: *before Don Juan Manuel's time there existed in Spanish literature a brand of brief narrative not inferior to the* exemplos *of the acknowledged master, Don Juan Manuel (...). When a book like* Calila e Digna *is rarely read carefully and sympathetically by our generation, its literary excellence needs reexamination; moreover, no one, insofar as I have been able to determinate, has actually investigated the structuring employed by the nameless translators who so skilfully rendered the Arabic* Kalila wa Dimna *into Castilian*[4]. Mi propósito ha sido intentar, en la medida de lo posible, suplir esta laguna con un estudio del *Calila* y el *Sendebar*. Para ello he tratado de descubrir las analogías entre ambas colecciones y el contexto literario del XIII. La obra de Alfonso X, Sancho IV o los catecismos didácticos resultan un complemento indispensable para comprender la cuentística medieval. Asimismo es innegable que un conocimiento de estas producciones contribuye a valorar de un modo más exacto la aportación de Don Juan Manuel.

(2) Para conocer la transmisión del *Calila* sigue siendo indispensable la obra de Th. Benfey, *Pantschatantra. Fünf Bücher indischer Fabeln, Märchen und Erzählungen. Aus dem Sanskrit übersetzt mit Einleitung und Anmerkungen versehen*, Leipzig, 1959, 2 vols. (Reprint Georg Olms Verlag, 1966); buenos resúmenes de los principales problemas pueden hallarse en el artículo de C. Brockelmann, "Kalila wa-Dimna", *Encyclopédie de l'Islam*, IV, Paris-Leiden, E. J. Brill-G.P. Maissonneuve, 1975, pp. 524-528, y en el libro de I. Montiel, *Historia y bibliografía de Calila y Dimna*, Madrid, Editora Nacional, 1975.

(3) V. Chauvin, *Bibliographie des ouvrages arabes ou relatifs aux arabes publiés dans l'Europe chrétienne de 1810 à 1885*, Liège, Impr. H. Vaillant-Carmanne, 1892-1922, 12 vols. El volumen II (1897) está dedicado al *Calila* y el VIII (1904) al *Sendebar*.

(4) J. E. Keller, "From Masterpiece to Resumé: Don Juan Manuel's Misure of a Source", en *Estudios literarios de hispanistas dedicados a Helmut Hatzfeld con motivo de su 80 aniversario*, Barcelona, Hispam, 1974, p. 42.

Esta tarea hubiera sido imposible sin el estímulo del Dr. Víctor García de la Concha, director de este trabajo que, en una versión más extensa, fue presentado como tesis doctoral en la Universidad de Zaragoza, obteniendo la calificación de "Sobresaliente cum laude". Sus observaciones, así como las del Dr. Francisco Ynduráin, Dr. Félix Monge, Dra. Pilar Palomo y Dra. Aurora Egido, miembros del tribunal, han sido incorporadas al texto del libro en la medida de lo posible. Asimismo mi agradecimiento para los arabistas Dr. Fernando de la Granja y Dr. Federico Corriente, cuyas orientaciones me han resultado de inestimable ayuda.

I

LA TRANSMISIÓN DEL "CALILA" Y EL "SENDEBAR"

EL ORIGEN DEL "CALILA"

La crítica ha sido unánime en remitir el origen del *Calila* a la India, por lo que me detendré brevemente en las razones aducidas para justificar tal atribución. Las citas de autores árabes y persas atestiguan que ya por el siglo X se discutía si el libro procedía de la India o había sido compuesto por los persas. Testimonio de las controversias son las palabras de Muḥammad b. Isḥāq en su *Kitāb al-Fihrist* (978 d.J.C.): "Por lo que concierne al libro de *Kalilah y Dimnah* hay diferentes opiniones. Unos dicen que fue compuesto por los indios, lo que resulta evidente según la introducción. Otros, que lo escribieron los reyes asganiya y que los indios se equivocan al atribuírselo. Finalmente, algunos mantienen que fue compuesto por los persas... Hay quien opina que el autor de ciertas partes fue el sabio Buzurjmihr. ¡Sólo Dios lo sabe!"[1]

Asunto debatido fue no sólo el origen de la obra sino su atribución. Acabamos de ver cómo b. Isḥāq recoge la opinión de la autoría del sabio Buzurjumihr. Otro historiador árabe, Mas'ūdi[2], atribuirá la obra a Dabshelim. El traductor Ibn al-Muqaffa' piensa que el libro fue escrito por los sabios de la India mientras que Al-Fārisī, autor de uno de los prólogos, se inclina por la paternidad de Bidpai. Todas estas atribuciones, aparentemente tan dispares, se justifican por lecturas erróneas de los diversos preliminares que se fueron añadiendo a la obra.

En 1859 publicó Th. Benfey su traducción del *Panchatantra* acompañada de un extenso estudio acerca de la migración de temas indios a Europa. Con la aparición de la obra de Benfey se inician en Europa los estudios de la llamada "escuela orientalista", caracterizada por remitir a la India el origen de todos los cuentos europeos. Los principios de esta escuela sufrieron un duro revés con el ataque de Bédier[3] en 1893, aunque hoy puede afirmarse que el estudioso

---

(1) Citado por B.E. Perry, "The Origin of the Book of Sindibad", *Fab*, 3 (1959-60), pp. 5-6.

(2) Mas'ūdi, *Les Prairies d'Or*, texte et traduction par C. Barbière de Meynard et Pavet de Courteille, Paris, 1861, vol. I, p. 159.

(3) J. Bédier, *Les Fabliaux. Etudes de littérature populaire et d'histoire littéraire du moyen âge*, Paris, Honoré Champion, 1969.

francés puso en boca de Benfey y su escuela ideas que no les pertenecían. En realidad procedían de Gaston Paris, quien había reelaborado opiniones de Benfey, F. Liebrecht y Dunlop[4]. Actualmente, pese a que muchos de los presupuestos de los orientalistas han sido rechazados, la mayor parte de los críticos repiten las conclusiones del orientalista alemán acerca del *Calila*.

Para Benfey y su escuela el origen de los cuentos estaría en el uso que hacían los predicadores budistas de parábolas o jatakas (historias de las reencarnaciones de Buda). Posteriormente, algunas de estas historias serían recogidas en colecciones escritas lo que contribuiría a su diseminación por Oriente y después por Europa. Una de estas colecciones primitivas fue el *Tantrakkyayik* o "reunión de cuentos doctrinales" (100 d.J.C.). De este texto derivaría el *Panchatantra* (fechado entre el 250 y el 300 d.J.C.), de donde a su vez viene parte del material del *Calila*. Esta primera redacción constaría de una introducción y cinco libros, denominados "tantra", es decir "ocasión de sabiduría". La finalidad de la obra sería enseñar el saber a los príncipes por medio de fábulas de animales.

No se ha encontrado, y hasta es probable que no haya existido, ningún texto sánscrito que responda exactamente al *Calila*. Parece bastante probable que, tal como se conserva, sea una obra de "acumulación". La materia india del libro estaría formada por una gran parte del *Panchatantra*, a la que se añadieron relatos incluidos en el *Hitopadeza* (refundición del *Panchatantra* realizada en el siglo X), el *Mahabarata* y el *Kathasaritsagara*. A esto se sumarían posteriormente elementos persas y árabes. Benfey esgrimió otros datos de origen interno (como la etimología de los nombres propios) que, si bien no son tan definitorios, contribuyeron a confirmar la tesis.

Muy poco se sabe de los primeros pasos del *Calila* por otras lenguas. Todo lo que conocemos de la versión pahlevi (realizada hacia el 570) se reduce al texto legendario de la misión de Berzebuey a la India, incluido como prólogo en algunas traducciones. Años después se vertió al siriaco y al tibetano (sólo se conservan dos cuentos), siendo éstos los textos que mejor se ajustan a la versión pahlevi perdida. Las restantes traducciones proceden directa o indirectamente de la árabe.

LA VERSION ARABE DE IBN AL-MUQAFFA'

La traducción de Ibn al-Muqaffa' es fundamental para la transmisión de la obra de oriente a occidente, al igual que sucedió con otros muchos textos. A su vez, es la versión más antigua del *Calila* que conservamos completa, aunque con infinidad de variantes, y también la primera de la que conocemos detalles de su realización y de su autor.

En el siglo VIII, tras el establecimiento de Bagdad como nueva capital del imperio abbasí, se produce un cambio de mentalidad. Hasta entonces el califato omeya de Damasco había buscado por encima de todo la expansión territorial.

(4) Véase la introducción de P. Nykrog a su obra *Les Fabliaux. Etude d'histoire littéraire et de stylistique médiévale*, Genève, Droz, 1973, p. XXXVI.

Al trasladarse el centro espiritual del imperio hacia el Este –hacia las viejas tierras de Mesopotamia y Persia– se origina una transformación de la sociedad. En el plano político supone la ascensión a las capas altas del poder de elementos iraníes; igualmente muchas obras maestras de la literatura árabe serán escritas por ellos. La vocación igualitaria del Islam, proclamada por el *Corán* y algo olvidada por los árabes, se reafirma por los no árabes para quienes el hombre no se define por la raza sino por la fe. Culturalmente el comienzo del califato abbasí es uno de los momentos capitales de la historia de las civilizaciones. Las obras griegas llegan a través de versiones sirias y son traducidas al árabe. Los postulados del pensamiento griego van a suscitar un poderoso movimiento de búsqueda y controversia que hará necesaria la puesta a punto de un instrumento de comunicación. La gloria de haber creado, en la primera mitad del siglo VIII, una de las grandes lenguas del pensamiento universal se debe a los iraníes islamizados, de los cuales Ibn al-Muqaffa' es sin duda el más prestigioso.

Ibn al-Muqaffa' nació en Irán hacia el año 106 de la égira (724 d.J.C.). Hijo de un funcionario del fisco, fue secretario de altas personalidades. Apasionado por las intrigas políticas, representa más bien el tipo de personaje cortesano. Formaba parte de un grupo de intelectuales destacados, acusados de tibieza religiosa por el fanatismo de los árabes. El mismo abandonó su primitiva religión mazdeista para convertirse al islamismo. De este grupo de intelectuales surgió un nuevo estilo de prosa ("la prosa de los secretarios"), de la que nacieron las versiones de narraciones orientales que iban a tener después una influencia destacada en el desarrollo de la literatura occidental[5]. A esta época pertenecen las traducciones árabes del *Barlaam*, el *Calila* y el *Sendebar*. Ibn al-Muqaffa' murió asesinado muy joven por causas todavía oscuras, aunque según su biógrafo D. Sourdel, la muerte no se debió a motivos religiosos, como se había venido afirmando, sino a razones políticas. Posiblemente fue instigada por Al-Manṣūr para defenderse de la aristocracia persa a quien Ibn al-Muqaffa' representaba.

La biografía de Ibn al-Muqaffa' habrá que tenerla siempre presente para comprender toda su obra, no sólo las creaciones originales, sino la selección de textos traducidos. En palabras de D. Sourdel, *les nouveaux rapports que l'on découvre entre l'oeuvre d'Ibn al-Muqaffa' et son tragique destin relèveraient des senti-ments qui animent le plus profondément cette oeuvre: curiosité pour les princi-pes du gouvernement et goût pour les intrigues menées autour du pouvoir*[6].

A lo largo de toda su producción, Ibn al-Muqaffa' persiguió siempre un doble fin: primero, crear una prosa árabe, verdadero instrumento de comunicación literaria y científica al servicio de un mundo intelectual nuevo; esta lengua, destinada en principio a gente cultivada, se convertirá con el transcurso del tiempo en la lengua escrita de toda una generación, el árabe literario. En segundo lugar, pretendió recopilar un código de conducta que no fuera contradictorio con

---

(5) Varios autores coinciden en destacar la importancia de los elementos iraníes para la transmisión de los cuentos, como A. Miquel, *L'Islam et sa civilisation. VIIe - XXe siècle*, Paris, Armand Colin, 1977 y "La Fontaine et la version arabe des Fables de Bidpai. Reflexions sur la structure de la Fable", *RLC*, XXVIII (1964), 35-50; G. von Grunebaum, *L'Islam médiéval. Histoire et civilisation*, Paris, Payot, 1962; F. Gabrieli, *Arabeschi e studi islamici*, Napoli, Guida Editori, 1973.

(6) D. Sourdel, "La biographie d'Ibn al-Muqaffa' d'après les sources anciennes", *Ar*, I (1954), p. 323.

el orden divino, pero que sirviera para delimitar claramente los dominios respectivos de lo temporal y lo espiritual.

Rosenthal[7] considera a Ibn al-Muqaffa' el introductor en la literatura árabe de los "espejos de príncipes", género de herencia persa, mediante su traducción del *Calila* y de otras obras moralizadoras, y también a través de sus escritos originales. La finalidad que persiguen estas obras es enseñar por medio de ejemplos y aforismos. Críticos como el citado Rosenthal y Gabrieli[8] coinciden en apreciar en las producciones originales de Ibn al-Muqaffa' una comunidad de formas e ideas con sus traducciones. En ambos grupos se concede gran importancia a la sabiduría, la justicia y al empleo de la astucia en la guerra. Asimismo, un elevado número de sentencias y comparaciones, insertadas en la producción original, proceden del *Calila*, lo que permite suponer por parte del prosista árabe una gran asimilación de los textos traducidos. En el caso del *Calila*, tal circunstancia dificultará la distinción entre sus interpolaciones y el material original.

Ibn al-Muqaffa' se enfrentó a un texto que contenía múltiples alusiones a concepciones sociales y religiosas de origen hindú. El politeísmo indio (del que hay un ejemplo en el cuento del tituy), la concepción social de las castas, la doctrina de la metempsícosis... eran elementos que no podían contar con una favorable acogida en el mundo musulmán, por muy tolerante que éste fuera con todas las creencias. Por lo tanto, algunos de los rasgos más sobresalientes —que conservó el traductor siriaco— fueron modificados por el árabe: la metamorfosis de la rata en niña y viceversa era realizada en la versión original directamente por el religioso, mientras que en el texto árabe se transforma por intercesión de la divinidad para no herir la susceptibilidad de la ortodoxia musulmana. La historia del chacal, que había sido en una etapa precedente de su vida un rey pecador, es omitida, al igual que muchas expresiones de carácter politeísta. Pero, a su vez, Ibn al-Muqaffa' evitó islamizar su traducción, de tal modo que el texto —salvo algunas interpolaciones— conservó su carácter original. La aportación del traductor árabe ha quedado establecida, tras no pocas discusiones, en los siguientes términos:

a) Apartado acerca de las diversas religiones interpolado en la autobiografía de Berzebuey.

b) Prólogo donde subraya el doble sentido del texto (literal/moralizante) y la necesidad de alcanzar su total asimilación.

c) Capítulo (IV, en la traducción castellana) donde, tras un pormenorizado proceso judicial, el traidor Dimna muere castigado por sus acciones.

d) Más dudosa resulta la atribución a Ibn-al Muqaffa' de los cuatro capítulos finales que no tienen correspondencia en el original siriaco.

En resumen, poco se traduce de la mentalidad de Ibn al-Muqaffa' en una obra cuya gran popularidad hizo pronto olvidar el nombre del autor para convertirse

(7) E. Rosenthal, *El pensamiento político en el Islam medieval*, Madrid, Revista de Occidente, 1967, especialmente pp. 82-88. Parte del excelente estudio de G. Richter, *Studien zur Geschichte der älteren arabischen Fürstenspiegel*, Leipziger Semitistische Studien, Neue Folge, III, 1932 (Reprint New York, Johnson Reprint Corporation, 1968).

(8) F. Gabrieli, "L'opera di Ibn al-Muqaffa'", *RSO*, 13 (1932), 197-247.

en propiedad de todo un pueblo[9]. El texto ha ido sufriendo sucesivas imitaciones y alteraciones, de forma que hoy es imposible distinguir el original.

Salvo el breve excurso de las religiones, en el cual se trasluce el espíritu escéptico y atormentado de Ibn al-Muqaffa', el resto no contiene claras huellas de su personalidad.

El texto del *Calila* proseguirá su recorrido por Europa a través de la traducción árabe acompañada de las breves modificaciones ya señaladas. La mayoría de ellas —por lo que respecta a la supresión de rasgos politeístas o aquéllos que denotaban creencia en la metempsícosis— se adaptarán también a la España cristiana del XIII, cuyos principios religiosos estaban más próximos a la religión musulmana que a las creencias hindúes.

Directamente del texto árabe se hicieron nuevas versiones al siriaco (la segunda), griego, persa, hebreo (dos), latín y castellano. De todas ellas, la primera versión hebrea puede considerarse la más importante, gracias a la difusión que alcanzó traducida al latín, bajo el título de *Directorium humanae vitae alias parabolae antiquorum sapientum*[10]. Hasta el siglo XVIII, Europa conoció fundamentalmente el *Calila* a través del texto de Capua. Una vez más, al igual que sucedió con el *Sendebar*, la lengua latina fue la que definitivamente franqueó el camino de estos textos orientales por occidente.

LA PRIMITIVA TRADUCCION CASTELLANA

La primera versión del *Calila* al castellano se realizó en el siglo XIII, aunque las circunstancias que originaron su traducción y la fecha exacta en que se llevó a cabo plantean algunos problemas[11]. El origen de las dificultades se encuentra en los colofones de los dos manuscritos conservados en el Escorial. Siguiendo a sus editores, distinguiremos estos manuscritos con las letras A y B[12]. El texto A concluye con el siguiente colofón:

(9) La popularidad árabe de la obra parece atestiguada por los numerosos y divergentes manuscritos. Sin embargo, Ch. Pellat, "Littérature arabe et problèmes de littérature comparée", *Actes du Septième Congrès National* (Poitiers, 1965), Société française de littérature comparée, Paris, Didier, 1967, p. 13, opina lo contrario.

(10) L. Hervieux, *Les fabulistes latins depuis le siècle d'Auguste jusqu'à la fin du moyen âge. Jean de Capoue et ses dérivés,* Paris, F. Didot, 1899 (Reprint Georg Olms Verlag, 1969).

(11) Un buen resumen de estas dificultades puede hallarse en el artículo de C. López-Morillas, "A Broad View of *Calila et Digna* on the Occasion of a New Edition", *RPh*, XXV, 1 (1971), 85-95.

(12) La filiación de estos manuscritos es otra dificultad todavía no resuelta. A. Hottinger, *Kalila und Dimna. Ein Versuch zur Darstellung der arabisch-altspanisch Übersetzungskunst,* Berna, A. Francke, A.G. Verlag, 1958 (Románica Helvética, vol. 65), plantea las hipótesis más convincentes: a) el ms. B presenta semejanzas con el texto de Capua; ambos pudieran proceder del mismo original y b) El ms. A puede ser una versión resumida del B o bien una traducción de un ms. árabe diverso.

15

Aqui se acaba el libro de Calina e Digna, e fue sacado de aravigo en latyn, e rromançado por mandado del infante don Alfonso, fijo del muy noble rrey don Ferrnando en la era de mill e dozientos e noventa e nueve años (p. 371)[13].

El B no indica el año de traducción. Según P. Gayangos[14] "también se expresa en él que el libro fue trasladado por mandato del infante don Alonso", aunque en la doble versión que edita J. Keller no encuentro recogida esta referencia. De cualquier forma, la lectura de ambos colofones plantea dos problemas diferentes: datación y posible existencia de una versión intermedia latina.

Si aceptamos la fecha de 1299, según figura en el colofón A, aun retrayéndola a la era cristiana (1261), no coincide con la información de "por mandado del infante don Alfonso", pues por esas fechas éste ya era rey. Asimismo, la posibilidad de una versión latina intermedia plantea sus dudas, ya que no se conserva el texto, ni tampoco hay huellas apreciables de su existencia. Pascual Gayangos creyó hallar la solución en un códice desconocido citado por Sarmiento, cuyo colofón dice:

Sacando de arábigo en Latyn, é romançado por mandado del infante D. Alonso, hijo del rey D. Fernando, en la era de 1389.

Pese a que el códice aparentemente complicaba más las cosas, en él se basó Gayangos para su ingeniosa argumentación. Según sus hipótesis, la datación de este códice es errónea; donde dice 1389 hay que leer 1289, lo cual reconvertido nos da 1251, fecha que cuadra perfectamente con la afirmación: "por mandado del *infante* D. Alonso". A su vez, en el códice A, en lugar de 1299 debía figurar 1289, lo cual de nuevo nos conduce al 1251 como fecha de traducción. Gayangos tampoco cree en la existencia de la versión latina intermedia. Una vez demostrada la escasa fiabilidad de estos colofones, nada impide suponer la presencia de un nuevo error, y más, contando con datos fiables. En efecto, tras la publicación por Sacy de una edición del texto árabe, Gayangos, Derenbourg, Benfey... descubrieron tantas afinidades entre el texto árabe y el castellano como para descartar la existencia de una versión intermedia. Estas semejanzas son tan estrechas que algunos arabistas —entre ellos Alemany—[15] se sirvieron del texto castellano para intentar reconstruir el maltrecho original árabe. Recientemente, Galmés de Fuentes[16], después de un estudio pormenorizado, ha vuelto a insistir en la versión directa del árabe al castellano. El proble-

<hr/>

(13) Todas las citas del *Calila* remiten a la edición de J.E. Keller y R.W. Linker, *El libro de Calila e Digna*, Madrid, CSIC, Clásicos Hispánicos, 1967; mientras no indique lo contrario, me refiero al texto B. Las argumentaciones de J.E. Keller, en "New Lights on Calila e Digna", *Filología y Crítica Hispánica. Homenaje al Prof. Sánchez Escribano*, Madrid, Alcalá, 1969, pp. 25-34, para modificar el nombre del chacal no me resultan totalmente convincentes. Dadas las fluctuaciones de los manuscritos, prefiero mantener el título *Calila e Dimna* frente a *Calila e Digna*.

(14) P. Gayangos, "Del libro de Calila e Dymna, y sus diferentes versiones", en *Escritores en prosa anteriores al siglo XV*, Madrid, Atlas, 1952, BAE 51, p. 5.

(15) J. Alemany y Bolufer, *La antigua versión del Calila y Dimna cotejada con el original árabe de la misma*, Madrid, Sucesores de Hernando, 1915.

(16) A. Galmés de Fuentes, "Influencias sintácticas y estilísticas del árabe en la prosa medieval castellana", *BRAE*, XXXV (1955), 213-275; 415-451; XXXVI (1956), 65-131; 255-307.

ma queda solucionado si al colofón citado por Sarmiento se le suprime una *e*, leyéndose entonces "latin romanizado", término que en ocasiones designaba al nuevo romance.

Las hipótesis de Gayangos fueron aceptadas unánimemente, con alguna pequeña salvedad. Por ejemplo, Amador de los Ríos[17] seguía creyendo en la existencia de la versión latina intermedia (basándose para ello en los colofones y en un pasaje de la *General Estoria*, parte III, LXIII). A. G.solalinde, en una reseña a la edición de Alemany, aportó nuevos datos que complicaban el panorama, de por sí bastante confuso. Discute la posibilidad de una versión latina intermedia, repitiendo los argumentos ya conocidos, aunque no llega a afirmar su existencia y se limita a comprobar que "estas noticias, aunque sean inexactas, nos atestiguan por lo menos, una opinión corriente en la Edad Media"[18]. Posteriormente, en el prólogo a su edición del *Calila,* puso en duda la veracidad de esta versión: "Podríamos darle crédito, aunque sea difícil admitir esta supuesta versión intermedia, si aquella nota no fuese en todas sus partes inexacta, lo que nos lleva a declararla apócrifa"[19].

Mayor disconformidad muestra Solalinde con la atribución y datación del texto castellano. Cita un fragmento de la *General Estoria*[20] en el que se narra la misión de Berzebuey a la India de forma *diferente* a como figura en el prólogo de la versión castellana. "Si Alfonso X hubiera sido el traductor del *Calila e Dimna,* sin ningún género de duda hubiera aprovechado su propia versión en su *General Estoria* y no otra distinta". También cabría esperar que en este pasaje de la *General Estoria* recordara que el libro había sido traducido en su corte, como hace en otras ocasiones. Solalinde concluye dudando no sólo de la atribución del *Calila* a Alfonso X sino incluso "de que en la época en que se escribiera la *General Estoria* (es decir, hacia 1270) existiera una versión cualquiera en castellano del *Calila e Dimna".*

La opinión de Solalinde no ha contado con la aprobación unánime de la crítica. G. Girot[21] se mostró partidario de seguir aceptando las hipótesis de Gayangos; para los problemas planteados por Solalinde halló posibles respuestas. Si el encargado de redactar este pasaje de la *General Estoria* sabía árabe, ¿no pudo hacer una traducción directa sin recurrir a la realizada en 1251? Asimismo, puede suponerse que en alguna de las dos versiones no tuviera intervención directa el rey sabio. Tras comparar ambos textos, concluye que son exactos en su conjunto y en su moraleja pero difieren en numerosos detalles. El origen de esa divergencia pudo residir, según Cirot, en que el fragmento de la *General Estoria* fuera un intento de reproducción memorística y no una traducción.

(17) J. Amador de los Ríos, *Historia crítica de la literatura española,* Madrid, Impr. José Rodríguez, 1863, vol. III, p. 527.

(18) A.G. Solalinde, *RFE,* II (1915), p. 295.

(19) *Calila y Dimna. Fábulas,* ed. de A.G. Solalinde, Madrid, Calleja, 1917, p. 6.

(20) Alfonso el Sabio, *General Estoria. Primera parte,* ed. de A.G. Solalinde, Madrid, Centro de Estudios Históricos, 1930. El pasaje mencionado está en el libro VII, cap. XXXXI, "Dun exiemplo de como el saber es uida e la nesciedad muerte, e del nombre de Athenas, e dela uida por el saber".

(21) G. Cirot, reseña a la edición de Solalinde, *BHi,* XXIV (1922), p. 169.

Por otro lado, para G. Menéndez Pidal[22] la existencia de una versión intermedia latina o hebrea es algo verosímil, aunque no muy probable. Lo que sí existió fue una "versión bárbara preliminar", como lo demuestra el manuscrito conservado en la biblioteca de Palacio. Esta versión bárbara sería una redacción previa a la que conocemos como texto B. "Más de veinte años después —concluye Gonzalo Menéndez Pidal— se interpoló en la *General Estoria* un fragmento literaturizado de ese *Calila*".

Las argumentaciones de Solalinde, Cirot y Menéndez Pidal no me parecen totalmente convincentes: 1.º) Según A.G. Solalinde, cuando se realizó la *General Estoria* aún no se había hecho la traducción del *Calila e Dimna;* 2.º) De acuerdo con G. Cirot, el redactor del citado párrafo de la *General Estoria* se limitó a recordarlo de memoria, lo que justificaría las divergencias; 3.º) Para G. Menéndez Pidal, el texto del *Calila* pertenece al primer período de traducciones alfonsíes, caracterizado por su fidelidad y apego al texto escrito. La *General Estoria* corresponde al segundo período, por lo que no es extraño encontrar en ella una versión más libre y literaturizada. Los tres críticos presuponen la divergencia entre ambos pasajes, pero, ¿en qué consiste esa diferencia? ¿Se trata de una mayor literaturización del texto o de una infiel reproducción memorística? Quizá un nuevo cotejo de los fragmentos pueda aclarar algo.

En el texto de la *General Estoria* el monarca ocupa el centro de la narración. Haciendo honor a su posición en la cúspide de la pirámide social, es un rey culto, preocupado por las ciencias y por la lectura. En uno de sus libros lee algo acerca de unas hierbas maravillosas que producen la inmortalidad y crecen en los montes de la India. El rey —dada su categoría— no puede abandonar su país y encarga a un filósofo de la corte, Berzebuey, que vaya en busca de estas hierbas. Antes de partir, le entrega credenciales para facilitar la tarea y avalar el viaje. El filósofo cumple su misión, prueba las hierbas, pero no encuentra ni rastro de los poderosos efectos anunciados por el monarca. Su reacción inmediata es intentar el regreso, ya que el error no ha sido suyo sino de quien lo ha enviado. Sin embargo, los reyes de la India se preocupan por el resultado de la expedición y precisamente uno de ellos le explicará el sentido metafórico del texto. Las hierbas aludían al conocimiento espiritual (encerrado en los cuentos indios), con el cual triunfa el hombre sobre la muerte.

En el prólogo a la edición castellana del *Calila* el papel principal no corresponde al rey sino al médico filósofo. Es él, quien, más de acuerdo con su profesión, tiene noticias de estas hierbas que dan la inmortalidad. Se dirige al rey buscando ayuda y protección para emprender el viaje. Una vez que ha fracasado en su intento, la reacción lógica de Berzebuey es la vergüenza. La sensación de fracaso le impide volver ante el monarca. Perderá sus favores e indudablemente dejará de ocupar el alto cargo que tenía en la corte. Antes de regresar derrotado consulta a sus colegas, los filósofos de la India. Serán ellos, y no los reyes indios, quienes le ayuden a interpretar correctamente el pasaje. No nos encontramos ante un mismo texto con las variantes propias de una reproducción memorística, como decía Cirot, ni ante una versión literaturizada comó propugnaba G. Menéndez Pidal. Posiblemente, estemos ante dos textos diferentes que

(22) G. Menéndez Pidal, "Cómo trabajaban las escuelas alfonsíes", *NRFH*, V (1951), 363-380.

proceden a su vez de dos tradiciones diversas. La versión de la traducción castellana coincide con la que figura en la hebrea y sus derivadas, así como en el *Libro de los Reyes* de Firdawsi. Esta versión, según opina Benfey, es la más antigua y fue modificada en algunos detalles por considerarse indigna. La variante modificada aparece en algunas versiones árabes, así como en la persa y en la griega. Es precisamente esta última la que reproduce la *General Estoria*.

Después de la confrontación parece claro que se utilizaron dos originales árabes diferentes para traducir los dos pasajes. Ahora bien, ¿por qué no se empleo siempre el mismo original? Conocemos gracias a los trabajos de Solalinde y G. Menéndez Pidal cómo trabajaba Alfonso X. El rey sabio, al abordar este pasaje de la *General Estoria,* pudo tener en sus manos las dos versiones. Una, que él mismo había mandado traducir siendo infante, otra que concedía mayor importancia a la actuación real. ¿No pudo entonces rechazar su primitiva traducción y elegir este nuevo texto que tenía unas correspondencias tan claras con su papel de difusor de la cultura?

Esta nueva hipótesis armonizaría la fecha de 1251 para la traducción del *Calila* con la aparición del pasaje de la *General Estoria,* todo ello a la luz de la cosmovisión alfonsí. Asimismo, el interés por el saber del rey sabio explica la gran difusión que tuvieron durante su reinado los textos orientales de cuentos y sentencias. En ellos se ensalzaba lo que él mismo propugnaba: la identificación entre sabiduría y poder.

En fechas posteriores se hicieron otras traducciones al castellano que, si bien carecen de la importancia del texto medieval, resultan interesantes para observar el proceso de adaptación de estos cuentos a nuevas situaciones históricas. Bajo el título de *Exemplario contra los engaños y peligros del mundo* se conoce una versión castellana del *Directorium* realizada hacia 1445. Coincide con el texto de Capua en la repetición de diversos errores, arbitrariedad en los nombres propios... Hay una tercera traducción castellana, poco difundida, que tomó como modelo la versión turca *Humayun-named,* la cual a su vez procedía de una versión persa. Fue realizada por Vicente Bartolomeo Brattuti, intérprete de lenguas orientales en la corte alemana de Fernando III y, posteriormente, de lengua turca en la de Felipe IV. La traducción se tituló *Espejo político y moral para príncipes y ministros y todo género de personas;* sólo se publicaron los ocho primeros capítulos de los catorce que comprendía la versión turca. También se conserva otra traducción al castellano realizada por el orientalista español José Antonio Conde en 1797. La versión, directa de los originales árabes, permanece inédita en la Biblioteca de la Real Academia de la Historia; su consulta me ha resultado de gran interés para comprender algunos pasajes de la traducción medieval[23].

Este breve repaso por algunas de las numerosas versiones del *Calila* subraya la importancia concedida a la obra en todas las épocas y culturas. Es evidente que fue valorada en algo más que en una simple colección de cuentos. El interés de los reyes por patrocinar su traducción y la popularidad de algunos cuentos

(23) *Exemplario contra los engaños y peligros del mundo,* facsímil de la edición de Zaragoza, 1531, Imprenta de Jorge Coci (Fiesta Nacional del Libro, 1934); la noticia de la incompleta traducción de Brattuti procede de I. Montiel, ob. cit., p. 131; en cuanto al ms. de J. A. Conde está en la Real Academia de la Historia catalogado con el número 9-5969.

19

independientes sólo se justifica si se analiza desde otra perspectiva. Como demuestran los diferentes títulos de las traducciones castellanas, el libro fue considerado un conjunto de normas válidas para los príncipes y para todos los lectores en general. Después, el auge de dos géneros (el *exemplum* y los "espejos") favoreció su difusión.

LOS PROLOGOS, ENTRE LA HISTORIA Y LA LEYENDA

Los diversos prólogos del *Calila* narran la historia "novelizada" del origen y transmisión de la obra. Los críticos se han apoyado en estos datos para reelaborar sus propios argumentos, lo que ha dado pie a numerosas confusiones. Dejando aparte la escasa fiabilidad histórica de lo que en ellos se cuenta, no cabe duda de su enorme interés legendario. Se pueden distinguir hasta cuatro preliminares, aunque no aparecen en todas las versiones (la castellana conserva tres); tampoco es rara la alteración en el orden y contenidos.

1. Prólogo de 'Alī b. al-Shāh al-Fārisī (también conocido como Belmud, hijo de Sehwan) ————————————→ *origen del libro.*

2. La misión de Berzebuey ————————→ *transmisión a Persia.*

3. Autobiografía de Berzebuey ————————→ *biografía del traductor persa.*

4. Prólogo de Ibn al-Muqaffa' ————————→ *introducción del traductor árabe.*

El prólogo de al-Fārisī se inserta en algunas, aunque no todas, las versiones árabes. Es muy posible que no figurara en la que utilizó el traductor castellano del XIII, lo que justifica su ausencia. Al no aparecer tampoco en el *Directorium* no se difundió por Europa. Se desconoce la identidad de este 'Alī, quien en su preliminar remite el origen del libro a la época de Alejandro. Este, después de vencer a Poro en la India, colocó en su lugar a un oficial suyo. Al poco tiempo de haber partido Alejandro, los indios derrocaron al nuevo monarca y eligieron rey a Dabshelim (Dabxalim), descendiente del antiguo rey. Dabshelim gobernó primero con justicia, pero pronto se entregó a todo tipo de excesos. Un filósofo de la corte, Bidpai (Baidaba) intentó afearle su conducta, por lo que fue condenado a muerte; más tarde le fue conmutada la condena por la prisión. Una noche en la que el rey no podía conciliar el sueño, pensando en la configuración del universo, mandó llamar al filósofo encarcelado. Satisfecho con las respuestas que dio a sus interrogantes, decidió nombrarle su visir. Gracias a los consejos de Bidpai llegó a ser de nuevo un gran rey.

El filósofo compuso numerosos libros, entre otros el *Calila,* pensando en los más indoctos y en la educación de los hijos del rey. En una solemne asamblea se hizo una lectura pública del *Calila* que contribuyó a aumentar la fama de Bidpai. Este sólo pidió como recompensa que Dabshelim pusiera en práctica sus máximas y que guardara el libro con siete llaves para evitar que algún día se apoderaran de él los persas. El prólogo concluye afirmando que, pese a estas medidas, Cosroes, rey persa, obtuvo una copia del libro, gracias a la intervención de su médico[24]. Los protagonistas de este prólogo (el rey Dabshelim y el filósofo Bidpai) reaparecen dialogando al inicio y al final de cada capítulo. El rey plantea un tema y el filósofo responde con un cuento. Todas las versiones —incluida la castellana— reproducen el marco dialogado pero, al faltar el prólogo de al-Fārisī, estos personajes carecen de antecedentes. El problema incide en la estructura del libro, como veremos más adelante.

La transmisión del libro a Persia constituye un segundo prólogo. La narración tuvo una gran popularidad, lo que originó la formación de dos tradiciones distintas. Cada una de estas familias tiene su representación en la literatura castellana medieval. Como vimos anteriormente, una aparecía en el *Calila e Dimna* y otra se incluía en la *General Estoria*. Al regresar Berzebuey con los libros de cuentos, Cosroes se ofreció para satisfacer todos sus deseos. La única aspiración del médico filósofo fue que alguien redactara su biografía y ésta se incluyera como un prólogo más al comienzo del *Calila*.

La biografía de Berzebuey, contada en primera persona, es la historia de un médico que va conociendo los límites de la existencia humana con el ejercicio de su profesión. Esto le lleva primero a trabajar gratuitamente y después a adoptar una postura próxima al ascetismo. El relato sufrió una interpolación de Ibn al-Muqaffa' que acentuaba la inseguridad de todas las religiones reveladas, y otra del traductor hebreo que terminaba por reconocer en el cristianismo a la única verdadera. Por último, el traductor árabe añadió un cuarto prólogo con instrucciones para la correcta interpretación del libro.

En el prólogo de al-Fārisī se atribuye la autoría del *Calila* a un sabio llamado Bidpai (Baidaba) de la corte india de Dabshelim. La transmisión de esta obra a Persia se realizó, según se cuenta en otro prólogo, gracias a un filósofo, llamado Berzebuey en el texto castellano, del que conocemos su vida por un tercer preliminar. En algunas versiones del segundo prólogo hay un desdoblamiento de funciones: un visir de Cosroes, llamdo Buzurjumihr, localiza al médico capaz de viajar a la India, traduce la obra al pahlevi y añade luego la biografía del viajero; un médico filósofo, llamado Burzoe, lleva a cabo la expedición y encuentra el libro. Las leyendas de todos estos personajes presentan numerosas coincidencias, a las que hay que añadir la similitud de sus nombres. Las investigaciones de A. Christensen[25] han contribuido a solucionar el problema.

Durante el reinado de Cosroes I Persia sufrió la influencia de la civilización hindú. Uno de los primeros promotores de esta corriente fue el médico Burzoe (hipocorístico de Burzmihr), amigo íntimo del rey, que marchó a la India para estudiar su ciencia. Allí aprendió la lengua y tradujo numerosos libros, entre otros el *Calila* que hizo acompañar de un prólogo autobiográfico. El *Calila* alcanzó pronto gran popularidad en Persia y con ello se fueron forjando diversas leyendas en torno a la personalidad de su traductor. Por un error de trans-

(24) Este prólogo puede encontrarse traducido al castellano en la versión directa del árabe de Ahmed Abboud, *Calila y Dimna. Fábulas, leyendas, refranes, máximas y consejos orientales*, Buenos Aires, Editorial Arábigo-Argentina "El Nilo", 1948.

(25) A. Christensen, "La légende du sage Buzurǰmihr", *AO*, VIII (1930), 81-128; H. Massé en *Encyclopédie de l'Islam*, I, p. 1359; Fuat Sezgin, *Geschichte des arabischen Schriftums*, III. Leiden, E. J. Brill, 1970, p. 182 y ss.

misión, el héroe de las leyendas fue llamado en las versiones árabes Buzurjmihr y el traductor del *Calila* conservó el nombre de Burzoe. Así se terminó por creer que eran dos personajes distintos; Buzurjmihr habría traducido el libro y compuesto la biografía de Burzoe, quien realizó la expedición. En cuanto al prólogo de al-Fārisī está construido con fragmentos de las diversas leyendas atribuidas al médico filósofo. Según una de ellas había inventado el ajedrez para que el rey de la India Dewsarwah (el Dabshelim del prólogo) averiguara sus reglas. En otros relatos legendarios se cuenta su condena a muerte, posteriormente conmutada, por interpretar negativamente un sueño del rey. Con fragmentos de estas leyendas se construyó el prólogo, que no se introdujo en las versiones árabes del *Calila* hasta época muy tardía.

EL ORIGEN DEL "SENDEBAR"

La historia de esta colección se presenta más confusa, si cabe, que la del *Calila*, por la ausencia de datos objetivos. Las numerosas versiones existentes han venido separándose en dos ramas: la oriental y la occidental. Esta última se conoce bajo el nombre de *Siete sabios*, pues el papel del filósofo Sindbad (nuestro Çendubete) es interpretado por siete personajes. De ella se conservan en Europa más de doscientos manuscritos. La rama oriental está constituida por ocho versiones (siriaca, griega, castellana, árabe —*Siete Visires*—, hebrea y tres persas), de las cuales la más antigua parece ser la griega (s. XI). Ninguno de estos textos es el original, por lo que los críticos han intentado una hipotética reconstrucción de los pasos perdidos. La historia del *Calila* ha sido el modelo seguido para reelaborar el origen y difusión del *Sendebar*[26].

Según sus postulados, el *Sendebar* sería de origen sánscrito (formado también por la evolución de parábolas búdicas), posteriormente traducido al pahlevi y entre los siglos VIII y X al árabe, de donde derivarían las ocho versiones conservadas. De estos tres primeros hitos (sánscrito, pahlevi y árabe) no se conserva ningún fragmento. Los defensores de este recorrido se inspiran en la historia del *Calila*, las confusas opiniones de escritores árabes y los paralelismos temáticos y formales existentes entre el *Sendebar* y otros textos de procedencia sánscrita.

Las referencias de autores árabes prueban la existencia de versiones anteriores a las conservadas, aunque sus testimonios sean también contradictorios, dada la distancia que los separa del tema. Según el historiador árabe Ya'qubi (s. IX)[27], uno de los reyes de la India fue Kush, coetáneo del sabio Sindbad, y autor del *Libro de las astucias de las mujeres*. Por el contrario Mas'ūdī (s. X)[28] afirma que durante el reinado de Kurush vivió Sindbad, "autor del libro de los Siete Visires, del maestro, del joven y de la mujer del rey. La obra se titula

(26) Un planteamiento actualizado de estos problemas puede hallarse en el art. cit. de B.E. Perry.

(27) Retomo la cita de B.E. Perry, p. 3.

(28) *Les Prairies d'Or*, ed. cit., I., p. 159.

22

Kitāb-es-Sindbad". Ambas afirmaciones resultan confusas al atribuir la autoría de la obra a dos personajes: Kush (nombre del rey en algunas versiones) o a Sindbad (el sabio instructor del príncipe).

Más explícito es Muḥammad b. Isḥap (s. X), quien en su *Kitāb al-Fihrist* nos habla ya de las discusiones de la época en torno a esta colección: "Del libro del sabio Sindbad existen dos copias: la mayor y la menor. Las discrepancias que sobre el mismo existen son similares a las del *Kalila y Dimna,* pues la opinión imperante y más próxima a la verdad asegura que fue compuesto por los indios"[29]. En la cita se establece expresamente por vez primera el paralelismo entre el *Calila* y el *Sendebar,* repetido después en tantas ocasiones. Hoy nos resulta imposible saber lo que quería decir b. Isḥāq al aludir a las dos copias existentes y si alguna coincide con las versiones conservadas. En torno a este problema sólo existen algunas hipótesis. Así, según Th. Nöldeke[30] no se ha conservado más que la menor; la mayor sería una composición de un tal Asbagh, probablemente más extensa. Por el contrario, D. Comparetti[31] creyó identificar en la octava noche de *Touti-Nameh* la copia menor, dado que en esta versión cada privado narra sólo un cuento. También se tienen noticias de la existencia de una versión en verso realizada por Aban Lahiqui en el siglo IX[32]. Por último, en el segundo prólogo a la versión griega (*Syntipas*), su autor, Andreopulos, afirma que siguió un original siriaco, traducción a su vez de un texto árabe atribuido a un tal Musa.

La discusión se reanudó en el siglo pasado cuando J. Görres (1807) remitió el origen del libro a la India. Idéntico punto de vista fue sostenido después por A. Loiseleur-Deslongchamps, Th. Benfey, Th. Nöldeke... De estos, A. Loiseleur-Deslongchamps[33] fue el primero en aportar unos razonamientos sólidos. Su labor consistió en rastrear los antecedentes sánscritos de ocho historias del *Sendebar* (los números 5, 9, 10, 12, 16, 17, 18 y 19 en la versión castellana), para los que halló paralelos en el *Hitopadeza,* el *Sukasaptati,* el *Brhatkatha,* incluido dentro del *Kathasaritsagara* de Somadeva, el *Panchatantra,* el *Vetalapanchavinsati* y el *Bahar-i-Danish.*

Th. Benfey, en su estudio sobre el *Panchatantra,* estableció de nuevo la relación entre el *Calila* y el *Sendebar,* suponiendo para ambos un original sánscrito perdido. La gran autoridad del orientalista alemán hizo que sus conjeturas pasaran a considerarse afirmación indiscutible por sus seguidores. Sus postulados esenciales pueden resumirse en tres puntos:

(29) Citado por J. Vernet, "Las *Mil y una noches* y su influencia en la novelística medieval española", *BRABL,* XXVIII (1959-60), p. 11.

(30) Th. Nöldeke, "Sindban oder die Sieben Weisen Meister, Syrisch und Deutsch, von Friedrich Batghen" (reseña), *ZDMG,* XXXIII (1870), p. 521.

(31) D. Comparetti, *Researches respecting the Book of Sindibad,* London, Folklore Society, 1882 (Kraus Reprint Limited, 1967), p. 45.

(32) El dato procede del estudio introductorio de M. Epstein a su edición de los *Tales of Sendebar. An Edition and Translation of the Hebrew Version of the Seven Sages Based on Unpublished Manucrits,* Philadelphia, The Jewish Publication Society of America, 1967, p. 4.

(33) A. Loiseleur-Deslongchamps, *Essai sur les fables indiennes et sur leur introduction en Europe,* Paris, Techener Librairie, 1838, pp. 127 y ss.

1) Realizó ingeniosas investigaciones en torno al origen de los nombres propios de la colección hasta encontrar semejanzas con voces sánscritas. Por ejemplo, para "Sindbad" supone una forma "Siddhapati" que significaría "sabio" en sánscrito[34]. Sin embargo, frente al *Calila,* el *Sendebar* destaca en la mayoría de sus versiones por la escasez de nombres propios.

2) Estableció un paralelismo entre el marco narrativo de la obra y la historia del emperador budista Asokas; semejanza sólo aceptada posteriormente por Clouston y Cassel. De ser cierta podría relacionarse el *Sendebar* con el folklore búdico, aunque ambas narraciones no parecen tener demasiados puntos en común. No debe olvidarse que, desde el cuento egipcio de "Los dos hermanos", fechado en el 1200 a.J.C., pasando por la literatura clásica y bíblica, la tradición literaria y folklórica abunda en acusaciones semejantes.

3) Por último, señaló la relación existente entre la introducción al *Panchatantra* y el marco del *Sendebar.* Las analogías son evidentes, aunque falta probar la prioridad de un texto sobre otro.

Con esto pueden considerarse resumidas las principales argumentaciones a favor del origen indio de la colección. Después, el prestigio de sus defensores hizo que fueran aceptadas por los sucesivos estudiosos del *Sendebar,* entre otros A. Bonilla y San Martín, J. Amador de los Ríos, M. Menéndez Pelayo, J.E. Keller... Todos ellos coinciden en suponer para el *Sendebar,* a semejanza del *Calila,* un original sánscrito perdido, traducido posteriormente al pahlevi. A través de una supuesta versión árabe realizada entre los siglos VIII al X (la mencionada por Mas'ūdi), pasaría al siriaco, persa, hebreo, castellano y árabe.

No obstante, Carra de Vaux fue el primero en expresar sus dudas acerca del origen indio del *Sendebar* en una nota aparecida en la *Enciclopedia del Islam:*

> *(...) L'Inde possède des contes du même genre, et Benfey a voulu faire dériver le* Syntipas *d'un prototype indien, le* Siddahapati, *que nous ne possédons pas; toutefois la filiation indienne n'a pu être rigoureusement établie. On peut remarquer d'autre part que la morale de ces contes, et le trait caractéristique de l'épreuve du silence, rappelleraient plutôt la tradition pythagoricienne*[35].

La brevedad del artículo impide contrastar seriamente ambas teorías, ya que realmente Carra de Vaux no se define acerca del origen del libro, sino simplemente alude a una posible influencia pitagórica. Esta alusión puede ser reconsiderada a la luz de las recientes investigaciones de B.E. Perry si, como cree este último, el libro que más influyó sobre el *Sendebar* fue la *Vida de Secundus,* inspirado en las nociones de ascetismo pitagórico. La afirmación de Carra de Vaux, quien se basa sólo en la moral de los cuentos y en la "característica prueba de silencio", no parece suficientemente justificada. La moral de los cuentos es análoga a la de otras colecciones, como la *Disciplina Clericalis* o el *Calila.* En cuanto a la "prueba de silencio" es tema muy discutido, incluso por los actuales investigadores del pitagorismo, y puede también vincularse a los ritos iniciáticos, como se verá más adelante.

(34) G. Artola discute estas etimologías en su artículo "Sindbad in Medieval Spanish: A Review Article", *MLN,* LXXI (1956), 37-42.

(35) Carra de Vaux, artículo en *Encyclopédie de l'Islam,* IV, p. 454.

Por su parte, Morris Epstein ha centrado sus investigaciones en el *Mishle Sendebar,* nombre bajo el que se conoce la versión hebrea conservada (XII-XIII). Sus estudios le han llevado a suponer la existencia de dos versiones hebreas anteriores, a las que atribuye un importantísimo papel en la transmisión de la colección. Sus conclusiones esquematizadas serían las siguientes:[36]

I) Existió una versión hebrea de los siglos VII al VIII, no necesariamente derivada del árabe, traducida posteriormente al latín y ampliamente difundida por todo Occidente. Este texto, de nuevo a semejanza de lo sucedido con el *Calila,* serviría de puente entre ambas ramas y llegó incluso a influir sobre las versiones orientales. Para probar esta influencia, especialmente sobre el texto griego y el castellano, recoge algunos ejemplos.

a) El *Mishle Sendebar* termina con un aforismo del rey dirigido al sabio, de innegable origen hebreo:

E el rrey dixo: —Dime que quieres.
E dixo Çendubete: —Tu non quieras fazer a otrie lo que non queries que fiziesen (p. 8)[37].

Tanto en el texto siriaco como en el castellano el proverbio figura en boca de Çendubete al asumir su papel de preceptor. Para M. Epstein esta localización carece de sentido y su lugar exacto es la parte final. Asimismo el proverbio está ampliamente difundido entre la literatura hebraica. Por lo tanto, su aparición en tres versiones orientales —griega, siriaca y castellana— muestra la dependencia de estos textos frente al hebreo.

b) La colección suele concluir con una conocida figura retórica:

(...) que dize el sabio que aunque se tornase la tierra papel, e la mar tinta, e los peçes della pendolas, que non podrian escrevir las maldades de las mugeres (p. 64).

La figura se repite a su vez en otros textos hebreos y se trasladó de Oriente a Occidente gracias a un catecismo hebreo, el *Akdamut*[38].

II) M. Epstein supone la existencia de una primitiva versión hebrea (ca.s. IV-II a.J.C.), anterior incluso a la traducción pahlevi. De admitirse la hipótesis, el *Sendebar,* en la forma que conservamos, sería de origen hebreo. Después, absorbido por la corriente persa, apareció en versión pahlevi hacia los siglos VI o VII de nuestra era. De ahí pasaría a la tradición hebrea oriental, de escaso o nulo conocimiento del *Talmud,* lo que explicaría las pocas referencias talmúdicas y las abundantes alusiones bíblicas. Los árabes retomaron la obra del mundo hebreo

(36) Las tesis de Morris Epstein están contenidas en los siguientes estudios: "The Manuscripts, Printed Editions and Translations of *Mishle Sendebar", BNYPL,* 63 (1959), 68-87; *"Mishle Sendebar:* New Light on the Transmission of Folklore from East to West", *PAAJR,* XXVII (1958), 1-17; "Vatican Hebrew Codex 100 and the *Historia Septem Sapientibus", Proceedings of the Fourth World Congress of Jewish Studies, 1965,* Jerusalem, 1967; *Tales of Sendebar,* ed. cit.

(37) Cito por la edición de J.E. Keller, *El libro de los engaños,* Valencia, Castalia, 1959.

(38) I. Linn, "If All the Sky were Parchment", *PMLA,* LIII (1938), 951-971.

oriental y la tradujeron y readaptaron. A partir de la versión árabe se difundiría por occidente. Más tarde, cuando se realizó la versión hebrea conservada, llegó a la comunidad judía como una obra árabe. Tras su primera edición (1516) comenzó su trayectoria hacia Occidente, donde se difundió traducida al latín.

Las argumentaciones de M. Epstein no resultan convincentes para demostrar la total dependencia de las restantes versiones orientales respecto al texto hebreo. Lo que sí parece evidente es la estrecha semejanza existente entre el *Mishle Sendebar* y el *Libro de los engaños*, que puede quizá deberse a un común origen arábigo. Asimismo es posible suponer la intervención de algún judío en la traducción castellana, como era frecuente en este período, quien pudo introducir alguna modificación.

También el profesor americano B.E. Perry ha puesto serias objeciones a la teoría del origen indio en su intento por demostrar que el libro fue escrito en Persia hacia el siglo VI (579-650 d.J.C.), bajo el reinado de Anushirwan. El estudio de Perry es, por el momento, el más documentado y esclarecedor sobre el tema[39].

Comienza por rebatir los puntos principales de las conocidas tesis indianistas. Tras analizar detenidamente los antecedentes encontrados por A. Loiseleur-Deslongchamps, demuestra que no hay ninguna prueba definitiva de que estos libros sean anteriores al *Sendebar*. Y, aunque alguna de las historias fuera efectivamente india, esto tampoco probaría el origen de la colección, pues para demostrar realmente su procedencia hay que encontrar un antecedente al marco principal. Disiente también de la tesis de Th. Benfey. Para la etimología de la voz Sindbad, considera más probable suponer una alteración de una antigua forma iraní, Sundbad, nombre propio conocido en la literatura persa. No está, tampoco, de acuerdo con los antecedentes indios hallados para la historia marco. Admite la gran relación existente entre la introducción del *Panchatantra* y el marco del *Sendebar*, pero piensa en una influencia inversa.

Según sus conclusiones, el libro es de origen persa, pero parte de la materia narrativa emigró hacia el Este, probablemente por mediación de una traducción arábiga primitiva o persa moderna. En la India se incorporó, con las características alteraciones y adaptaciones hindúes, no sólo a las últimas versiones del *Panchatantra* y el *Hitopadeza*, sino a otras colecciones cuentísticas, como el *Vetalapanchavinsati*, el *Sukasaptati* y el *Océano de historias* (o *Kathasaritsagara*) de Somadeva. Para llegar a construir su hipótesis se basa en los siguientes puntos:

I) Algunos libros de historias, de amplia difusión por el próximo Oriente, influyeron directamente sobre el marco o la sustancia narrativa del *Sendebar*. Entre ellos destaca la *Vida de Secundus*, biografía de autor anónimo que cuenta la historia de un desconocido filósofo coetáneo de Adriano. La obra, de fines del siglo II d.J.C., gozó de gran popularidad en toda la zona, como lo prueba el hecho de conservarse versiones siriacas, armenias, árabes y etíopes. En su forma actual es posterior al *Sendebar*, de donde procede la historia interpolada de "Los huéspedes envenenados". Según B.E. Perry, las semejanzas entre ambos libros son grandes. La *Vida de Secundus* recogería una historia más depurada, origen probable del marco del *Sendebar*. El paralelismo se extiende también

(39) B.E. Perry, art. cit.

26

al final del relato, cuando Secundus escribe por mandato de Adriano las respuestas a veinte cuestiones filosóficas; estas cuestiones son muy parecidas a las que figuran en el texto griego y persa del XII del *Sendebar* y probablemente aparecerían también en la forma primitiva. Una versión de esta biografía se incluye en la *Primera Crónica General*, en el apartado dedicado a la época de Adriano[40]. El cotejo entre ambos textos demuestra la existencia de una temática común (la misoginia, el silencio relacionado con la muerte...), que responde a motivaciones diferentes. El filósofo Segundo se impone a sí mismo guardar un silencio riguroso tras descubrir la infidelidad de su madre. La historia está próxima a una cultura pitagórica.

II) Localiza los antecedentes de tres cuentos en la literatura grecolatina. Estos son:

a) Una parte de "El mercader de sándalo" (cuento 22) coincide con una anécdota atribuida a Esopo en su fantástica biografía, escrita durante el s. I y difundida en Persia bajo el Imperio sasánida. También figura en el *Banquete de los Siete sabios* de Plutarco.

b) El cuento de "Los huéspedes envenenados" (n.º 19) es semejante a una historia contada por Aelian, quien a su vez resume un poema compuesto por Estesicoro en el siglo VI d.J.C.

c) "El niño de cinco años" (n.º 21) aparece en los *Facta et Dicta Memorabilia* de Valerio Máximo.

También encuentra algunos temas que pueden considerarse de amplia difusión por el próximo Oriente, como la representación de los siete sabios alrededor del rey, el número siete, el castigo infligido a la madrastra...

III) El modelo de marco con historias insertadas paratácticamente, tal como aparece en el *Sendebar*, es típico de la antigüedad greco-romana. Frente a esta forma sencilla destaca la compleja inserción hipotáctica, utilizada en el *Calila* y el *Panchatantra*, como una forma derivada y corrupta del modelo original.

IV) Por último, analiza algunos de los nombres propios usados en las versiones más antiguas que él remonta a voces persas; señala asimismo la notable ausencia de nombres indios, tan frecuentes en el *Calila*.

Una vez establecido el lugar de origen, Perry hace un estudio comparativo de las versiones orientales para reconstruir la primitiva forma del *Sendebar* y aclarar las relaciones entre las versiones conservadas. Rechaza múltiples variantes que pertenecen a la parte más inestable de la tradición —principalmente el número, orden e identidad de las historias insertadas en el marco—, por considerar que son datos de pequeño valor para su tarea. Su estudio se centra, pues, en la

(40) *Primera Crónica General de España*, publicada por R. Menéndez Pidal, Madrid, Gredos, 1955, I, pp. 145 y ss. Hay otra edición independiente. "Capitulo de las cosas que escribio por rrespuestas el filosofo Segundo a las cosas que le pregunto el emperador Adriano", en *Mittheilungen aus dem Eskurial*, ed. H. Knust, Tübingen (Sociedad literaria de Stuttgar), 1879, pp. 498-506. El paralelismo entre la *Vida de Segundo* y el *Sendebar* ya fue apreciado por M. Menéndez Pelayo, *Orígenes de la novela*, Madrid, CSIC, 1962, I, p. 99.

historia-marco, destacando las interpolaciones o deturpaciones del texto original. Así consigue establecer la red de relaciones entre una y otra versión. En su opinión, no son ocho o más las ramas independientes, como venía repitiendo la crítica, sino dos o tres como máximo. De éstas, las versiones griega y siriaca son el reflejo más fiel del original pahlevi perdido.

Por último, considera que la tradición árabe de los *Siete Visires* —de donde derivan tanto el texto castellano como el hebreo— es una adaptación de la supuesta versión de Musa (VIII). En esta remodelación el marco está muy ampliado al principio y cortado bruscamente al final, por lo que desaparecen las preguntas últimas al filósofo, presentes en el texto griego y persa del XII.

LOS "SIETE SABIOS DE ROMA"

En su largo recorrido de Oriente a Occidente, el *Sendebar* se dividió en dos grandes bloques: oriental y occidental. Las diferencias entre los dos grupos son sustanciales, hasta poder afirmarse que las versiones occidentales sólo conservan del original el marco narrativo y algún cuento; su estudio resulta de gran interés para comprender los fenómenos de la propagación literaria. El procedimiento narrativo, con lo que suponía de novedad, fue rápidamente captado; el marco se conservó y los elementos subordinados fueron sustituidos por otros, más acordes con su nuevo contexto.

Dentro del marco, la diferencia fundamental —origen del cambio de título— radica en la figura del sabio instructor del príncipe. En las versiones occidentales (a excepción del *Dolophatos*) son siete los sabios encargados de la educación del príncipe, los cuales asumen también su defensa cuando está en peligro de muerte. Igualmente varía el número de relatos insertados. En las versiones occidentales cada sabio narra sólo un cuento, cuando lo normal en las orientales, excepto la octava noche de *Touti-nameh,* es que cuenten dos cada uno. Hay también un intento de aproximación espacio-temporal al localizar, en su mayoría, la historia principal en la Roma Imperial; de ahí el título de *Siete sabios de Roma.* Frente al grupo oriental, estos siete personajes, con algún otro del marco, tienen nombre, lo que supone un rasgo de mayor individualización. En esto coinciden con la versión hebrea.

Por lo que atañe a los cuentos las diferencias son mucho más notables. Se conservan pocos, y aquéllos que coinciden adquieren en ocasiones mayor extensión y una interpretación alegórica, como sucede en el texto de Cañizares. El caso extremo, dentro de las versiones anteriores al XII, es el *Dolophatos,* el cual conserva sólo un cuento en común con las versiones orientales. En total puede decirse que suelen aparecer cuatro comunes a ambas ramas: el cuento del papagayo (n.º 2), el bañista (n.º 9), el puerco y el simio (n.º 11) y Llewellyn y su perro (n.º 12).

Estas diferencias tan notables han hecho pensar a los críticos que el autor de la primera versión occidental no siguió fielmente una oriental, sino que retomó la historia de la tradición oral. Sin embargo, a la hora de buscar los posibles agentes de esa transmisión oral, comienzan de nuevo las discrepancias. Th. Benfey[41] consideró a los Mongoles como los principales difusores de la tradición literaria india. Siguiendo sus presupuestos, G. Paris[42] pensó que el *Sendebar* pasó primero a Italia a través del Imperio Bizantino. Para K. Campbell[43], las Cruzadas serían el factor para introducir cuentos budistas y, entre ellos, el *Sendebar*. Cosquin[44] fue el primero en refutar estas hipótesis al demostrar la difusión de la colección con anterioridad a las Cruzadas.

Como fuente remota de esta discutida tradición oral hay que considerar una serie de versiones orientales, como la griega, siriaca, hebrea o alguna otra hoy desaparecida. Muchos críticos, A. Loiseleur-Deslongchamps, Hilka, Landau, Epstein..., llamaron la atención sobre el importante papel de la versión hebrea, que coincide en algunos elementos con las versiones occidentales, apartándose del grupo oriental. Así sucede con el nombre dado a los sabios, encargados tanto de educar como de defender al príncipe, o en la coincidencia de algunos cuentos, comunes sólo al texto hebreo y al grupo occidental. Esta teoría ha sido recientemente defendida por M. Epstein, quien considera como intermediaria la versión hebrea, al igual que sucedió con la versión de Capua para el *Calila*. Los agentes de la difusión serían los Radanitas, judíos ambulantes del siglo IX que cubrían la ruta entre Francia y China y fueron los primeros europeos en establecer relaciones comerciales directas entre Oriente y Occidente.

La rama occidental del *Sendebar* alcanzó gran éxito en Europa, donde hay más de cuarenta versiones diferentes, conservadas en doscientos manuscritos y aproximadamente doscientas cincuenta ediciones. Dos versiones fueron los núcleos principales de penetración:

I) *Dolophatos sive de rege et septem sapientibus*, versión latina realizada por el monje Juan de Alta Silva, a finales del XII o principios del XIII. Coincide con las versiones orientales en confiar la instrucción del príncipe (Dolophatos) a un sólo sabio: Virgilio. Al igual que la octava noche de *Touti-nameh*, suprime los relatos puestos en boca de la madrastra. Tiene sólo un cuento en común con el grupo oriental (Llewellyn y su perro). De este texto se realizó en el siglo XIII una versión en verso a cargo del poeta francés Herbert.

II) *Liber de septem sapientibus* (ca. 1135). A diferencia del *Dolophatos* tiene muchísimas versiones. La más antigua conservada es una francesa, *Les sept sages de Rome*, pero fue también traducido al italiano, catalán, castellano, inglés, alemán, neerlandés, sueco, húngaro, galés, armenio y eslavo. Se conservan tres versiones castellanas[45]:

(41) Th. Benfey, ob. cit.

(42) G. Paris, *La littérature française au Moyen Age*, Paris, 1947, p. 87.

(43) K. Campbell, *The Seven Sages of Rome*, Boston, 1907 (Genève, Slatkine Reprints, 1975), p. XVII.

(44) E. Cosquin, "Les Mongols et leur pretendu rôle dans la transmission des contes indiens vers l'occident européen", *Etudes folkloriques*, Paris, 1922, pp. 497-612.

(45) Estas tres versiones occidentales, junto con la primitiva traducción castellana de la rama oriental, pueden encontrarse en la edición de A. González Palencia, *Versiones castellanas del Sendebar*, Madrid-Granada, CSIC, 1946.

a) Versión de Diego de Cañizares (s. XV), tomada del *Scala Coeli* de Juan Gobio. Sólo cuatro cuentos, aparte de la historia principal, coinciden con el grupo oriental.

b) Desde 1530 circuló impresa la versión titulada *Libro de los siete sabios de Roma,* traducción del famoso texto latino.

c) Pedro Hurtado de la Vera tradujo al castellano la versión italiana con el título de *Historia lastimera del príncipe Erasto, hijo del emperador Diocleciano* (Amberes, 1577).

LA PRIMITIVA TRADUCCION CASTELLANA

La primera traducción castellana del *Sendebar* plantea menos problemas que el *Calila e Dimna,* debido sobre todo a la inexistencia de diferentes códices. El libro fue mencionado por primera vez por Amador de los Ríos[46], quien atribuyó su descubrimiento a Florencio Janer, y se conserva en un único manuscrito con abundantes incorrecciones[47]. La copia primitiva, probablemente del XV, tiene unas adiciones realizadas por algún lector del XVI, quien en unos casos moderniza las palabras y en otros corrige el texto con bastante buen criterio[48]. Es posible que para llevar a cabo su labor contara con otra copia hoy perdida.

El prólogo del único manuscrito conservado reúne todos los datos que conocemos acerca de su realización:

El ynfante don Fadrique, fijo del muy noble aventurado e muy noble

(46) J. Amador de los Ríos, ob. cit., pp. 536-541.

(47) El *Libro de los engaños* se conserva, junto con el *Conde Lucanor,* una versión del *Lucidario* y otros textos de menor importancia, en un códice anteriormente propiedad del conde de Puñonrrostro, hoy de la Real Academia Española. El texto ha sido editado en varias ocasiones. La primera edición la realizó D. Comparetti en el año 1869 como apéndice a su obra ya citada, donde se limitó a transcribir cuidadosamente la redacción del primer copista. A. Bonilla y San Martín publicó en 1904 una edición, Barcelona-Madrid, Biblioteca Hispánica, vol. XIV, 1904, siguiendo las correcciones del segundo copista por considerar que no eran "indiscretas" ni "faltas de sentido", como había afirmado J. Amador de los Ríos. En 1946 apareció la obra de A. González Palencia, *Versiones castellanas del Sendebar,* donde reunía el texto medieval con las tres versiones procedentes de la rama occidental. Para la edición del *Libro de los engaños* se atuvo al segundo copista, anotando a pie de página las variantes del primero. Recientemente J.E. Keller ha realizado tres ediciones: *El Libro de los engaños,* Chapel Hill, University of Carolina Press, 1953; en 1959 publicó simultáneamente en Carolina Press y Castalia una nueva edición de este texto donde corrige algunos errores de la anterior. En todas ellas, el profesor Keller sigue la primera redacción y pone en nota las correcciones posteriores. Asimismo en 1953 había publicado la traducción inglesa con el título de *The Book of the Wiles of Woman,* Carolina Press.

(48) J.E. Keller, "Some stylistic and conceptual differences in texts A and B of *El Libro de los engaños", Studia Hispanica in Honorem R. Lapesa,* Madrid, Gredos, 1975, III, pp. 275-282, se muestra partidario de retrotraer en un siglo las fechas de ambas copias.

rrey, don Ferrnando, de la muy santa rreyna conplida de todo bien, doña Beatriz (...) Plogo e tovo por bien que aqueste libro [fuese trasladado] de aravigo en castellano para aperçebir a los engañados e los asayamientos de las mugeres[49]. Este libro fue trasladado en noventa e un años (p. 3).

De ahí se ha deducido que el libro fue traducido el año 1291 de la era española, es decir, el 1253 de la era cristiana; fecha próxima a la supuesta para el *Calila e Dimna* (1251).

No obstante, M. Molho[50], retrotrae la fecha hasta 1291, basándose en el uso exclusivo a lo largo del libro de la forma "AY" frente a "HA". Sitúa erróneamente en 1277, en lugar de 1271, la fecha de muerte de don Fadrique ordenada por su hermano Alfonso. Considera la traducción un homenaje póstumo a su memoria y hasta cree percibir en el prólogo una velada alusión a su muerte:

El ynfante don Fadrique (...) por quanto nunca se perdiese el su buen nonbre (...) tomo el la entençion en fin de los saberes: tomo una nave endereçada por la mar en tal que non tomo peligro en pasar por la vida perdurable (p. 3).

Sin embargo, en estas palabras se combina la idea del saber y la inmortalidad con el empleo de una metáfora náutica, lugar común de muchos proemios[51]. Por otro lado, en la azarosa vida del infante don Fadrique hay un período de paz cuando, tras la conquista de Sevilla en 1248, se instala en esta ciudad ocupando los extensos dominios que le había donado su hermano Alfonso[52]. Pudo entonces, animado por la labor cultural de su hermano, patrocinar la traducción del *Sendebar*. La ciudad de Sevilla es además por estos años un centro cultural de singular importancia. Extraña pensar que en 1291, veinte años después de ser ejecutado, alguien pretendiera llevar a cabo la voluntad del malogrado don Fadrique, cuando ya se van apagando los ecos de la labor traductora alfonsí.

(49) El manuscrito carece de título y de esta última frase del prólogo sacó J. Amador de los Ríos el de *Libro de los asayamientos et engannos de las mugeres* (p. 474). El mismo autor en páginas sucesivas (p. 536) altera el orden al llamarle *Libro de los engannos et asayamientos de las mugeres.* Para J.E. Keller, el título correcto sería *Libro de los engañados,* como se lee efectivamente en las últimas líneas del prólogo, según el manuscrito. A pesar de esto, Keller prefiere seguir al corrector y mantener la forma de *Libro de los engaños.* G. Artola, art. cit., propone una nueva lectura variando la puntuación de estas líneas: "...en castellano (trasladado) para aperçebir a los engañados. E los asayamientos de las mugeres, este libro, fue trasladado en noventa e un años". En su opinión el título sería *Los asayamientos de las mugeres,* precisamente el mismo que da Keller a su versión inglesa (*The Wiles of Woman*).

(50) M. Molho, *Linguistiques et langage,* Bordeaux, Ducros, 1969, p. 80.

(51) Para las metáforas náuticas consúltese la obra de E.R. Curtius, *Literatura europea y Edad Media latina,* México, FCE, 1976, I, pp. 188 y ss.

(52) Algunos datos biográficos de don Fadrique pueden encontrarse en el estudio de A. Ballesteros, *Alfonso X El Sabio,* Barcelona, Salvat, 1963, p. 163 y ss., y en el *Diccionario de Historia de España,* Madrid, Rev. de Occidente, 1952, p. 1067.

II

CIRCUNSTANCIAS FAVORABLES A LA DIFUSION DEL "CALILA" Y EL "SENDEBAR"

Las numerosas versiones del *Calila* y el *Sendebar* —muchas de ellas patrocinadas por reyes— y la fortuna de algunos relatos aislados se explican, en parte, debido a que estas obras no fueron consideradas en su tiempo simples colecciones de cuentos[1]. En ellas destacó su condición de guía de conducta para toda clase de personas, especialmente para políticos, y de recopilación sapiencial. Por otro lado, la importancia concedida a las formas narrativas breves —utilizadas como medio didáctico y persuasivo— contribuyó a favorecer la popularización de las colecciones y de los cuentos independientes.

EL "CALILA" Y LOS ESPEJOS DE PRINCIPES

El saber contenido en el *Calila* es fundamentalmente un saber práctico, una compilación de normas de conducta. Trata de educar al hombre para que sepa relacionarse con sus semejantes sin excluir un fin trascendente, ya que siguiendo las normas indicadas se llega a alcanzar "el otro siglo". El propósito de la obra no difiere mucho del que animó a Pedro Alfonso a componer su *Disciplina Clericalis*:

> Cum enim apud me saepius retractando humanae causas creationis omnimodo scire laborarem, humanum quidem ingenium inveni ex praecepto conditoris ad hoc esse deputatum, ut quamdiu est in saeculo *in sanctae studeat exercitatione philosophiae*, qua de creatore suo meliorem habeat notitiam, et *moderata vivere studeat continentia* et *ab imminentibus sciat sibi praecavere adversitatibus* eoque tramite gradiatur in

(1) Posiblemente las circunstancias que rodearon la transmisión del *Calila* y el *Sendebar* no fueron las mismas. Al menos en la corte alfonsí el *Calila* no fue considerado un libro de fábulas, sino más bien un compendio de sabiduría, como lo prueba el hecho de que el método empleado para su traducción sea el mismo al utilizado en otras obras científicas. En cuanto al *Sendebar* es probable que no alcanzara nunca tal estima. Esta hipótesis halla parcial confirmación en el estudio detenido de algunos pasajes oscuros de ambas obras. Véase mi artículo, "Algunos errores en la transmisión del *Calila* y el *Sendebar*", *Cuadernos de Investigación Filológica* (en prensa).

saeculo *qui eum ducat ad regna caelorum.* Quodsi in praefata sanctae disciplinae norma vixerit, hoc quidem pro quo creatus est complevit debetque *perfectus appellari*[2].

Cualquier hombre que siga estos preceptos puede considerarse perfecto, aunque el *Calila* parece insistir por su temática en la conducta regia. Esto ha dado origen a opiniones encontradas: si para Amador de los Ríos[3] es patente la preferencia por los temas regios, para M. Parker[4] no existe tal predominio y prefiere establecer una vinculación con el género árabe *adab*. Sin embargo, en mi opinión, el *Calila* armoniza ambas tendencias. No es exclusivamente un "espejo de príncipes", como lo son las obras de Egidio Romano, Santo Tomás, *El libro de los doce sabios...* La temática de sus historias es más variada y no está centrada exclusivamente en los gobernantes. Las normas de conducta de los distintos capítulos son básicamente las mismas: se aconseja el uso de la prudencia, la astucia, la sabiduría, la mesura... Estos valores son necesarios para todos, pero se hacen imprescindibles dentro de la esfera regia, donde las tensiones se agudizan: el rey tiene que ser más sabio, más prudente, más mesurado, ya que convive con mestureros, consejeros ambiciosos y llenos de envidia... Pero lo que es válido para él también lo será para sus súbditos. El modelo propuesto es tan amplio que puede abarcar a toda la sociedad. Los matices entre los cuentos de la esfera regia y los restantes son más cuantitativos que cualitativos.

La vinculación con la literatura de "espejos" vendrá dada desde un principio por las relaciones del *Calila* con dos géneros: el *nitisastra* sánscrito y el *adab* árabe. Según Benfey, el núcleo primitivo del *Panchatantra* pudo titularse "nitiçastra", es decir "manual del niti". Bajo el término "niti" se recogían normas de conducta práctica, preferentemente dedicadas a la educación de príncipes y gobernantes, de tal modo que llegó a identificarse con "arte de gobernar". Al pasar el *Calila* al mundo árabe vino a insertarse dentro de otra tradición análoga. Coincidió su traducción con la moda del género *adab,* surgido en la época abbasí. Frente a la educación basada en la tradición religiosa, el *adab* se propone formar al individuo como un todo. Para ello combina dos necesidades: la adquisición de conocimientos y la creación de un código de conducta. En su origen el género estuvo muy influido por la literatura iraní, y en su popularización tuvieron un papel destacado persas como Ibn al-Muqaffa'. La materia puede ser semejante al *niti,* pero el *adab* no sólo pretende la educación de príncipes sino la de todos los ciudadanos.

Los siguientes datos, procedentes de los prólogos al *Calila* y a las obras sánscritas anteriores, insisten en esta doble vinculación: espejo de príncipes y guía para todos los individuos. Según cuenta el prólogo del *Panchatantra,* el sabio Vixnuzarman compuso el libro con el fin de instruir a tres príncipes ignorantes. Responde a un encargo del rey para enseñarles a sus hijos "la ciencia de la política"; el mismo preliminar anuncia la polivalencia del texto, ya que "desde entonces, este libro de la conducta, llamado *Panchatantra,* se emplea en toda la

(2) Pedro Alfonso, *Disciplina Clericalis,* edición y traducción del texto latino por A. González Palencia, Madrid-Granada, CSIC, 1948, pp. 1-2.

(3) J. Amador de los Ríos, ob. cit., III, p. 532.

(4) M. Parker, *The Didactic Structure and Content of "El Libro de Calila e Digna",* Miami, Ediciones Universales, 1978, p. 12.

tierra para la instrucción de la juventud"[5]. Idéntico motivo aparece, con ligeras modificaciones, en el *Hitopadeza,* donde el sabio decide enseñar a los príncipes "la ciencia moral aplicada a la política"[6].

Los prólogos que se fueron añadiendo al *Calila,* a su paso por Persia y el Islám, siguen insistiendo en estas relaciones. En la historia del origen del libro que cuenta al-Fārisī, el sabio Bidpai fue encarcelado por reprochar al rey Dabshelim su conducta injusta. Tras la reconciliación entre ambos, el sabio "escribió tratados que vinieron en beneficio del reino y escribió para mejor ser entendido por aquellos que no eran doctos, el libro *Calila y Dimna,* que también de servir habría a la educación de los hijos del rey"[7]. El *Panchatantra* y el *Hitopadeza* aparecían como tratados de adoctrinamiento de príncipes ignorantes, lo que hacía necesario el empleo de cuentos para facilitar la asimilación. En el prólogo de al-Fārisī, al dedicarse la obra a un rey ya formado, se justifica la forma didáctica pensando en un posible lector indocto.

La transmisión del libro a Persia se hizo a instancias del rey Cosroes, pero Berzebuey a su regreso mandó "a todo el pueblo que tomasen aquellas escrituras e que les leyesen, e que rrogasen a Dios que les diese saber por que las entendiesen, e diolas a aquellos que eran mas pryvados e mas açerca del rrey" (p. 14). El traductor árabe, por el contrario, no aludirá para nada en su introducción al carácter de "espejo de príncipes" de la obra; se limita a presentarla como una compilación de saber práctico, útil para todo aquel que sepa desentrañar su contenido. A lo largo de su historia, el *Calila* se irá acercando o alejando de los "espejos", según los contextos en los que se presente. Su llegada al Occidente europeo, en el siglo XIII, coincidirá con la moda de la literatura didáctica, dedicada especialmente a la educación de reyes y príncipes. Las colecciones de cuentos, así como los catecismos ético-morales de origen oriental, confluirán dentro de esta gran corriente.

En diversas épocas, pero con preferencia durante la Edad Media, los moralistas dedicaron su atención a la figura del joven príncipe, sin duda con la esperanza de que el bienestar social podría lograrse por medio de un dirigente bien formado intelectual y moralmente. El príncipe, como primer ministro de Dios, simbolizaba todos los valores en su grado más alto. En la corte, los gobernantes fueron rodeándose de sabios que actuaban de consejeros políticos y morales. A partir del período carolingio, la conducta de los príncipes empieza a ser tema de innumerables tratados de moral. Carlomagno constituirá, durante gran parte de la Edad Media, el ideal de "príncipe perfecto". Con frecuencia los autores de estos tratados eran gente vinculada a la Iglesia que recurría tanto a fuentes clásicas (Aristóteles, Cicerón, Séneca...) como a las cristianas. Entre estas últimas uno de los modelos más citados será el texto agustiniano *De civitate dei* que trata del príncipe perfecto (V, 24) y de su antítesis (II, 21). Precisamente en este autor se basará Dhuoda (mujer de Bernardo de Aquitania) para componer uno de

(5) *Panchatantra o cinco libros,* traducción de J. Alemany, Madrid, Sucesores de Hernando, 1923, p. 4.

(6) *Hitopadeza o provechosa enseñanza,* traducción de J. Alemany, Buenos Aires, Espasa-Calpe, 1960, p. 15. Más adelante aparece expresamente mencionado el término *nitisastra,* ya que el rey anuncia a Vixnuzarman: "Estás autorizado para enseñar a mis hijos el Nitizastra".

(7) Traducción citada de Ahmed Abboud, p. 27.

los primeros espejos medievales: el *Liber manualis* (ca. 843) dedicado a su hijo Guillermo[8]. A partir del XII, con el renacimiento en occidente de los estudios laicos, se añadió a los programas educativos el estudio de la ética[9]. Las obras de edificación de carácter diverso se suceden, espejos, sumas, castigos, flores...; todos son en el fondo "libros de sapiencia". En estos siglos, XII y XIII, los espejos de príncipes se multiplican[10]. La moda parece coincidir con un cambio profundo en la construcción política de las monarquías europeas. Ello favorece la realización de obras notables como las *Enseñanzas* de Luis IX dedicadas a sus hijos, los tratados de Vicente de Beauvais, Juan de Salisbury, Santo Tomás y, sobre todo, Egidio Romano, cuyo *De Regimine Principum* se convirtió en un modelo del género.

En España no se planteó tan vivamente esa nueva conciencia monárquica porque la institución, gracias a la Reconquista, estaba fuertemente consolidada. Sin embargo, la Península va a ser también escenario de la moda europea, a la que se sumará otra corriente procedente de la tradición oriental. Durante los reinados de Fernando III y, en mayor medida, de Alfonso X se difundirán algunas de las obras mencionadas, se escribirán otras y se traducirán textos orientales de la misma temática. El citado libro de Egidio Romano alcanzará gran popularidad, como lo prueba la existencia de ejemplares en los escasos registros de bibliotecas medievales que se conservan, tales la del Príncipe de Viana, o la del marqués de Santillana. Menciones a este tratado se encuentran en la *Partida II* (auténtico "espejo de príncipes"), los *Castigos e documentos*, las obras de don Juan Manuel y Lope de Ayala... Eco del enorme interés que despertó fue la aparición de versiones glosadas, resúmenes, adaptaciones...[11]

Casi coetáneamente a la obra de Santo Tomás y Egidio Romano, Gil de Zamora, franciscano y colaborador de Alfonso X, escribía para la educación del infante Sancho su *De preconiis Hispaniae*[12]. La obra responde a un plan bastante complejo que gira fundamentalmente en torno a dos ideas: dar unas normas éticas al infante, dentro de las cuales incluía instruirle acerca de la

(8) C. Segre, "Le forme e le tradizioni didatiche", en *La littérature didactique, allégorique et satirique*, vol. VI, pp. 58-145 del *Grundriss der romanischen Literaturen des Mittelalters*, dirigido por H. R. Jauss, Heidelberg, Carl Winter-Universitätsverlag, 1968.

(9) Alfonso X sitúa en su *General Estoria*, ed. cit., I, libro VII, XXXIX, pp. 196-197, tres saberes por encima de las siete artes liberales: la metafísica, física y ética. Esta última "quiere decir tanto como sçiencia que fabla de costumbres, porque ensenna a omne saber de cómo puede aver buenas maneras de costumbres e aver buena nombradia por y". Véase el comentario de F. Rico, en *Alfonso el sabio y la General Estoria*, Barcelona, Ariel, 1972, p. 149.

(10) Un amplio panorama de la corriente señalada puede encontrarse, entre otras, en las siguientes obras: C. Segre, art. cit.; J. Beneyto, *Orígenes de la ciencia política española*, Madrid, Instituto de Estudios Políticos, 1949; W. Berges, *Die Fürstenspiegel des hohen und späten Mittelalters*, Leipzig, 1938; D. M. Bell, *L'idéal ethique de la royaute en France au moyen âge d'après quelques moralistes de ce temps*, Genève, Droz, 1962; L. K. Born, "The Perfect Prince: A Study in Thirteenth –and Fourteenth– Century Ideals", *Spec*, III (1926), 470-504.

(11) P. F. Rubio, "*De Regimine Principum* de Egidio Romano, en la literatura castellana de la Edad media", CD, 173 (1960), 32-71; 174 (1961), 646-667; *Glosa castellana al "Regimiento de Príncipes" de Egidio Romano*, ed. J. Beneyto, Madrid, Instituto de Estudios Políticos, 1946.

(12) Fray Juan Gil de Zamora, O.F.M., *De Preconiis Hispaniae*, estudio preliminar de Manuel de Castro y Castro, Madrid, Fac. de Filosofía y Letras, 1955.

historia de España y del Imperio, y ofrecernos la glorificación de su ciudad natal. La idea es ambiciosa y falta un cierto orden en la exposición de la materia indicada. Por su temática se inserta dentro de la moda por los catecismos político-morales del XIII, aunque sus fuentes sean en la mayoría de procedencia occidental. A las normas éticas por las que había de conducirse el infante D. Sancho dedica tres tratados completos (III, IV y X) y las dos últimas partes de otros dos (VI y VII). Concretamente estos dos últimos apartados forman un auténtico espejo que podía titularse *De strenuitate regis.* Blüher[13] ha puesto de manifiesto las estrechas relaciones entre estos pasajes y los castigos incluidos dentro del *Zifar.* Pero si el libro de Gil de Zamora puede considerarse plenamente inserto dentro de la tradición occidental, no sucedió lo mismo con otros catecismos políticos que surgieron en la Península como resultado del cruce de dos tradiciones. A este impulso responde el *Libro de los doce sabios*[14] que retoma el elemento estructurante común a muchas obras orientales. Un rey manda reunir a doce sabios de su consejo para que pronuncien máximas en torno a la ética regia. Su autor, posiblemente un cristiano del consejo de Fernando III, puso en boca de estos sabios sentencias retomadas de la Biblia, Nuevo Testamento..., junto a otras conocidas de la didáctica oriental. Este es el primer fruto de la simbiosis entre dos tradiciones, al que habrían de seguir otros, como el *Libro de saviessa, Libro del consejo e de los consejeros* y, especialmente, los *Castigos e documentos.*

J. Walsh ha señalado la presencia en España de otras dos corrientes procedentes del Occidente europeo: por un lado, las ceremonias de coronación parecen haber sido acompañadas de sermones sobre el buen monarca y, por otro, las lecturas o tratados escritos para la Epifanía llegaron a servir en su momento como especulación ética sobre los deberes del buen príncipe. A la misma preocupación por el tema del gobernante perfecto obedece la abundancia de traducciones al latín y al castellano de tratados ético-morales de origen oriental. Estos textos tendrán una doble vía de penetración en Europa. España se adelantará en muchos casos al realizar la primera versión a una lengua moderna; sin embargo, para su popularización por el occidente será necesario el vehículo de la lengua latina.

En la Península, los monarcas del XIII, especialmente Alfonso X y Jaime I de Aragón, comienzan a mostrar interés por la cultura de los pueblos vecinos. Los textos didácticos que fueron traducidos por estos años han venido agrupándose tradicionalmente en dos apartados: colecciones de apólogos, como el *Calila* y el *Sendebar,* y de sentencias, como los *Bocados,* la *Poridat...* Los dos grupos, como se verá a lo largo de este trabajo, se encuentran estrechamente relacionados. Ambos giran en torno a la temática didáctica que trata de contribuir a la formación del príncipe perfecto y, por tanto, a la educación de cualquier individuo. Las diferencias que presentan son más formales que de intencionalidad. En el primero, los ejemplos predominarán sobre las máximas y las comparaciones; en el segundo, serán éstas el elemento fundamental.

La convivencia de tres razas hará de España un punto de confluencia excep-

(13) K. A. Blüher, "Zur Tradition der Politischen Ethic in *Libro del Caballero Zifar",* ZRPh, 87 (1971), 249-257.
(14) J. K. Walsh, *El libro de los doze sabios o Tractado de la nobleza y lealtad (ca. 1237).* Estudio y edición, Madrid, Anejos del BRAE, XXIX, 1975.

cional para la difusión de esta literatura. El puente no sólo hay que establecerlo entre los textos árabes y sus versiones latinas o castellanas, sino que hemos de contar con el papel desempeñado por los judíos. De una de las obras más divulgadas, el *Secreta secretorum,* existían en la Península a mediados del XIII tres versiones distintas: una fragmentaria latina realizada en la primera mitad del XII por el judío Johannis Hispalensis, una traducción hebrea llevada a cabo a comienzos del XIII por otro judío español Al Harizi y el texto castellano conocido como *Poridat de las poridades*[15]. La obra era conocida en Europa en su versión latina, pero la *Poridat* se convierte en la primera traducción a una lengua moderna. Al mismo grupo puede añadirse el *Libro de los buenos proverbios* traducción de un texto árabe de Ḥunayn ibn Isḥāq, que guarda estrecha relación con la *Poridat;* los *Bocados de oro,* versión del original de Mubaššir ibn Fātik, y las *Flores de filosofía*[16]. En estos textos es muy frecuente la comunidad de ideas y sentencias[17], lo que no resulta extraño si remitimos el origen de estas producciones a una misma época: el califato de al-Ma'mūn. Es un período de gran interés por la ciencia clásica, como lo prueban las noticias en torno a la biblioteca del califa. El origen de algunas máximas puede localizarse en Grecia, pero el conducto por donde se transmitieron hasta el Islam fue Siria. La labor de estos autores árabes consistió en compilar las sentencias y agruparlas en un texto; gracias a ellos se llevó a cabo lo que Ch. Kuentz denomina "transfusión de la sabiduría griega en la sabiduría oriental"[18].

Algunos autores árabes remiten la traducción del *Calila* a este mismo período, por las similitudes apreciadas en el fondo ideológico de todas las obras citadas. Sin embargo, al-Ma'mūn no mandó traducir el *Calila* (ya se había hecho años atrás) sino realizar una versión abreviada[19]. En ella han desaparecido los cuentos y sólo permanecen del texto primitivo las sentencias y algunas anécdotas, comparaciones y reglas de conducta. Hay una nueva ordenación temática que hace recaer el peso de la colección sobre un punto: el gobierno de los reyes.

En ocasiones resulta bastante difícil distinguir lo que aporta cada una de las dos tradiciones (oriental y occidental) en la formación del género. No hay tampoco que olvidar la considerable influencia ejercida por los teóricos musulmanes durante la Edad Media. España y Sicilia se convirtieron en puntos de contacto

(15) El texto castellano fue editado por Lloyd A. Kasten, Madrid, Seminario de estudios medievales españoles de la Universidad de Wisconsin, 1957.

(16) H. Knust, *Mittheilungen aus dem Eskurial* (incluye el *Libro de los buenos proverbios, Bocados de oro, Dichos de los sabios,* etc.); *Dos obras didácticas y dos leyendas, sacadas de la Biblioteca del Escorial,* Madrid, Sociedad de Bibliófilos Españoles, 1878 (las *Flores de Filosofía* ocupan las pp. 1-83); H. Sturm, *The "Libro de los buenos proverbios". A Critical Edition,* Lexington, The University Press of Kentucky, 1971 (Studies in Romance Languages, 5); *Bocados de oro, Kritische Ausgabe des altspanischen Textes,* ed. M. Crombach, Bonn, Romanistische Versuche und Vorarbeiten, 37, 1971. Las citas remiten, siempre que no se indique lo contrario, a la edición más reciente.

(17) W. Mettmann, "Spruchweisheit und Spruchdichtung in der spanischen und katalanischen Literatur des Mittelalters", *ZRPh,* 76 (1960), 105 y ss.

(18) Ch. Kuentz, "De la sagesse grecque à la sagesse orientale", *RIEEI,* 1-2 (1957), 255-269.

(19) M. Minovi, "The Abridged Version of the *Kalila wa-Dimna* by Al-Mamun the Caliph", *Akten des vierundzwanzigsten Internationalen Orientalisten Kongresses. München, 1957,* Wiesbaden, Franz Steiner Verlag, 1959, 316-318.

directo entre las dos civilizaciones. De un modo general, pueden caracterizarse los textos occidentales por la frecuencia de sus alusiones religiosas. Las citas de la Biblia, el Nuevo Testamento y los Padres de la Iglesia sirven para apoyar la tesis del monarca como ministro de Dios. Príncipe perfecto es aquel que se atiene a las virtudes cardinales. El desarrollo de estos contenidos se realiza en ocasiones mediante sentencias; en otros casos por medio de un procedimiento más discursivo. Es frecuente que estos "espejos" se escriban dirigiéndose a un príncipe o monarca concreto.

En la corriente oriental son menos abundantes las referencias religiosas y éstas vienen sustituidas por la mención de "autoridades" distintas. Aristóteles, Séneca, Luqman, Hermes... pronuncian máximas válidas para el buen gobernante y para cualquier individuo. Un porcentaje elevado está compuesto de sentencias, aunque también se incluye material diverso: tratados de astrología, lapidarios, ejemplos... Las coincidencias temáticas entre las colecciones de cuentos y los espejos de príncipes, tanto orientales como occidentales, son frecuentes. El saber, la prudencia, la mesura, los consejeros... serán tratados por unos y otros.

Las consideraciones precedentes contribuyen a justificar el estudio comparativo de los cuentos con catecismos ético-morales y "espejos" occidentales. Mediante este procedimiento trataré de insertar las colecciones dentro de un contexto cultural más amplio. Los paralelismos y divergencias irán configurando el papel desempeñado por estas traducciones dentro de una comunidad de ideas adoptadas por la Edad Media occidental.

EL EJEMPLO: PANORAMA HISTORICO

El primer problema que se plantea al abordar las formas narrativas breves es el terminológico. El auge creciente de los estudios folklóricos ha contribuido a que, en ocasiones por un exceso de precisión, hayan aumentado los términos y sus definiciones, con límites no siempre claros. Sobre el empleo técnico de algunos nombres, como fábula, cuento, mito..., se superpone su designación en el habla cotidiana, con lo que aumenta la confusión.

Limitaré, pues, el estudio a una forma que puede designarse con los nombres de fábula, apólogo o ejemplo, aunque prefiero utilizar este último por la notable ambigüedad de los primeros. A esta razón se añade el ser el término empleado por la oratoria clásica, la predicación cristiana y la narrativa medieval, tres hitos en los que centraré mi recorrido. Para trazar este panorama me alejaré notablemente en el tiempo y en el espacio de la época medieval. Sin embargo, esta distancia quizá parezca mayor desde una perspectiva actual. Retomando las tesis de C. S. Lewis[20], puede afirmarse que el hombre medieval creía firmemente en su "modelo de universo", formado a base de pensamientos contrapuestos que recibía de textos paganos, judíos, patrísticos... Esta especie de "cañamazo ideológico" armoniza las tendencias contradictorias que en sí reúne, y adquiere el carácter de un todo estable y coherente.

(20) C. S. Lewis, *The Discarded Image. An Introduction to Medieval and Renaissance Literature,* Cambridge, Cambridge University Press, 1976.

En la Edad Media nos encontramos con un conjunto de formas narrativas breves, procedentes de tradiciones muy diferentes, pero que vienen a participar de unas reglas del relato comunes. Aunque el término "exemplum" remonte a la oratoria clásica y a la sagrada, fue abarcando un corpus de narraciones diversas, semejantes a las "formas simples" de A. Jolles[21]. Según J. Th. Welter[22], quien retoma para su definición elementos de J. de Vitry, Eudes de Cheriton, Étienne de Bourbon..., *par le mot,* exemplum, *on entendait, au sens large du terme, un récit ou une historiette, une fable ou une parabole, una moralité ou une description pouvant servir de preuve à l'appui d'un exposé doctrinal, religieux ou moral.* En parecidos términos se expresará F. Tubach[23] para quien *divergent as this material may be in its content and origin, the exemplum is an attempt to discover in each narrative event, character, situation or act a paradigmatic sign that would either substantiate religious beliefs and Church dogma or delineate social ills and human foibles.* Por último, P. Zumthor[24] es partidario de incluir bajo esta denominación anécdotas, milagros, fabliaux, cuentos piadosos... Estas formas, aunque dispares, tienen rasgos comunes, como la brevedad, la unidad de lo narrado, el carácter cerrado, el didactismo implícito... De estas definiciones se desprende que el material narrativo puede ser de origen y formas diversas; lo que distingue a este género de otros es su sentido paradigmático y condicionado por un contexto. Pero, al residir su valor en algo que no es el puro interés literario, queda relegado en ocasiones a un segundo término.

La utilización de unas formas narrativas breves como testimonio o explicación ha sido algo habitual dentro de la predicación religiosa, la oratoria o la didáctica. Con frecuencia se ha remitido el uso del lenguaje comparativo o alegórico al mundo oriental, cuando quizá sea preferible establecer una relación entre su empleo y un tipo de mentalidad poco habituada a razonamientos abstractos. El pensamiento primitivo se rige por una estructura bipolar. En palabras de E. Trías[25], "todo razonamiento mágico presupone, siguiendo este análisis, una ley general de "simpatías", según la cual las cosas se pueden relacionar unas con otras; pero no de forma arbitraria, sino en virtud de dos cauces generales presididos por dos leyes: la ley de semejanzas (magia homeopática) y ley del contacto (magia contaminante)". A esto habría que sumar una idea teológica, la que apoya el alegorismo. El mundo es un reflejo del "libro de la experiencia" o,

---

(21) A. Jolles, *Formes simples,* Paris, Seuil, 1972 (coll. Poétique).

(22) J. Th. Welter, *L'exemplum dans la littérature religieuse et didactique du moyen âge,* Paris-Toulouse, 1927 (Genève, Slatkine Reprints, 1973), p. 1. En páginas siguientes reitera la definición: *Quelle que soit néanmoins la forme de l'exemplum, celuici n'a sa raison d'être, avec ses parties constitutives, que pour servir de preuve à l'appui d'un exposé théologique moral ou didactique* (p. 80).

(23) F. C. Tubach, *Index Exemplorum. A Handbook of medieval religious Tales,* Helsinki, FF Communications, 204, 1969, p. 523.

(24) P. Zumthor, *Essai de poétique médiévale,* Paris, Seuil, 1972 (Coll. Poétique), pp. 392 y ss.

(25) E. Trías, *Metodología del pensamiento mágico,* Barcelona, EDHASA, 1970, p. 53, quien a su vez retoma planteamientos expuestos por J. G. Frazer en *La rama dorada,* México, FCE, 1974.

como dirá Alain de Lille:

> Omnis mundi creatura
> quasi liber et pictura
> nobis est et speculum.[26]

En unos casos, el empleo de un lenguaje comparativo obedece a la dificultad de ciertas nociones religiosas o culturales, que de este modo se iluminan y concretan; en otros, se recurre al ejemplo por su valor testimonial de algo sucedido o verosímil, con lo que contribuye a reforzar el contenido del discurso.

El primer cuento del *Sendebar* ("La huella del león") es un modelo claro del primer caso. Aprovechando la ausencia del marido, el rey se presenta en casa de una mujer en busca de relaciones amorosas. La mujer consigue rechazarlo, pero el monarca al partir olvida sus "arcolcoles". La segunda parte del relato se sitúa en la corte, donde el marido ultrajado y sus parientes buscan una respuesta a sus interrogantes, que exponen en forma alegórica:[27]

> Estonçes entraron al rrey a dixieronle: —Señor, nos aviemos una tierra e diemosla a este omne bueno a labrar que la labrase e la desfrutase del fruto della; e el fizolo asi una gran sazon e dexola una gran pieça por labrar. (...)
>
> E el omne bueno rrespondio e dixo: —Verdat dizen que me dieron una tierra asi commo ellos dizen; e quando fuy un dia por la tierra, falle rrastro del leon e ove miedo que me conbrie; por ende dexe la tierra por labrar.

El rey debe juzgar su propia falta y dar una respuesta tranquilizadora al marido; para ello recurrirá al mismo lenguaje alegórico:

> E dixo el rrey: —Verdat es que entro el leon en ella, mas non te fizo cosa que non te oviese de fazer, nin te torno mal dello; por ende toma tu tierra e labrala (p. 13).

El procedimiento tuvo un amplio desarrollo entre los pueblos orientales, tanto en la predicación religiosa como con fines didácticos. El budismo se convirtió en uno de los principales agentes de difusión de parábolas y semejanzas. A su vez, el folklore fue readaptado en las *jatakas*[28] o narraciones de las vidas anteriores de Buda quien, al convertirse en un iluminado (buda), pudo tener conocimiento de sus existencias precedentes. Estas historias fueron utilizadas por los

---

(26) *Patrología Latina*, CCX, col. 579 A; Véase también E. R. Curtius, ob. cit., pp. 423 y ss.

(27) La asimilación de la mujer a la tierra labrada aparece en muchas civilizaciones y se conserva en el folklore. En el *Corán*, trad. J. Vernet, Barcelona, Planeta, 1963, encontramos: "Vuestras mujeres son vuestra campiña. Id a vuestra campiña como queráis, pero haceos preceder. Temed a Dios y sabed que vosotros lo encontraréis. Albricia a los creyentes" (2, 223). Más ejemplos en Mircea Eliade, *Tratado de Historia de las religiones*, Madrid, Ediciones Cristiandad, 1974, II, pp. 31 y ss.

(28) A. Bareau, "El budismo indio", incluido en *Las religiones en la India y en Extremo Oriente. Formación de las religiones universales y de salvación. Historia de las religiones*, Madrid, Siglo XXI, 1978, IV, p. 211.

monjes en la predicación y con el tiempo se agruparon en colecciones, a semejanza de los ejemplarios medievales (de uno de ellos derivará el *Calila*). El auge
de los estudios orientalistas a partir del siglo pasado llevó a establecer vincula-
ciones directas entre la narrativa hindú y la literatura búdica por un lado, y entre
ésta y la cuentística occidental. Los resultados fueron en algunos casos evidentes,
como el demostrar la dependencia entre el *Barlaam y Josafat* y la leyenda de
Buda, pero en otros se partió de errores metodológicos que invalidaron las conclusiones. Uno de los errores de Th. Benfey fue confundir el origen e historia
de los cuentos con el de las colecciones. Muchas de éstas se transmitieron efectivamente de oriente a occidente, lo que no implica que todos los cuentos pro-
cedan de la India.

El empleo de narraciones breves con finalidad moral no fue privativo de
Oriente, sino que conoció un notable desarrollo dentro del mundo grecolatino.
Las semejanzas existentes entre fábulas griegas y cuentos de animales insertos en
colecciones indias plantearon el problema de la prelación entre Grecia y la India.
Estas fábulas, junto con material procedente de la tradición oral y escrita, serán
englobadas dentro del término *exemplum* y utilizadas como prueba en la oratoria.

En su origen, el término *exemplum* abarca una pluralidad de significados
que gira en torno a dos conceptos fundamentales: modelo y testimonio. En su
primera acepción, designa al autor de una conducta ejemplar o la acción en sí,
para terminar aludiendo a la narración de ese hecho. Cada sociedad se fijará unos
modelos dignos de imitación que serán propuestos, sobre todo a los jóvenes,
por lo que el término incide claramente dentro de la educación. Entre los griegos
habrá unos ejemplos heroicos, recogidos en la poesía, hasta el punto de hacer
de Homero el maestro de la pedagogía. Para H. Marrou el secreto de la pedagogía
homérica reside en el *ejemplo heroico*. "Así como el medioevo en sus postri-
merías nos legó la *Imitación de Cristo,* así el medioevo helénico transmitió a la
Grecia clásica, por medio de Homero, la *Imitación del Héroe*. En este sentido
profundo Homero fue el educador de Grecia"[29].

El joven romano también tendrá para su educación unos modelos dignos de
ser imitados, pero, a diferencia de los griegos, no procederán de la poesía heroi-
ca, sino de la historia nacional. La divergencia es notable e incidirá a su vez en el
mundo medieval. La historia tendrá un valor paradigmático. Será un macro-
ejemplo, una sucesión de "hechos y dichos memorables", que interesan más por
su carácter moral implícito que por su valor histórico. En tiempos de Tiberio,
Valerio Máximo escribirá una recopilación de esos *Facta et dicta memorabilia*
para uso de las escuelas retóricas, que tendrá gran difusión durante la Edad Media. Raro será el ejemplario o anecdotario medieval que no lo utilice. En España
lo nombran y extractan repetidas veces los *Castigos e documentos*, el *Libro de
los enxemplos,* la *Sobremesa* de Timoneda[30]. Formalmente es un prontuario

(29) H. I. Marrou, *Historia de la educación en la Antigüedad*, Buenos Aires, Eudeba,
1965, p. 15. Planteamiento análogo sostiene W. Jaeger, *Paideia: los ideales de la cultura
griega*, México, FCE, 1971, p. 45.

(30) Según M.ª Rosa Lida de Malkiel, *El cuento popular y otros ensayos*, Buenos
Aires, Losada, 1976, p. 67, "cuando en el siglo XV Alfonso de Cartagena desea una colección edificante basada en la Biblia y en los hechos de España, su protegido, Diego Rodríguez

de citas y referencias autorizadas, semejante a las sumas enciclopédicas medievales. Las conductas de personajes históricos y algunas de sus frases quedarán fijadas en esta recopilación y se presentarán como guía para generaciones sucesivas.

Con el tiempo, la conducta y su agente llegarán a una identificación, codificándose una galería de personajes ejemplares que encarnan en sí ciertas virtudes o vicios. La época medieval será pródiga en el empleo de estas listas, donde se mezclarán los nombres de Virgilio, Aristóteles, Alejandro, Salomón... y un largo etcétera[31]. A su vez, los textos de los buenos autores ofrecerán en sus obras *exempla* para la *imitatio* estilística y literaria, así como para la ética. La selección de los autores destinados a la educación de la juventud estará basada en sus valores "ejemplares". A esta acepción del término se añadirá su carácter de prueba o testimonio al entrar a formar parte de la retórica. La función probatoria del *exemplum* podrá relajarse hasta convertirse bien en un simple ornato o bien en un medio para ganar la atención o la benevolencia del público. Con estos propósitos pasaron a insertarse en los prólogos, como enseña Geoffroi de Vinsauf.[32]

A partir de Aristóteles y su *Retórica* comienza lo que S. Battaglia califica de "historia oficial del ejemplo"[33]. Aristóteles no fue el primero en emplear el ejemplo pero sí en registrarlo en un manual, al igual que más adelante hará Quintiliano. El *ejemplo,* junto con el *entimema,* se convertirá en uno de los argumentos retóricos más comunes, vinculado uno a la inducción y el segundo al silogismo. Su inserción responde al móvil principal de servir de prueba. Quintiliano lo definirá como *rei gestae aut ut gestae utilis ad persuadendum id, quod intenderis, commemoratio*[34]. Este poder de persuasión se basa en una relación de semejanza (que puede ser también "desemejanza") entre la causa tratada y el propio ejemplo, el cual entra en juego en una situación pragmática todavía abierta. En la medida en que la situación dada y el ejemplo son similares, se puede concebir el desenlace de éste como un anticipo del final del caso correspondiente. El ejemplo mostrará las consecuencias inevitables de tal o cual decisión tomada en un determinado momento. En esta similitud reside la fuerza de convicción del ejemplo, que nos conduce a llevar a cabo una acción o a renunciar a ella. Esto no implica que deba ser un modelo de virtud, sino un caso positivo o negativo. Por esto no debe sorprender la inserción en obras medievales de relatos poco edificantes, ya que surgen efecto por rechazo.

El *exemplum* es, pues, una variante de la similitudo que pone en relación

de Almela, confecciona la compilación que inspiró más de una vez a Lope de Vega, y que lleva por título *Valerio de las Españas".*

(31) Véanse E. R. Curtius, ob. cit., pp. 91 y ss., y J. A. Maravall, "La estimación de Sócrates y de los sabios clásicos en la edad media española", recogido en sus *Estudios de Historia del Pensamiento Español,* Madrid, Ediciones Cultura Hispánica, 1973, I, pp. 289-354.

(32) H. Lausberg, *Manual de retórica literaria. Fundamentos de una ciencia de la literatura,* Madrid, Gredos, 1975, I, pp. 73 y ss; E. Faral, *Les arts poétiques du XIIe et du XIIIe siècle. Recherches et documents sur la technique littéraire du moyen âge,* Paris, H. Champion, 1971, pp. 55 y ss.; 263 y ss.

(33) S. Battaglia, "L'esempio medievale", *FR,* VI (1959), 45-82.

(34) Quintiliano, *Institutionis oratoriae,* ed. L. Radermacher, Leipzig, Teubner, 1907, V, VI, 6-7.

fenómenos semejantes con finalidad persuasiva; de ahí la vinculación entre formas como ejemplo, comparación y sentencia *(exemplum, similitudo, auctoritas)*. Dentro de la retórica, la relación entre las tres formas reside en su condición de pruebas procedentes del exterior de "la causa". Las dos primeras coinciden en comparar todo fenómeno semejante con el fin de hacerlo creíble. Las sentencias tienen gran fuerza persuasiva por la sabiduría que encierran y por su vinculación a unos conocimientos acumulados. A la hora de seleccionar los ejemplos, Aristóteles distinguirá dos clases: "la una es decir cosas que han sucedido antes, la otra inventarlas"[35]. En este segundo grupo incluye parábolas y fábulas, más fáciles de hallar que las cosas sucedidas, aunque de menor utilidad. Luego, según se trate de un hecho histórico o de una invención, variará la credibilidad del testimonio. Quintiliano será más explícito a este respecto: los ejemplos históricos valen como testimonio por su precedente; las ficciones a causa de haber sido imaginadas por grandes ingenios y gracias al valor que les concede la experiencia. Aconseja al orador conocer un gran número de ejemplos que puedan servirle de prueba[36]. Distingue cuatro tipos según su origen: históricos, tradiciones orales, experiencias e invenciones poéticas. La división será válida —con ligeras modificaciones— para clasificar el material utilizado por la predicación religiosa.

El empleo del ejemplo dentro de la exposición de la doctrina cristiana remonta a los orígenes mismos de esta religión. La literatura primitiva, tanto la "ortodoxa" como la apócrifa, muestra que dicho género narrativo gozaba del favor de los fieles; en el período patrístico se introduce definitivamente dentro del sermón. Siguiendo a J. Th. Welter podemos distinguir tres grandes etapas en su historia: 1) origen y desarrollo hasta fines del XII; 2) período de expansión durante los siglos XII y XIII; y 3) decadencia a partir del XV. Un proceso semejante sufrirá el ejemplo dentro de la literatura didáctica ya que, paralelamente a su inserción en los sermones, pasa a introducirse en los tratados de moral, instrucción o polémica de esos mismos Padres y de los escritores que les sucedieron.

En un principio, el término *exemplum* aludirá simplemente a un material ilustrativo sin desarrollar, simples menciones a lapidarios, bestiarios..., para convertirse más adelante en una narración breve. La expansión del género en el XIII será paralela en cada uno de estos campos (sermones y textos didácticos) y a ello contribuirán una serie de factores. El humanismo del XII posibilitará tratados como la *Summa de Arte praedicatoria* de Alain de Lille, quien fue el primero en incluir los ejemplos como parte integrante del sermón. Recomienda su empleo en apoyo de una exposición doctrinal y como modelo digno de ser imitado por los fieles: *In fine vero debet uti exemplis ad probandum quod intendit, quia familiaris est doctrina exemplaris (verbi gratia leguntur exempla virorum forcium ut ad imitationem provocentur animi infirmorum)*[37].

(35) Aristóteles, *Retórica*, ed. A. Tovar, Madrid, Instituto de Estudios Políticos, 1971, 93a-28.

(36) *...ex cognitione rerum exemplorumque, quibus imprimis instructus esse debet orator, ne omnia testimonia expectet a litigatore; sed pleraque ex vetustate diligenter sibi cognita sumat, hoc potentiora, quod ea sola criminibus odii et gratiae vacant*, Quintiliano, *Institutionis Oratoriae*, ed. E. Bonnell, Leipzig, Teubner, 1911, X, I, 34.

(37) *Patrología Latina*, 210, col. 198-228, p. 114.

A comienzos del XIII las conclusiones del concilio de Letrán prescriben a los prelados atender a la instrucción del pueblo; a partir de la segunda mitad, con la aparición de órdenes mendicantes, especialmente destinadas a la predicación, franciscanos y dominicos, aumentarán también los tratados teóricos[38]. Sus autores coincidirán en destacar las ventajas del empleo de ejemplos. Son útiles para estimular la piedad de los fieles simples, para ganar la atención del auditorio, facilitar la comprensión y la retención de ciertos dogmas. Los mismos teóricos enumerarán las reglas que deben seguirse para su inserción en relación con el tipo de auditorio, la elección del *exemplum* y su aplicación.

Las fuentes de donde tomaban los ejemplos se ampliaron considerablemente durante el siglo XIII. No fueron ajenas a este fenómeno las traducciones de cuentos orientales. La gran popularidad que conoció en Europa la *Disciplina Clericalis* hizo que se convirtiera en el primer agente de difusión de relatos procedentes del *Calila* y el *Sendebar.* Más adelante las versiones latinas de estas colecciones serán un segundo cauce de penetración, hasta llegar a figurar en los ejemplarios de J. de Vitry, J. Gobio, *Gesta romanorum...*

La importancia creciente del *exemplum* dentro del sermón originó, a comienzos de la segunda mitad del XIII, la aparición de compilaciones para uso de predicadores. De nuevo serán las órdenes mendicantes quienes destaquen en esta tarea. El fin utilitario de los ejemplarios hará que se siga algún tipo de ordenación que favorezca y facilite su rápida consulta. El grupo más numeroso responde a un sistema exclusivamente lógico, como la obra de E. de Bourbon; el criterio alfabético se sigue en el *Libro de los exemplos por a.b.c.,* la *Tabula exemplorum,* el *Espéculo de los legos;* por último, surgen ejemplarios moralizados como los *Contes moralisés* de N. de Bozon o las *Gesta romanorum.* J. C. Schmitt[39] atribuye a los franciscanos el perfeccionamiento de las técnicas de clasificación de ejemplarios. Hacia 1300 Arnold de Lieja fue el primero en comprender que la riqueza de contenido de cada *exemplum* podía prestarse a varias utilizaciones diferentes y no sólo al título que lo encabezaba; por ello ideó un sistema de reenvíos que multiplicaba las posibilidades de empleo de los ejemplarios. Se trataba de crear una disposición doble: el orden lógico del texto y el alfabético del índice. Hacia 1480 un franciscano compuso el *Speculum exemplorum,* donde sigue el orden lógico de diez "distinciones" numeradas y concluye con un índice alfabético de materias que remite a los números.

Las literaturas romances no se sustraen a esta tendencia ejemplar. El propósito que animará a muchos escritores en lengua vulgar —con frecuencia vinculados a la Iglesia— no estará muy lejos del que movía a los predicadores. Las crea-

---

(38) Como señala E. Gilson en un sugerente estudio, "Michel Menot et la technique du sermon médiéval", en *Les idées et les lettres,* París, Librairie Philosophique J. Vrin, 1955, pp. 93-154, los predicadores se inspiraron poco en las retóricas clásicas, no por desconocidas, sino por perseguir fines distintos. Las retóricas se mostraron eficaces para ganar un proceso, pero la predicación pretendía ganar almas. Para este fin la antigüedad no legó ningún método y era necesario inventarlo. Para ello se creó un esquema más o menos rígido según se tratara del sermón culto o popular. La técnica puede hallarse resumida en E. de Bruyne, *Estudios de estética medieval,* Madrid, Gredos, 1958, I, pp. 56 y ss.; F. Rico, *Predicación y literatura en la España medieval,* Cádiz, UNED, 1977.

(39) J. C. Schmitt, "Recueils franciscaines d'*exempla* et perfectionnement des techniques intellectuels du XIII au XV siècle", *BECh,* CXXXV (1977), 5-27.

ciones del mester de clerecía, las obras de D. Juan Manuel, el Arcipreste de Tala-vera...[40] darán forma artística a narraciones conocidas de los ejemplarios. Gra-cias a ellos contamos con recreaciones de cuentos, procedentes de colecciones orientales. Entre el siglo XIV y el XV se iniciará la progresiva decadencia del género a la que contribuyeron diversas causas. Entre ellas hay que mencionar la escasez de fuentes nuevas, que hace que el género no se renueve, y el empleo abusivo del *exemplum* profano, origen de críticas por parte de eclesiásticos y humanistas. Lo que en un principio era sólo un medio didáctico auxiliar pasó a predominar, y en esto se centraron las voces de protesta hasta conducir a su total prohibición en el concilio de Burgos (1624). La desaparición definitiva del gé-nero[41] será consecuencia de una progresiva modificación en el concepto de his-toria; a partir del XVIII perderá su carácter paradigmático, dejando de ser "magister vitae". Sin embargo ningún género desaparece sin dejar huella, y en este caso serán D. Juan Manuel, Chaucer y Boccaccio sus principales herederos. Con frecuencia se considera la novelística del XIV como un renacer tras unos años de oscuridad, olvidando las fuentes medievales. La fantasía de estos autores se educó en una tradición narrativa anterior que, al mismo tiempo que transmitía una temática, transmitía un gusto y una técnica. Parte fundamental de esta herencia la formarán, como seguidamente veremos, los textos narrativos de ori-gen oriental.

(40) Véanse, entre otros, los siguientes estudios: M.ª Rosa Lida de Malkiel, "Tres notas sobre don Juan Manuel", recogido en sus *Estudios de literatura española y compa-rada*, Buenos Aires, Eudeba, 1969, pp. 92-133; M. Gerli, *Alfonso Martínez de Toledo*, Bos-ton, Twayne, 1976; J. Burke, "The *Libro del Cauallero Zifar* and the Medieval University Sermon", *Viator*, 1 (1970), 207-223.

(41) Para la pervivencia del género en épocas posteriores, consúltese el artículo de R. Ricard, "Aportaciones a la historia del *exemplum* en la literatura religiosa moderna", reco-gido en sus *Estudios de literatura religiosa medieval*, Madrid, Gredos, 1964, pp. 200-226.

III

ESTRUCTURAS Y TECNICAS NARRATIVAS
(I). LA INSERCION DE CUENTOS

La forma de las colecciones cuentísticas orientales presenta un interés considerable, aunque no siempre haya sido éste el punto más estudiado por la crítica. Dentro del área hispana, I. González Llubera fue el primero en proponer un cambio de orientación: *La investigació, a hores d'ara hauria de presuposar un objetiu més eficaç que no la simple constatació de coincidències materials entre els temes comparats. Caldria plantejar el problema sota el* punt de vista de la forma, *de l'estil, en el cas de les traduccions, o, en general, de contactes inmediats entre una obra occidental i la literatura del món islàmic*[1]. Estas palabras, escritas en 1936, ya no resultan tan exactas, pues la crítica estructuralista y formalista ha vuelto sus ojos hacia la originalidad formal de estas colecciones y ha abandonado parcialmente el rastreo de fuentes. Sin embargo, resulta innegable que este nuevo enfoque todavía no ha agotado sus posibilidades. Mi propósito es insistir en ello para establecer la deuda de la narrativa occidental con la cuentística oriental.

Entre los siglos XII y XIII puede situarse el momento de amplia difusión por todo el occidente europeo de las colecciones orientales. Con ello se iniciará el proceso de asimilación de unas nuevas técnicas que, con el tiempo, aparecerán incorporadas a obras originales. La inserción de cuentos por medio de un mínimo elemento dialogado pudo conocerse a través de la obra del judío aragonés Pedro Alfonso, la *Disciplina Clericalis,* que contó pronto con versiones francesas, *La Discipline de Clergie* y *Le Chastoiement d'un père à son fils.*[2] Paralelamente a este texto se difundirán otras obras orientales con un sistema formal más elaborado. La leyenda de *Barlaam,* conocida en occidente a través de una versión latina, se divulgó al incluirse de forma abreviada en la enciclopedia de Vicente de Beauvais y en la *Leyenda Aurea,* textos de gran popularidad. Ya en el siglo

---

(1) I. González Llubera, "Un aspecte de la novel.lística oriental a la literatura medieval europea", *EUC* (Homenatge a Antoni Rubió i Lluch), XXII (1936), p. 463.

(2) V. Chauvin, ob. cit., dedica el vol. IX (1905) a la *Disciplina Clericalis,* señalando todas sus versiones.

XIII, se realizaron versiones francesas, como la de Guy de Cambray, y una más reducida en anglonormando.[3]

Para las fechas de propagación del *Calila* y el *Sendebar* recordemos que la primera versión latina de este último, el *Dolophatos*, podía situarse a fines del XII; la versión latina de Juan de Capua, conocida bajo el título de *Directorium humanae vitae* (ca. 1262-1278), favoreció la divulgación del *Calila* por toda Europa. Las versiones castellanas de ambas colecciones, la del *Calila* anterior a la traducción de Capua, no deben tomarse como punto de partida para la difusión de estos textos. La corte alfonsí se adelantó a su tiempo en el empleo de la lengua vulgar, pero este mismo hecho dificultó la transmisión de sus traducciones. La puerta de ingreso en Europa para todas las obras mencionadas fue siempre una versión latina. Aun así, cabría matizar esta afirmación distinguiendo entre los textos castellanos del *Calila* y el *Sendebar*. Por lo que respecta al *Libro de los engaños* coincido plenamente con J. Bédier cuando se pregunta *si cette traduction a jamais été lue par une autre personne que le prince castillan à qui elle était dédiée, et si ce groupe oriental n'est pas resté aussi inconnu aux poètes français et allemands que s'il leur avait fallu lire directement le texte syriaque ou le texte hébreu*[4]. Sin embargo, la traducción castellana del *Calila* tuvo una parcial difusión más allá de los Pirineos. La reina Juana de Navarra y de Champagne (1273-1305), esposa de Felipe IV, recibió esta versión traída por algún alto dignatario de Castilla. Ante las dificultades de la reina para comprender la lengua, el mismo autor del regalo encargó a Raimundo de Béziers, una traducción latina, *quae lingua communior erat et intelligibilior ceteris*. La muerte de Juana de Navarra interrumpió su trabajo, continuado años después tomando como modelo el texto latino de Juan de Capua (lo que permite suponer que al morir la reina, Raimundo de Béziers tuvo que devolver el ejemplar castellano). De cualquier modo, esta versión, concluida en 1313 y totalmente falseada, apenas sí tuvo resonancia alguna en la cadena transmisora del *Calila*[5]. Por tanto, puede situarse entre los siglos XII y XIII el período de difusión de estas colecciones, sobreentendiéndose que nos estamos refiriendo a la transmisión *escrita*, pues es posible que circularan con anterioridad versiones orales, o bien que en ciertos ambientes se conocieran recensiones árabes.

Según R. Marsan, en la península las grandes colecciones orientales serían conocidas *soit dans les textes arabes, soit par la transmission orale*. Las versiones castellanas realizadas a mediados del XIII no serían más que *prolongements naturels nés du succès*[6]. Esta aseveración no se ve, desgraciadamente, apoyada por la autora con ningún ejemplo concreto. Sin embargo, pueden encontrarse huellas que corroboren esta hipótesis. *La Disciplina Clericalis* y "La

(3) G. Moldenhauer, *Die Legende von Barlaam und Josaphat auf den iberischen Halbinsel. Untersuchungen und Texte*, Halle, 1929 (Reprint Genève, Slatkine, 1976); Jacques de Voragine, *La légende dorée*, ed. Th. de Wyzewa, Paris, Perrin, 1920, pp. 663 y ss.

(4) J. Bédier, ob. cit., p. 137; R. Marsan, *Itinéraire espagnol du conte médiéval (VIIIe-XVe siècles)*, Paris, Klincksieck, 1974, p. 123, afirma que *c'est à partir de la traduction espagnole que le Sendebar passe les Pyrénées*".

(5) El texto traducido por R. de Béziers se incluye en la obra ya citada de L. Hervieux.

(6) R. Marsan, ob. cit., p. 112.

doncella Teodor" son datos a su favor, pese a que el conocimiento por parte de Pedro Alfonso de material procedente del *Calila* y el *Sendebar* no es una prueba decisiva dado el trilingüismo del autor[7]. Más convincente resulta la confrontación de dos cuentos de Juan Ruiz ("La zorra que se hace pasar por muerta" y "El corazón del asno") con sus posibles antecedentes. El primero, análogo al ejemplo XXIX del *Conde Lucanor*, pertenece a la rama oriental del *Sendebar*, aunque no se incluyó en la traducción castellana de don Fadrique. El segundo aparece en el *Calila e Dimna* con algunas divergencias frente al texto de Juan Ruiz. F. Lecoy[8], tras cotejar estos cuentos con otras versiones de los ejemplarios, llegaba a suponer la existencia de recensiones árabes de estas colecciones cuentísticas que serían populares en la Península, aunque no dejaran huellas en las traducciones "oficiales" del XIII. Retomando la hipótesis del gran estudioso francés podría añadir los ejemplos XIX y XXII del *Conde Lucanor*, para los que la crítica ha sido unánime en asignar como fuente directa e inmediata los capítulos VI y VII del *Calila*. No obstante, en algún caso las variaciones observadas entre ambos textos no pueden atribuirse exclusivamente a la reelaboración artística de don Juan Manuel, como se verá en el estudio particularizado de estas historias. Sin negar que el infante manejara la traducción de su tío, puede también suponerse que conociera otras versiones escritas u orales donde se mantuvieran estos detalles procedentes de la fuente sánscrita.

La difusión oral de estas colecciones explicaría el trasvase de la "materia oriental" a los ejemplarios. Cuentos y parábolas del *Barlaam,* no siempre procedentes de la versión latina, se insertaron como ejemplos dentro del *Polycraticus* (ca. 1170) de Juan de Salisbury, o dentro de los sermonarios de Jacques de Vitry. Algunas de estas versiones presuponen para González Llubera la transmisión oral. Sin embargo, resulta difícil admitir que el procedimiento formal utilizado en las colecciones orientales fuera captado por medio de la difusión oral. La compleja inserción del *Calila e Dimna* o de las *Mil y una noches* exige la presencia de un lector. Según V. Sklovski, 'la extensión del texto no permite a la tradición oral hilvanar las partes con ayuda de tales medios. El medio es tan formal que sólo el lector puede percibirlo; la llamada creación popular, es decir anónima, privada de conciencia personal, poseyó solamente un tipo elemental de vinculación"[9].

Así pues, cuando reaparezca en la literatura del XIV el procedimiento de imbricación de cuentos y otros elementos afines dentro de un marco común, habrá que contar con las versiones occidentales de la cuentística oriental (en

(7) Para las fuentes de la obra consúltese el artículo de H. Schwartzbaum, "International Folklore Motifs in Petrus Alphonsi's *Disciplina Clericalis"*, *Sef,* XXI (1961), 267-299; XXII (1962), 17-59 y 321-344; XXIII (1963), 54-73.

(8) F. Lecoy, *Recherches sur le "Libro de Buen Amor" de Juan Ruiz Archiprêtre de Hita,* Paris, Droz, 1938 (reedición a cargo de A. D. Deyermond, Hants Gregg International, 1974). Véase también, con un enfoque diferente, el artículo de I. Michael, "The Function of the Popular Tale in the *Libro de Buen Amor",* en *Libro de Buen Amor's Studies,* ed. by G. B. Gybbon-Monypenny, London, Tamesis Books, 1970, pp. 177-218.

(9) V. Sklovski, "La construcción de la nouvelle y de la novela", en *Teoría de los formalistas rusos,* preparada por T. Todorov, Buenos Aires, Signos, 1970, pp. 127-146.

especial del *Calila*, el *Sendebar* y el *Barlaam*). Pero posiblemente no fueron estos textos los únicos en influir en autores como Don Juan Manuel, Chaucer o Boccaccio. Ya en obras de la antigüedad greco-latina, como las *Metamorfosis* de Ovidio, el *Asno de oro* de Apuleyo o el *Satiricón* de Petronio o algunos textos de Platón, se utilizaron técnicas análogas. El *Asno de oro* de Apuleyo, fuente de muchos relatos boccaccianos, combinará dos procedimientos: el ensartado y el encuadre[10].

La forma de conjunto de las colecciones cuentísticas hindúes pudo dar origen en el mundo árabe al empleo de recursos análogos. Por ejemplo, el sistema de unión de las *maqamas* en su forma clásica no sería más que una aplicación arábiga de esta técnica oriental[11]. Dentro de la literatura medieval peninsular, y prescindiendo de la obra de Don Juan Manuel, encontraremos adaptaciones románicas de estos procedimientos de engarce. La *Disputa del Asno* de A. de Turmeda, el *Llibre de les besties* de R. Llull o el *Libro de Buen Amor* presentan sus temas mediante esquemas formales próximos a los orientales, sobre todo las dos primeras obras mencionadas. Un caso más complejo es el *Libro del Cauallero Zifar*, donde, sin negar sus relaciones con la literatura caballeresca occidental, encontraremos la inserción de cuentos y sentencias, habitual en los textos orientales.

Paralelamente a la difusión de estas colecciones se recopilaron por escrito los ejemplos para uso de predicadores. En los ejemplarios los cuentos son unidades aisladas, organizadas por orden alfabético o temático, si bien no debe olvidarse que estas recopilaciones perseguían antes un valor funcional que artístico. Por lo tanto, su sistema organizativo era el adecuado para los fines propuestos. La narrativa profana del XIV halló en los ejemplarios la materia argumental para sus cuentos, pero tuvo que adoptar una estructura de conjunto, ausente en estas recopilaciones. Las versiones occidentales de la cuentística oriental desempeñarían un papel destacado en la propagación de un nuevo principio de ordenación literaria. Sin descartar totalmente la posibilidad de otras influencias occidentales, hay que señalar cómo, a partir de la difusión de las colecciones orientales, los ejemplarios en lengua vulgar comenzaron a agruparse según las técnicas de la unificación literaria oriental: así sucedió con *El Conde Lucanor*. La personalidad literaria de los narradores del XIV no sólo les llevó a adaptar los *exempla*, sino también a reelaborar las diferentes formas de integración heredadas del mundo oriental. El conocimiento de estos recursos nos servirá, pues, para reconstruir las razones de una herencia cultural que resulta todavía oscura.

LA NOVELA-MARCO

Una narración-marco puede definirse como un conjunto narrativo compuesto de dos partes distintas pero unidas entre sí. La historia principal se ve interrumpida

(10) V. Sklovski, *Sobre la prosa literaria*, Barcelona, Planeta, 1971.

(11) Para la influencia de las *maqamas* en la literatura española puede consultarse el artículo de J. Vernet, "Las Mil y una noches y su influencia en la novelística medieval española", *BRABLB*, XXVIII (1959-1960), 5-25.

en su desarrollo por la inserción de relatos contados por los personajes de la narración inicial. Esta última engloba a las anteriores como un marco encierra una pintura. En su forma más perfecta los cuentos insertados lo están en función de la narración que los encuadra, y cuya acción tratan de modificar, aunque no siempre es así. El carácter funcional de los cuentos insertados permite su movilidad y sustitución por otros, siempre que se respete la intencionalidad del conjunto. Por el contrario, el marco principal, de mayor o menor importancia narrativa, suele conservarse inalterado. Este procedimiento combinatorio implica una alteración temporal. La historia principal y las subordinadas se mueven en coordenadas temporales distintas; las historias insertadas suelen situarse en tiempo pasado como digresiones de la narración principal. Son hechos que el narrador vivió, escuchó, presenció o leyó, y cuyo desarrollo temático viene condicionado por la historia-marco.

En el origen del recurso subyace una gran fe en el poder persuasivo de la palabra, ya que las narraciones insertadas pueden modificar las conductas de los personajes que las escuchan. Para que esto suceda deberá existir un paralelismo entre la historia principal y las subordinadas. Aquélla se halla detenida en su desarrollo; por el contrario, éstas presentan siempre sucesos ya acaecidos y cerrados. La conclusión del cuento insertado puede ser para sus receptores una advertencia de su propio futuro, aunque no siempre sean capaces de sacar todo su provecho. El final llegará con el término de la historia principal, cuando ya no haya posibilidad de modificación; el sistema se cierra sobre sí mismo, anunciando el estatismo que encontraremos en el tratamiento de los núcleos temáticos. Dentro de este esquema sencillo se pueden distinguir diferentes tipos, según la función que desempeñen las historias interpoladas respecto de la historia-marco. La dificultad de clasificación obedece a que dentro de una misma obra coinciden distintas motivaciones. El equilibrio entre la historia-marco y las subordinadas que encontramos en el *Sendebar* no se dará en otros textos. En unos casos, los cuentos perderán importancia frente a la narración-marco (como sucederá en el *Barlaam*), y en otros (como las *Mil y una noches*) el marco se irá progresivamente debilitando. Los cuentos pasarán de ser funciones de la acción principal a tener una vida autónoma, con escasa incidencia sobre la narración que los encuadra.

El mayor grado de motivación se logra cuando las historias insertadas modifican la acción de la historia marco. Este es el modelo más difundido: narrar cuentos para *impedir el cumplimiento de una acción cualquiera*. La historia principal se detiene con este motivo y se da paso a la interpolación de relatos. Así impiden los siete privados que el rey ejecute a su hijo, o Sherazade salva su vida. En las historias de *Ardji Bardji*, las estatuas de madera, que constituyen los peldaños de una escalera, evitan con sus cuentos la llegada del rey al trono. En el *Touti-nameh*, un papagayo retiene de idéntico modo a una mujer cuando quiere engañar a su marido. Durante la narración de las historias, la acción principal permanece detenida, lo que implica una forma de ganar tiempo hasta modificar el resultado final. En muchas ocasiones, los cuentos asumen ambas tareas, *convencer* y *ganar tiempo*, como sucederá en el *Sendebar*.

Dentro de las *Mil y una noches* encontraremos alguna variante de este tipo cuando se utilice el narrar historias como medio para redimir vidas humanas. Según la calidad de éstas, el condenado se salvará o no. En el "Ciclo del jorobado"[12], el rey decide perdonar la vida de los cuatro acusados, si cuentan una historia más sorprendente que la última aventura del jorobado (su asesinato). El propio crimen se considera equivalente a una novela corta cuyo valor estético hay que superar. Tras oír las tres primeras, el rey no quedará satisfecho; sólo la última le parecerá superior. El valor concedido a las buenas historias por los personajes de las *Mil y una noches* es tan grande que puede condicionar la vida humana. En las historias indias de *Vetala* el planteamiento es algo distinto. El demonio cuenta "casos" que el rey debe resolver satisfactoriamente para salvar su vida. La historia-problema recuerda el cuento 19 del *Sendebar*, cuando su narrador (el infante) pide al auditorio que identifique al culpable de la tragedia.

Otra motivación distinta para narrar cuentos consiste en su utilización por parte de un maestro para responder a las preguntas de su discípulo, o bien por parte de este último, para demostrar su nivel de conocimientos. En la leyenda de *Barlaam e Josaphat*, el anciano emplea ejemplos y parábolas para desvelar al príncipe los misterios del cristianismo. En una versión del *Sendebar*, incluida dentro de *Las Mil y una noches*[13], el infante supera un examen público al responder acertadamente a las preguntas de los sabios y narra dos cuentos como ilustración a sus palabras. Los relatos sirven de respuesta al cuestionario de su maestro Simas. Una variante más compleja de este modelo conducirá a la discusión con ayuda de cuentos: una narración es utilizada para probar una idea y la posterior sirve de objeción a la precedente. Sin que el sistema esté perfectamente elaborado, puede encontrarse algo semejante en la oposición existente dentro del *Sendebar* entre los relatos de los privados y los de la mujer; o en la *Disciplina Clericalis*, cuando un mismo narrador defienda posturas contrarias (por ejemplo, la maldad y la bondad de la mujer), con el fin de presentar un amplio panorama a su discípulo.

Por último, los cuentos pueden insertarse con la única finalidad de entretener. Esta es la motivación más frecuente dentro de la literatura occidental, si bien se encuentran antecedentes en textos orientales[14]. Dentro de las *Mil y una noches,* el califa Harūn al-Rashīd necesitará oír historias para descansar, conciliar el sueño o divertirse. El exemplo XII de la *Disciplina Clericalis* recrea constumbres análogas:

> *Rex quidam suum habuit fabulatorem, qui singulis noctibus quinque sibi narrare fabulas consueverat. Contigit tandem quod rex curis qui-*

(12) *Las Mil y una noches,* ed. de J. Vernet, Barcelona, Planeta, 1965, I, 184-261; M. I. Gerhardt, *The Art of Story-Telling,* Leiden, E. J. Brill, 1963, pp. 411-416.

(13) Dentro de *Las Mil y una noches* hay dos versiones diferentes del *Sendebar:* "Historia que trata de las astucias de las mujeres y su gran picardía", ed. cit., II, 850-928 y la "Historia de Wird Jan hijo del rey Chilad", III, 683-783. En esta última se aprecia mejor el recurso mencionado.

(14) Para A. D. Deyermond, *Historia de la literatura española. La Edad Media,* Barcelona, Ariel, 1974, pp. 178-179, "un tercer tipo, sin embargo, que consiste en la relación de cuentos para entretener un viaje o un período de espera tediosa, tarda en desarrollarse, y es propio del Occidente *(The Canterbury Tales* y el *Decamerón* representan esta última especie). A. Scobie, "Comes facundus in via pro vehiculo est" *(Libro de los engaños* and *Calila e Digna), RF,* LXXXIV (1972), 4, discute esta última afirmación. Señala como ejemplo más antiguo de esta motivación narrativa el papiro egipcio del imperio medio, *The Story of the Shipwrecked Sailor.*

busdam sollicitus minime posset dormire plurasque solito quaesivit audire fabulas[15].

Tal procedimiento, utilizado por Boccaccio en su *Decamerón* y por varios "novellieri" italianos, aparece también en distintas colecciones españolas del XVII. Una serie de damas y caballeros decidirán por diversas causas (la peste, un viaje, unas bodas, la fiesta de Navidad...) pasar el tiempo juntos contando historias. La diferencia sustancial entre estos textos y los orientales reside en su concepción del marco. En las colecciones orientales, los cuentos estaban motivados por la historia que los enmarcaba, la cual conservaba un cierto nivel anecdótico; en las colecciones europeas, el marco tendrá un mínimo nivel secuencial o carecerá prácticamente de intriga. El último eslabón implica la ausencia total de marco: las novelas reunidas en colección sin un nexo textual entre ellas, como sucede en las *Novelas Ejemplares*[16].

Si volvemos de nuevo la atención hacia las tres colecciones orientales —*Sendebar, Calila* y *Barlaam*— veremos que no responden a un modelo uniforme de novela-marco. Cada una de ellas combina las narraciones de forma distinta.

I) El *Sendebar* presenta uno de los modelos más perfectos y sencillos del esquema conocido como "novela-marco". La obra se inicia con una historia (las aventuras del infante condenado a muerte por la falsa acusación de una mujer) que, al llegar su momento culminante, se interrumpe para dar paso a la inserción de relatos. Durante el transcurso de estas narraciones, la acción principal está detenida, o mejor dicho, lleva un movimiento zigzagueante, ya que el rey modificará su veredicto condenando o no a su hijo, según lo que acabe de escuchar. Pasados siete días se reanuda la acción del marco para volver a interrumpirse con los relatos del infante. Tras su último cuento, la sentencia irrevocable del rey condenando a la mujer pondrá punto final a la narración.

Dentro de la historia-marco se encuadran un total de veintitrés cuentos, y no veinticinco como calculaban erróneamente algunos críticos al confundir el marco con las inserciones[17]. Todos ellos son narrados por personajes de la acción principal que nunca relatan su propia historia, sino otra que "oyeron decir" y puede aplicarse al caso. Las inserciones trascurren siempre en un tiempo pasado y en un espacio diferente al de la acción principal. A lo largo del texto hay nueve narradores diferentes (los siete privados, la mujer y el infante), que no proyectan su individualidad sobre los relatos sino su condición. Ello hace que en la práctica podamos reducirlos a tres (privados, mujer e infante), con distintas razones para contar. Al desencadenarse el drama, los propios privados explicarán sus motivos para intervenir:

> Después que vieron quel rrey mandava matar su fijo a menos de su consejo, entendieron que lo fazia con saña porque creyera su muger.

(15) *Disciplina Clericalis*, ed. cit., p. 30.

(16) Véase P. Palomo, *La novela cortesana (Forma y estructura)*, Barcelona, Planeta / Universidad de Málaga, 1976.

(17) Según J. Amador de los Ríos, ob. cit., se insertaban veinticinco cuentos; por el contrario, M. Menéndez Pelayo, *Orígenes de la novela,* sostuvo que eran veintiséis, afirmación repetida en numerosos manuales.

E dixieron los unos a los otros: —Si a su fijo mata, mucho le pesara, e despues non se tornara sinon a nos todos, pues que tenemos alguna rrazon atal por que este ynfante non muera (p. 12).

La actuación viene justificada por su papel de consejeros reales. Ellos han sido consultados y, pese a que los "espejos" recomiendan silencio a los privados cuando no son llamados, se ven forzados por una causa mayor. El rey va a caer en uno de los vicios peores en un monarca: la saña. Su obligación es apaciguar los ánimos regios para que razone con mesura y pueda administrar justicia. A esto se suman otras motivaciones menos altruistas, presentes asimismo en el texto. Si el rey comete una acción arrebatada luego, en el momento del arrepentimiento, culpará a sus consejeros por su pasividad anterior. Ellos podrían ser las próximas víctimas. Cada consejero va a evitar esta condena injusta narrando ante el rey dos cuentos. En el primero de ellos trata *los peligros de una actuación precipitada* ("non deve fazer ninguna cosa el omne fasta que sea çierto della").

Con anterioridad, los privados habían anunciado que tenían una opinión formada de los sucesos ("Pues que tenemos alguna rrazon atal por que este ynfante non muera"). Esta razón va a quedar explícita en el segundo cuento de cada intervención. Se trata de unas fundadas sospechas acerca de la veracidad y honradez de la mujer. Si el rey no debe nunca administrar justicia con "saña", todavía menos cuando las únicas pruebas sean el testimonio de una mujer, ya que "las mugeres ayuntadas en si han muchos engaños". Del privado tercero sólo se conserva un cuento que puede considerarse el primero de su intervención, ya que centra su temática en las acciones precipitadas. El cuento ausente glosaría, sin duda, la maldad de las mujeres.

La mujer, autora de la acusación falsa y desencadenante del drama, es la única (junto con Çendubete y el infante, testigos silenciosos del proceso) que conoce el plazo impuesto. En la versión castellana el propio infante le advirtió de ello:

— ¡Ay, enemiga de Dios! ¡Si fuesen pasados los siete dias yo te rresponderia a esto que tu dizes! (p. 11)

La misma información se recuerda cuando el infante cuenta a su padre todo lo sucedido:

...E yo dixele que yo non podia rresponder fasta que fuesen pasados los siete dias; e quando esto oyo, non sopo otro consejo sinon que me fiziesedes matar ante que yo fablase (p. 50).

Para la narradora contar va a ser luchar contra el paso inexorable del tiempo. De ahí, su creciente impaciencia —apreciable en el texto— al transcurrir los días, por lo que su última intervención no es el relato de una historia sino una acción. La mujer es consciente de que, si al séptimo día no es condenado el infante, ella será acusada por lo que manda disponer una pira para darse muerte. Su tentativa de suicidio resultará frustrada al escuchar la decisión regia en contra de su hijo. En este caso, la acción ha resultado tan eficaz como las narraciones anteriores. Sin embargo, aún falta la intervención del último privado. Concluidos sus dos cuentos habrá transcurrido el plazo y el infante podrá demostrar su inocencia.

El veredicto final del rey será irrevocable: "E el rey mandola quemar en un caldera en seco"[18]. El procedimiento elegido recordará sus vanos intentos por quemarse viva.

La impaciencia de la mujer —conocedora del plazo impuesto— no es compartida por los privados. En la versión castellana, el número de consejeros coincide casualmente con el período de silencio; ellos resultan los primeros sorprendidos al oír de nuevo la voz del infante. En otros textos castellanos, derivados de la rama occidental, los siete sabios son a su vez los intérpretes del horóscopo. Por esto, sabiendo que "al no podían fazer, ordenaron que cada uno escusase un día la muerte del Infante"[19]. En otras obras, como *Las Mil y una noches*, el condenado a muerte asume su propia defensa. Sin embargo, en el *Sendebar* el obligado silencio del infante impide que sea él mismo quien lo haga. Los privados representan su papel pero, al desconocer los hechos, deben repartir sus historias entre dos objetivos: evitar una acción precipitada y atacar a la mujer. La narradora, por el contrario, intenta en unos cuentos demostrar la maldad de los privados (6 y 8) y en otros, los graves inconvenientes de retrasar una acción justiciera. Sus cuentos van dirigidos al rey, pero son también una réplica a los narrados por los consejeros. En este sentido, cabría hablar de una relación dialéctica, o de una trama (narrador-privado) y una contra-trama (narrador-mujer)[20], aunque dentro de los mismos relatos no se aprecie la pugna. En total se incluyen trece cuentos de los privados (deberían ser catorce, pero falta uno) y cinco de la mujer, lo que supone un cierto desequilibrio que la narradora intentará compensar por medio de la acción. Esta desigualdad estructural puede considerarse un presagio del resultado final. Aunque los protagonistas enfrentados, la mujer y el infante, narren el mismo número de cuentos (cinco cada uno), no debe olvidarse que los auténticos defensores del infante son los privados. Esta situación se intentó compensar en las versiones occidentales al reducir el número de cuentos de cada privado a uno por intervención.

Transcurrido el plazo, el propio infante explicará a su padre todo lo sucedido, con lo que podría ponerse punto final a la historia. Sin embargo, aún se insertarán cinco relatos más, narrados por el protagonista. Este ya no necesita "salvar su vida", pero debe mostrarse en público ante sus defensores: explicar su "rrazon", exponer su sabiduría y con ello rehabilitar a su maestro Çendubete, cuyo papel había quedado en entredicho:

> Menester es de entender la mi rrazon, que quiero dezir el mi saber (p. 51).

En otras versiones, el infante se somete a un amplio interrogatorio de cuestiones filosóficas. Las respuestas acertadas servirán también para manifestar sus conoci-

---

(18) El castigo varía en las distintas versiones. El rey propone diferentes condenas (arrancarle la lengua, el corazón, las manos, cegarla...) y el hijo las suaviza. En el texto hebreo la madrastra es perdonada; en el *Syntipas* es condenada a pasear por la ciudad arrastrada por un burro y acompañada por dos hombres que van pregonando sus crímenes. Véase D. Comparetti, ob. cit., p. 22.

(19) "Novella que Diego de Cañizares de latyn en romance declaró y trasladó de un libro llamado Scala Celi", en *Versiones castellanas del Sendebar*, ed. cit., p. 71.

(20) A. Prieto, *Morfología de la novela*, Madrid, Planeta, 1975.

mientos y confirmarle como heredero del trono. En el texto castellano las sucesivas intervenciones del infante surgirán de la discusión entre cuatro sabios, el rey y Çendubete (de nuevo siete personajes en escena). Cuatro de sus cinco cuentos destacarán su sabiduría al mostrarse conocedor de sus propios límites. Con el último retoma la temática misógina tratada ya por sus defensores. Tras sus palabras vendrá el veredicto final del rey condenando a la mujer.

Funcionalmente, el *Sendebar* puede considerarse un modelo de novela-marco. Sólo cabe señalar algunas incoherencias en las unidades insertadas, debidas quizá a las circunstancias de su transmisión. Así, por ejemplo, la única mujer casta de la colección aparecerá en un cuento narrado por un privado (cuento 1); los relatos de la madrastra carecen en ocasiones de una motivación clara e incluso en uno de ellos (cuento 6) el papel de agresor estará desempeñado por una "diablesa".

II) En el *Calila* cada capítulo constituye una historia distinta e independiente (a excepción del IV), hasta sumar un total de quince narraciones extensas. A su vez, estas historias pueden servir de "marco" para otros cuentos insertados en ellas, si bien no todas cumplen esta función. Cabría, pues, establecer una distinción: las primeras (III-(IV)-V-VI)[21] encuadran numerosos cuentos, que a su vez pueden incluir otros. Estas cuatro historias de estructura más compleja son las más próximas al original sánscrito del *Panchatantra*. Los restantes capítulos —con paralelos orientales menos claros— siguen unos esquemas organizativos simples. Frente a la sencillez del *Sendebar,* los capítulos-marco del *Calila* suponen una complicación y al mismo tiempo una deturpación del sistema. Comparados, sin embargo, con las *Mil y una noches* resultan elementales. Para poder apreciar mejor la aportación del *Calila* al modelo de novela-marco centraré mi análisis en el capítulo que da título a la colección. La historia (III) está protagonizada por cuatro personajes, Calila, Dimna, Sençeba y el león (rey), de los cuales este último es el único que no cuenta ningún relato. Los restantes alternan su función de personajes con la de narradores y receptores. Los cuentos surgen siempre del diálogo entre dos de ellos, apartados del resto; pueden distinguirse, pues, las siguientes parejas dialogantes: Calila y Dimna, Dimna y el león, Dimna y el buey. Contrastadas sus razones para contar con las que hallábamos en el *Sendebar,* se aprecia un debilitamiento en la inserción. Los cuentos eran en esta última obra una "función" del marco; contar era una forma de salvar una vida (la propia en el caso de la madrastra y la del infante para los privados). La pérdida de un relato (el segundo del privado tercero) era fácilmente apreciable; por el contrario, el número de cuentos insertados en los capítulos del *Calila* puede variar sin que sea perceptible su ausencia[22]. Asimismo, los motivos para narrar son menos trascendentes. Se intenta antes persuadir e instruir que modificar; los cuentos serán un apoyo más para unos planteamientos expuestos también por medio de sentencias y comparaciones.

(21) El capítulo I narra el viaje de Berzebuey a la India y el II la autobiografía de Berzebuey. El comienzo de las historias se efectúa a partir del capítulo III.

(22) Una rápida lectura del cuadro comparativo entre el *Panchatantra*, el *Kalilah wa-Dimnah* y el *Calila* castellano ponen de relieve las diferencias existentes entre los tres textos por lo que se refiere al número y al orden de los cuentos insertados. Véase la introducción a la edición citada de J. E. Keller y R. W. Linker.

Dimna incluye cuentos al dialogar con el león, el buey y Calila. Ante los dos primeros trata de brindar la imagen de amigo leal para ganar la confianza de sus oyentes. Una vez logrados sus fines, utiliza relatos para enemistar a los antiguos amigos (el león y el buey). En ambos casos, Dimna se sirve de los cuentos como método *persuasivo* de mayor efectividad que los argumentos. Por el contrario, en sus conversaciones con Calila muestra claramente sus planes. Ante su compañero debe esforzarse por *justificar* sus propósitos; de ahí el empleo de cuentos, de escaso eco en Calila, quien le reprochará sus actuaciones.

El primer cuento de Calila responde a una motivación clara: evitar una acción peligrosa. En él ("El mono y la cuña"), pone de manifiesto los riesgos de la imprudencia. La muerte del mono es una advertencia despreciada por Dimna. Las restantes historias de Calila no presentan una intención modificadora tan clara. Son invitaciones para que Dimna medite sobre sus errores pasados; por eso se insertan tras dos momentos fundamentales de la narración-marco. En un caso, Dimna se lamenta de haber tramado su propia desgracia, al haber sido artífice de la unión entre el león y el buey. Calila aprovechará la ocasión para extraer su moraleja (cuentos 4, 5, 6 y 7). Tras la muerte de Sençeba, Calila reprochará a Dimna su conducta sirviéndose de cuentos (17, 18, 19 y 20). Sus palabras son un lamento por la inutilidad de sus pasados consejos.

Sençeba narra dos cuentos en su conversación con Dimna, tratando de justificar la extraña conducta del león, imputable sólo a un error (cuento 13) o a una información tergiversada (cuento 14). A través del diálogo se va autoconvenciendo de la irreversibilidad del enfrentamiento.

Los destinatarios de los cuentos no siempre tienen la reacción deseada por los narradores. Tanto Calila como Dimna mantienen firmemente sus convicciones sin atender las palabras del contrario. Sólo el león y el buey modificarán su pensamiento tras los persuasivos cuentos de Dimna. En ningún caso encontramos los rápidos cambios del rey del *Sendebar*, pues los personajes parecen dotados de una mayor complejidad psicológica. Sin embargo, ninguno de los tres "equivocados", Dimna, el león y el buey, sabe ir más allá de las palabras del narrador, buscando en los cuentos una interpretación distinta a la propuesta. De haberlo hecho así, el resultado de la acción principal hubiera sido distinto, pues los cuentos encierran una polivalencia de significados contrarios. En ello reside, a mi juicio, la principal aportación del *Calila* al modelo de marco-narrativo.

El primer cuento que Dimna dirige al león ("La zorra y el tambor") es un aviso para no dejarse engañar por las falsas apariencias. De esta manera pretende Dimna que el rey pierda el miedo a la potente voz del buey. Pero este mismo cuento podría ser una advertencia contra su propio narrador quien, bajo una actitud servicial, encubre una personalidad engañosa. Sin embargo el rey no lo entiende así y sigue confiando en el traidor Dimna. Los cuentos de Calila (4, 5, 6 y 7) constituyen una invitación a Dimna para que reflexione sobre los errores pasados, pero, a su vez, pueden considerarse una advertencia para el futuro. Analizados desde esta perspectiva, la interpretación puede ser muy diferente. El religioso del cuento 4 ("El religioso robado") perdió los paños por confiar en un ladrón, error idéntico al del león al atender los consejos de Dimna, quien después le "robará" la amistad del buey. En los cuentos siguientes un personaje pretende alterar las relaciones de una pareja y muere o sufre una mutilación a causa de ello.

57

El fin de la zorra (5: "La zorra aplastada por cabrones monteses"), la mujer (6: "La alcahueta y el amante") y la alcahueta (7: "El carpintero, el barbero y sus mujeres") anuncia el castigo de Dimna. Sin embargo, este último interpreta los cuentos en función de sus acciones pasadas y no rectifica su comportamiento futuro.

El caso más claro de desacomodación entre la teoría y la práctica lo encontramos en los cuentos del buey. El cuento 14 ("El camello que se ofreció al león") es un correlato exacto de la situación de su narrador. Un animal herbívoro —un camello— aparece por azar en la corte de un león y llega a ganar su amistad. Las intrigas de los privados y otros carnívoros lograrán convencer al rey de la necesidad de matar al huésped. Sin embargo, el buey Sençeba, tras analizar con tanta lucidez su propio caso, no es capaz de extraer las últimas consecuencias. Describe perfectamente la figura del mesturero y no acierta a identificar a Dimna con un traidor.

En resumen, los relatos subordinados del *Calila* cumplen un papel accesorio, condicionado a la acción principal. En algunos casos, su desaparición, dado el menor grado de motivación en las inserciones, puede resultar inapreciable al lector actual. La principal aportación del *Calila* al modelo de novela-marco reside en la gran importancia concedida al receptor de las historias. Este se permite rechazarlas o admitirlas según su conveniencia. Las actuaciones equivocadas de los personajes se fundan en una desacomodación entre la teoría (el relato propuesto como paradigma) y la práctica. Los ejemplos presentan modelos de comportamiento contradictorios, pues su validez se juzga en el contexto. En un caso (como el cuervo espía del capítulo VI), el engaño puede ser recomendado, en otro (Dimna), castigado. El destinatario de los cuentos deberá valorar la oportunidad de los consejos, pero con frecuencia los personajes del *Calila* se dejan arrastrar por las "blandas palabras". Este fue el principal error de los búhos (capítulo VI) y por ello murieron. Las historias insertadas cobran, para un lector conocedor de todos los "hilos", un valor irónico que añade nuevas perspectivas al sistema[23].

III) La tercera obra que contribuyó a difundir por occidente el sistema de inserción de cuentos fue el *Barlaam e Josaphat.* Frente al modelo utilizado por el *Sendebar* y el *Calila,* en el *Barlaam* se aprecia un creciente desequilibrio entre la novela-marco y las historias insertadas. Estas últimas no forman parte imprescindible de la primera, ya que no modifican sustancialmente la acción del marco; son sólo un instrumento auxiliar para facilitar la divulgación de los dogmas cristianos. A su vez, la historia principal se compone de diferentes episodios, algunos de los cuales, desgajados del conjunto, tuvieron vida independiente, como si de cuentos insertados se tratara. Así, por ejemplo, el capítulo quinto ("De commo amanso la saña del rey por consejo del enfermo") fue retomado por Don Juan Manuel en el primer relato de *El Conde Lucanor.*

El viejo Barlaam se introduce en el palacio donde Anemur ha encerrado a su hijo Josafat para evitar el cumplimiento del horóscopo que predecía su conversión. En sucesivos diálogos, Barlaam adoctrina al joven enseñándole los principios de la religión cristiana. En el trascurso de sus conversaciones, inserta

(23) A conclusiones semejantes llega M. Parker en su ob. cit.

58

once relatos que vienen a ejemplificar sus argumentos. La función de estos cuentos es idéntica a la desempeñada por los *exempla* dentro de la predicación. Asimismo coincidirán las fuentes de muchos de ellos: en unos casos parábolas evangélicas (el sembrador, el hijo pródigo, el Buen Pastor...), y en otros relatos de posible origen oriental, aunque también frecuentes en los ejemplarios (la parábola del unicornio, el cuento del ruiseñor, las trompetas de la muerte...).

La misión primordial de estos relatos es enseñar, lo que se pone de relieve, en ocasiones, con la interpretación final. Los narradores del *Sendebar* y el *Calila* eran conscientes de la claridad de sus cuentos, por lo que se limitaban a concluirlos con unas breves frases de aplicación al caso ("E yo non te di este enxenplo salvo por que sepas que..."). Sin embargo, Barlaam conoce el carácter emblemático de sus parábolas y suele aclarar los términos de su "semejança" para que no haya posibilidades de equivocación:

> Pues asy es: entiende la çiudat que es este mundo vano e engannoso, e los çiudadanos los prínçipes...[24].

El procedimiento es habitual en los ejemplarios y de ahí pasó a algunas colecciones de carácter profano[25]. Con ello, la atención se desplaza de la narración en sí a su valor didáctico.

Por su parte, Josaphat no sólo aceptará los relatos, sino que alabará el ameno estilo de su maestro:

> O sabio, sy por mucho tienpo pensases commo soltarias a nos el mudamiento de las quistiones propuestas, semejame que non las podrias fazer mejor que deziendo tales cosas quales vn poco ante dexiste; ca enseñeste dios ser fazedor e dador de todos los bienes, e aun demostraste por sermones manifiestos la gloria de la su grandeza non comprehendible por pensamientos humanales[26].

La inserción de cuentos en el *Barlaam* tiene, pues, un claro contenido didáctico, como apoyo a unas palabras oscuras por su valor religioso. No sería extraño que el monje cristianizador de la leyenda de Buda se dejara influir asimismo por textos evangélicos y patrísticos[27]. Las coincidencias entre el modelo de inserción utilizado aquí y el de los ejemplarios resultarían más explicables.

(24) Cito por la edición de F. Lauchert, "La estoria del rey Anemur e de Iosaphat e de Barlaam", *RF*, VII (1893), p. 352.

(25) Esta explicaciones aparecen también en ejemplares castellanos, como el *Libro de los gatos*, el *Libro de los enxenplos por a.b.c.*, el *Espéculo de los legos*; en algunas colecciones profanas, como los *Siete Sabios*, encontramos idénticas trasposiciones.

(26) Ed. cit., p. 356.

(27) Véase la obra de Hiram Peri (Pflaum), *Der Religionsdisput der Barlaam-legende, ein Motiv Abendländischer Dichtung (Untersuchung, ungedruckte Texte, Bibliographie der Legende)*, Salamanca, Publicaciones de la Universidad XIV, 3, 1959.

El esquema se complica, sin que se altere el sistema primitivo, si un personaje de la historia insertada pasa a contar otro relato, el cual a su vez contiene otro, por el procedimiento llamado de la "caja china". El número de cuentos subordinados puede ser infinito, aunque de él dependerá que el lector conserve o no la coherencia del conjunto. El procedimiento se llevará al límite en obras como las *Mil y una noches* o el *Manuscrito encontrado en Zaragoza*. En estos libros el "interés por narrar" prima sobre la funcionalidad de los cuentos. La aparición de un nuevo personaje implica la historia virtual de su vida. Los textos medievales no llegarán nunca hasta esos extremos, manejando siempre el recurso con "mesura", si bien no podrán evitar que las sucesivas unidades insertadas pierdan cierta funcionalidad sobre sus marcos. La perfección del sistema implicaría que la última inserción incidiera directamente sobre todas las restantes, lo que no siempre se logra. En el *Calila e Dimna* se utiliza esta técnica en cinco ocasiones (III, 8-9; 15-16; 18-19; V, 1-2-3; VI, 1-2-3), con ligeras variantes[28].

Dentro del capítulo III aparece el modelo más sencillo de "caja china". Un personaje de un cuento narrado por Calila o por Dimna cuenta a su vez otro, que queda encerrado por el precedente. El esquema de estas inserciones sería así: [8 [9] 8], [15 [16] 15], [18 [19] 18]. Los cuentos insertados (9, 16 y 19) pretenden modificar la conducta de un personaje de su marco (8, 15 y 18), pero de nuevo encontraremos aquí el procedimiento de "ironía estructural", ya señalado con anterioridad. El cuento 8 pone en escena a dos personajes: un lobo y un cuervo. El primero advierte al segundo los peligros del engaño y ejemplifica sus consejos con un relato (el cuento 9). Sin embargo, al reanudarse el cuentomarco, el cuervo triunfa con sus artes. La no puesta en práctica de un consejo ha dado resultados positivos. Los mismo sucederá en el cuento 15. La hembra alecciona a su macho con la historia de los ánades y el galápago (cuento 16) para demostrarle la necesidad de la prudencia. Terminado el relato, el macho prosigue sus proyectos temerarios que lleva a buen fin. Los dos cuentos insertados (9 y 16) tenían un final negativo, pero, lejos de asustar a sus destinatarios, éstos persistieron en sus propósitos con resultado positivo. El tercer ejemplo sigue un desarrollo más lógico. El padre (18) alecciona a su hijo contra los peligros del engaño (cuento 19) que se pondrán también de manifiesto en la narración-marco. En esta ocasión, el modelo negativo insertado sirve de presagio para la historia que lo encuadra.

El máximo nivel de complejidad narrativa se da en el capítulo V, donde un personaje de una historia (el huésped) narra un cuento ("El hombre que quería dar de comer a sus amigos") que a su vez incluye otro ("El lobo y la cuerda del arco"). El esquema sería así: [1 - [2 - [3] - 2] - 1]. A esto se añade que el protagonista del cuento 1 es asimismo personaje del capítulo-marco, ya que está contando su propia vida. Habrá, pues, tres narradores distintos: el cuento 1, narrado por el ratón, el 2, por el huésped y el 3, por el marido. El funcionamiento del sistema sería perfecto, si no hubieran existido fallos en la transmisión de las

(28) Las citas del *Calila* obedecen al siguiente sistema referencial: los números romanos indican el capítulo y los arábigos, el cuento. Por ejemplo, III, 8 remite al cuento octavo insertado dentro del capítulo tercero.

historias. El cuento 3 modifica la conducta de un personaje de 2 (la mujer), el cual a su vez incidirá sobre otro personaje de 1 (el religioso).

En el capítulo VI encontramos otra variante del sistema menos acertada. Un personaje de un cuento narra a su vez dos, que no pueden considerarse subordinados el uno al otro sino yuxtapuestos. El narrador del cuento 1 es el cuervo, personaje principal del capítulo. Su historia introduce en escena a otro cuervo, quien narra dos cuentos (2 y 3) con los que pretende convencer al auditorio de 1 (toda una asamblea). El narrador logra sus propósitos, pese a que sus cuentos guardan escasa relación con su intencionalidad (quizá debido de nuevo a errores en la transmisión. El esquema del conjunto es también algo diferente a los anteriores: (1 (2 y 3) 1).

En las colecciones cuentísticas estudiadas el procedimiento de la "caja china" es poco frecuente. El sistema supone una complicación o una deturpación de la "novela-marco", ya que requiere una gran habilidad narrativa para desarrollarlo. En algunas ocasiones aparece empleado de forma tan rudimentaria que los sucesivos editores no han considerado necesario señalar la existencia de una historia intercalada. Así, en *Sendebar* 1 los parientes de la mujer injustamente repudiada se sirven del lenguaje alegórico para explicar al rey lo sucedido. En el *Calila* (VI, 9) una culebra enferma se presenta ante el rey de las ranas suplicando asilo. Para ello adopta una posición humilde que justificará con un falso relato:

> Dixo la culebra: "Yo non oso comer ninguna de vosotras synon me la dan en lymosna". Dixo (el rey): "Eso, ¿porque es?" Dixo este: "Otro dia andando en rrastro de una rana por la tomar, e quexela tanto que se ovo ende a moryr. E yo salime ende fuyendo, e el rreligioso salio en dando yo que mordia a la rrana, mordi al niño en el dedo de guisa que ovo ende a moryr. E yo salime ende fuyendo, e el rreligioso salio en pos de my, maldeziendome porque matara a su fijo a tuerto, e que sienpre fuese sopeada e fuese cavalgadura del rrey de las ranas, por quanto las has estragadas e non comas dellas salvo las que te diere el rrey en lymosna" (p. 233).

También es frecuente que los personajes de los cuentos narren "historias fingidas" con la finalidad de engañar a otro personaje. Así, en el "Ejemplo del ladrón y el rayo de luna" *(Disciplina Clericalis*, XXIV; *Calila*, IV, 1), el señor de la casa, cuando escucha pisadas en la azotea, cuenta a su mujer cómo adquirió riquezas de un modo sorprendente, en la espera de que el ladrón lo escuche. En el "Ejemplo de la perrilla que lloraba" *(Disciplina Clericalis*, XIII; *Sendebar*, 10), una alcahueta trata de convencer a una mujer para que se deje seducir. Para lograrlo, simula que su perrilla llorosa es su hija, transformada en animal por no ceder ante su amigo. Las palabras de la vieja pueden equipararse a un cuentecillo:

> *Mulier vero magis instigabat ut diceret. Cui anus: Haec quam conspicis canicula mea erat filia casta nimis ac decora. Quam iuvenis adamavit quidam, sed adeo casta erat ut eum omnino sperneret et eius amorem respueret. Unde dolens adeo efficitur ut magna aegritudine stringeretur: pro qua culpa miserabiliter haec supradicta nata mea in caniculam mutata est.*[29]

(29) Ed. cit., p. 33.

La función de estos "relatos" es engañar. Los personajes narradores son conscientes de las posibilidades de la palabra; los receptores admiten siempre el paralelismo y modifican su conducta. La mujer, identificándose con la joven convertida en perra, acepta las relaciones amorosas. El ladrón pone en práctica la historia escuchada e intenta descender por el rayo de luna. Sin embargo, a diferencia de la auténtica "caja china", estos cuentecillos carecen de autonomía. Desligados de sus contextos, se apreciaría su ausencia. Por otro lado, el lector es cómplice del narrador, pues conoce siempre la falsedad de las historias.

EL ENSARTADO

El ensartado es un segundo procedimiento de composición, aún más difundido que la novela-marco. Es un caso de encadenamiento (en la terminología de T. Todorov)[30], con la particularidad de poseer un personaje central único o protagonista. Para V. Sklovski consiste "en un conjunto de 'nouvelles', cada una de las cuales forma un todo, que se suceden y reúnen por un personaje común"[31]. El formalista ruso distinguía dos variedades: el *ensartado neutro*, donde el protagonista es un elemento pasivo, un simple espectador que nos va relatando sucesos próximos a él, pero no interviene en ellos directamente; y el *ensartado activo*, en el cual la acción y el agente están unidos, tratando así de motivar las aventuras. Desde los comienzos de las literaturas, el viaje fue uno de los recursos más utilizados para ensartar distintos episodios[32]. Así se construyen gran número de relatos picarescos, en los que suele coincidir el narrador con uno de los personajes. En el *Calila e Dimna,* pese a servirse fundamentalmente de la novela-marco, puede hallarse algún ejemplo de este procedimiento.

Los cuentos 4, 5, 6 y 7 dentro del capítulo III ofrecen un interesante modelo de *ensartado neutro*[33]. En el primero de ellos (4: "El religioso robado"), un ladrón, aprovechándose de su amistad, roba unos paños nobles a un religioso. La víctima saldrá en persecución del ladrón y en sus largos viajes asistirá como testigo mudo a una serie de escenas que le harán modificar su pensamiento. Los episodios presenciados durante su peregrinación le sirven de modelo donde ve reflejado su propio caso.

En cada uno de estos cuentos hay siempre un personaje víctima de sí mismo. Todas las narraciones se sustentan en un esquema triangular. Dos personajes mantienen entre sí una relación (de amistad o enemistad), cuando un tercero decide meterse entre ellos. El relato concluirá con la desgracia de este último.

(30) T. Todorov, "Las categorías del relato literario", en *Análisis estructural del relato,* Buenos Aires, Tiempo Contemporáneo, 1970, pp. 145-192 (Comunicaciones, 8).

(31) V. Sklovski, "La construcción de la nouvelle y de la novela", p. 144.

(32) Para M. Baquero Goyanes, *Estructuras de la novela actual,* Barcelona, Planeta, 1970, p. 30, "el viaje, es, pues, un motivo y hasta un tema novelesco, pero también una estructura, por cuanto la elección de tal soporte argumental implica la organización del material narrativo en una textura fundamentalmente episódica".

(33) Para un estudio de estos cuentos, véase el artículo de Pilar Palomo, "De como Calila dio enxemplo del arte de narrar", *Proh,* IV, 3 (1973), 317-327.

La zorra muere por querer sacar provecho del combate entre dos cabrones (5: "La zorra aplastada por cabrones monteses"). La alcahueta por intentar romper la amistad de la manceba y su amigo (6: "La alcahueta y el amante"). Otra alcahueta pierde la nariz al tratar de favorecer un encuentro amoroso, del que esperaba algún beneficio (7: "El carpintero, el barbero y sus mujeres). Y el barbero —marido de esta última— es acusado injustamente de la mutilación. El religioso interviene para modificar la sentencia[34] :

> —Dios te salve, non seas en duda, ca el ladron non furto a my, nin los cabrones mataron a la gulpeja, nin la alcahueta la veganbre, nin a la muger del alfagen non le corto su marido las narizes, *mas nos mismo lo fezimos* (p. 66).

Las escenas anteriores han servido para mostrar al religioso su propia culpa. Su error consistió en aceptar la confianza de un indigno, el ladrón, el cual se aprovechó de ella para robarle los paños, testimonio de la amistad entre el rey y el religioso. El mismo ha propiciado que un tercero rompiera (de modo simbólico) su relación armoniosa con el rey.

El religioso asistirá como testigo mudo a las distintas historias sin participar en la acción. Sólo protagoniza el primer cuento (n.º 4), aunque esté narrado desde la tercera persona. A continuación parte en persecución del ladrón y "yendo para un çibdat a que dezian Maxat, fallo en el camino dos cabrones monteses..." (cuento 5). El narrador recordará, al terminar la historia, la presencia del testigo en el lugar de los hechos con una frase que se repite en cada ocasión: "e esto a ojo del rreligioso". Prosigue su viaje y "fuese para la çibdat a buscar al ome, e poso con una muger mala". Esta noche la alcahueta trata de asesinar a su manceba "a ojo del rreligioso" (cuento 6). Al día siguiente continúa su persecución y esta vez se aloja en casa de un carpintero. Aquí asiste a una historia de mayor complejidad narrativa (cuento 7). La primera parte del relato se desarrolla en la casa del carpintero y la segunda en la del barbero. El sistema de narrador testigo falla al no justificar la presencia del religioso en los dos lugares. Pese a ello, el cuento concluye: "E todo esto a ojo del rreligioso"[35]. Por último, se presenta ante el alcalde cuando van a condenar al inocente barbero y explica todo lo sucedido. El desenlace recuerda otros cuentos de las *Mil y una noches,* donde las historias exculpan a un condenado.

La unidad entre todos los relatos viene dado por la presencia de un mismo personaje-testigo, el religioso, a lo que se añaden las similitudes temáticas y la frase conclusiva ("e todo esto a ojo del rreligioso"). La gran novedad del sistema

(34) Estos cuentos presentan distintas variantes según las versiones. En el *Panchatantra,* ed. cit., p. 62, el religioso cuenta ante los jueces las escenas contempladas, con lo que se produce un doble proceso de comunicación. En el *Hitopadeza,* ed. cit., p. 76, el ensartado se inicia con el episodio final, cuando el barbero iba a ser ajusticiado. El religioso interrumpe la sentencia y cuenta tres historias. La primera fue protagonizada por él mismo; a la segunda asistió como testigo; la tercera acaeció a un personaje que le acompañaba y él la conoció de boca de su protagonista. El *Exemplario contra los engaños y peligros del mundo,* ed. cit., f.º XVII, ofrece la solución más pobre narrativamente. El religioso, con ocasión del juicio al barbero, reconoce entre el público al ladrón de sus paños.

(35) La traducción del *Calila* realizada por J. A. Conde, ms. inédito, f.º 93, es más explícita al detallar la posición del religioso para contemplar las escenas: "todo esto pasaba y lo estaba viendo el Derwin por una abertura de la puerta".

reside en la incidencia de los cuentos sobre el religioso. Las tres escenas (cuentos 5, 6 y 7) no están subordinadas a la primera (n.º 4), pero explican su desenlace. El religioso comprende, a través de ellas, cuál fue su error. Los sucesos "presenciados" le harán sentirse culpable de la pérdida de los paños.

EL PUNTO DE VISTA DEL NARRADOR

Dentro de la novela-marco se establece un doble proceso comunicativo, con la existencia de dos narradores y dos destinatarios, número que puede aumentar en el caso de la caja-china. El esquema es el siguiente:

$$\begin{bmatrix} \text{narrador-autor} & \longrightarrow & \text{obra literaria} & \longrightarrow & \text{receptor-lector} \\ [\text{narrador-personaje} & \longrightarrow & \text{cuento} & \longrightarrow & \text{receptor-personaje}] \end{bmatrix}$$

El personaje-narrador, al igual que un autor, puede seleccionar diferentes puntos de vista para contar su relato. En ocasiones lo hace a gusto del propio receptor, como sucede en las *Mil y una noches:*

> "Chamil, ¿conoces alguna historia maravillosa?" —"Sí, Emir de los Creyentes, ¿Cual prefieres? ¿Aquella de la que he sido testigo y yo mismo he presenciado, o la que he oído y de la cual me acuerdo?"[36]

Sin embargo, Chamil no ofrece a Harūn al-Rasīd tantas posibilidades como los narradores de las colecciones estudiadas. En estos textos, el mismo relato condiciona la elección del punto de vista.

a) *La historia oída*

M. I. Gerhardt[37] relaciona algunos comienzos habituales de las *Mil y una noches* con el sistema característico de la literatura árabe de los siglos VIII al XV. En unos casos, los cuentos se inician con la frase "érase una vez" o se retoman de una voz anónima, siguiendo la corriente popular. En otros, hay una introducción historicista del tipo de: "se cuenta por la autoridad de B., quien a su vez lo escuchó de C...". El origen de este segundo modelo más erudito está en la cadena de transmisión establecida para autorizar los dichos de Mahoma, en aquellos puntos que no trata el *Corán*. Este principio se extendió a materias profanas; en todas las ramas de las letras se exigía un cierto grado de autenticidad cuya única garantía era la cadena de transmisores, despreciándose la libre invención y en consecuencia la ficción.

(36) *Las Mil y una noches,* ed. cit., III, p. 40. Un diálogo semejante se repite en el volumen II, p. 166: " ¡Muhammad! Desearía que me contases ahora algo que jamás haya oído" " ¡Emir de los Creyentes! ¿Quieres que te cuente un relato que haya recogido con mis oídos o bien algo que haya presenciado con mi vista?"

(37) M. I. Gerhardt, *The Art of Story-Telling,* pp. 377 y ss. Para la cadena de testigos véase más adelante el capítulo quinto.

En las colecciones estudiadas los narradores suelen presentar sus historias afirmando que las oyeron contar. La frase se convierte en una fórmula inicial que encabeza los cuentos del *Sendebar* ("Señor, oy dezir..."), reducida por los personajes del *Calila* a "dizen que...", y "dize el cuento que..." en el *Zifar*. El origen evangélico de algunas parábolas contadas por Barlaam hará necesario que su narrador atestigüe la procedencia con introducciones como: "Ca dize mi señor...", "Dezia me un varon muy sabio...". Tras estos preámbulos, los cuentos continúan en tiempo pasado siguiendo el camino de la narración histórica.

b) *La historia presenciada*

En algunos cuentos del *Calila* el narrador no relata unos sucesos oídos: se sirve de un personaje para presentar indirectamente los hechos. El sistema tiene varias posibilidades, determinadas por la posición del testigo en relación con los acontecimientos, aunque en el *Calila* serán reducidas. El testigo utilizará la primera persona (VI, 3; V, 2) o la tercera (III, 5-6-7; V), pero siempre se contemplará la historia desde su punto de vista. En unas ocasiones narra en primera persona un suceso, pese a no tener un papel destacado en él. Por alguna razón, que él mismo suele detallar, le corresponde presenciar algo excepcional. Esta historia cobra aún mayor valor que la "oída", pues su asistencia muda corrobora los hechos.

En el capítulo V el huésped del religioso cuenta una conversación escuchada tras unos cañaverales ("El hombre que quería dar de comer a sus amigos", V, 2):

Pose una vez con un onbre en una çibdat e çenavamos amos, e fezieronme una cama, e fuese el onbre a yazer con su muger. E avia entre nos un seto de cañas e oy dezir al ome que dixo a su muger... (p. 178).

El huésped permanece completamente al margen y su presencia sólo sirve para autorizar el relato.

En otros casos, el argumento contribuye a justificar el procedimiento elegido, como sucede en el VII,3 ("La gineta, la liebre y el gato"). Un cuervo narra en primera persona un suceso del que él no fue protagonista:

Avia una syneta por vezina en una cueva çerca del arbol do tenia myo nido... (p. 209).

La desaparición de la gineta hará reflexionar al cuervo: "non sope donde se fuera, e cuyde que era muerta". El lugar fue ocupado por una liebre y al regreso de la antigua dueña se entablará una discusión. Los litigantes decidirán recurrir al juicio de un gato religioso que habitaba en la ribera del río:

E fueronse la liebre e la syneta para alla, e yo seguylos para ver a que tornaria su fazienda (p. 210).

De este modo se justifica perfectamente la presencia del testigo en el lugar del fatal desenlace. El falso religioso devorará a los pleiteantes. En este caso, la trama hace necesario el procedimiento, pues, dada la muerte de los protagonistas, una narración directa resultaría inverosímil.

65

En otras ocasiones se emplea la tercera persona, aunque un personaje asista a los hechos y aprenda de ellos. Un claro ejemplo son los cuentos III, 5, 6 y 7 contemplados "a ojo del rreligioso", pero no contados directamente por él. Ya veíamos como influían sobre su comportamiento final.

Algo semejante sucede al comenzar el capítulo V, aunque la complejidad sea menor. Un cuervo, situado en un punto de observación privilegiado (un árbol frondoso), observa la primera parte de la escena: llegada de un cazador con su red, captura de una banda de palomas y regreso del cazador para recoger sus presas. El testigo decide desde el primer momento asumir su papel en silencio:

> E el cuervo rreçelo e ovo miedo e dixo: "Alguna cosa aduxo aqui a este paxarero a este lugar, e non se sy es por muerte de my o de otro alguno: *mas quiero estar quedo en todas guisas fasta que vea que fara"* (p. 166).

El comportamiento ejemplar de las palomas guiadas por su señora Collarada será una enseñanza para el cuervo. Cuando éstas remonten el vuelo, llevando consigo la red, tanto, el cazador como el testigo decidirán seguirlas, aunque por diferentes razones:

> Dixo el cuervo: "Seguyrlas he fasta que vea a que fyn tornara su fazienda dellas e del paxarero" (p. 167).

El cazador abandona la persecución y ellas se internan en el bosque, observadas por el cuervo. El narrador manifestará el fin instructivo que guiaba al testigo:

> E el cuervo syguialas commo ante fazia por ver a que çima tornaria su fazienda e por ver sy tornarian algun arte para salyr de aquello en que eran caydas, *e por que lo aprendiese el, por sy le aconteçiese otro tal* (p. 168).

La ayuda del ratón a las palomas hará que el cuervo codicie su amistad, y para tratar de conseguirla deberá dejar su posición de testigo para ser personaje de la acción principal. enlazándose así con el segundo núcleo narrativo del capítulo.

Cabe señalar la coincidencia en la categoría de los testigos que refuerza la verosimilitud del sistema: un religioso (III, 5, 6, 7; V, 2) y un cuervo (VI, 3; V). Los religiosos llevan en los cuentos orientales una vida itinerante, alojándose en domicilios diversos. No sería extraño que estas peregrinaciones surtieran su anecdotario. Los cuervos, animales capacitados para observar desde lo alto los sucesos, resultan sus equivalentes. Cuando el relato esté en tercera persona, los testigos (tanto el religioso como el cuervo) aprenderán por los "ojos". A diferencia de los cuentos "oídos", cuya incidencia sobre el receptor no siempre es la deseada, los relatos "vistos" ejercen gran influencia sobre el personaje testigo de los mismos.

c) *La historia vivida*

La justificación más simple de un narrador para introducirse en su relato es contar su propia vida. Conocedor de todas las circunstancias puede generalizar, sacar moralejas o emitir juicios como haría un narrador omnisciente. En ocasiones, como sucede en la novela picaresca, analiza su pasado desde una edad avanzada o tras haber modificado sustancialmente su forma de pensar. Sus experiencias explican su presente y pueden ser válidas para otros. La historia en primera persona es algo insólito en las colecciones medievales. En las *Mil y una noches* son frecuentes los "hombres-relato"[38], cuya sola aparición en escena anuncia la narración de su vida. Dentro de unos esquemas narrativos elementales, como los del *Calila*, la narración en primera persona supone una gran novedad y un esfuerzo notorio para romper los moldes tradicionales.

En tres ocasiones distintas hallamos utilizado este punto de vista: "La historia del médico Berzebuey", capítulo II, "El ratón que sacaba sus fuerzas del tesoro escondido", V,1, y "El religioso y las palomas que le dieron un tesoro", XVI,1. Todas narran la biografía de "conversos" hacia nuevas formas de vida más próximas a los demás y con tintes religiosos. La relación trata de explicar el presente, punto desde el que se narra. Berzebuey, el médico persa traductor del *Calila*, parte de su nacimiento para concluir con su viaje a la India. El relato estará interrumpido por numerosas digresiones, acentuadas por las indecisiones espirituales del personaje: el mundo y la renuncia a él son los dos polos que atraen a Berzebuey. El narrador, conocedor de su propia vida, se permite seleccionar aquellos puntos de interés para sus propósitos. Así se detiene en su aprendizaje de la medicina y su posterior evolución hacia la religión natural.

En V,1 el ratón se ve forzado por las circunstancias a dar "noticia de sí". El cuervo está sorprendido por el comportamiento de su nuevo amigo con las palomas; el galápago, extrañado al ver llegar al ratón montado sobre el cuervo, siendo enemigos "de natura". Tanto el uno como el otro desean que el ratón explique las razones de su conducta. La historia de su vida será la de su conversión y aprendizaje de unas normas éticas. Para llegar a este punto tuvo que "liberarse a sí mismo", tras ser esclavo del dinero, los falsos amigos y los hombres. La inserción de esta historia se justifica como un simple entretenimiento: "E dixo el mur... desque ally fueremos te contare algunas cosas con que ayas plazer..." (p. 175). Sin embargo, la funcionalidad del relato dentro de su marco será muy distinta. El ratón comenzará su historia "ab initio", para situarse sin transición en la edad adulta: "En la posada donde yo nasçi era en casa de un rreligioso..." (p. 176). El ratón se acostumbrará a robar sistemáticamente los restos de comida que el religioso guardaba en un cestito colgado en alto. Esta situación se ve perturbada por la llegada una noche de un huésped cuyos cuentos (V, 2 y 3) vienen a solucionar el problema del religioso. Con ellos pretende demostrar que todas las conductas, aun las más insólitas, obedecen a alguna razón. Tras sus palabras, él mismo comprobará las causas del extraño comportamiento del ratón ladrón. Con una azada cava la cueva del roedor y descubre un tesoro enterrado, unas monedas de oro:

> Asy non podiera este mur saltar a donde saltava salvo por el escalentamiento destos maravedis, que el aver es criado por acreçentar la fuerça e el seso; e tu veras que de oy adelante non podra saltar adonde solia nin avra fuerça nin mijoria mas que los otros mures (p. 180).

(38) El término procede de T. Todorov, *Gramática del Decamerón*, Madrid, Taller de Ediciones, 1973, pp. 165 y ss.

La pérdida del dinero supone la debilitación del ratón, incapaz ya de saltar hasta el cestito ("e vy manifiestamente que my estado era mudado"). Su transformación le causará la pérdida de sus amistades, otros ratones que sólo le seguían por la comida. El abandono de los falsos amigos contribuirá a desengañar al personaje a lo que se añadirán los duros golpes del huésped cuando intente, en dos ocasiones, recuperar su tesoro:

> ...cayme amorteçido e syn seso con el gran dolor que ove. E desque torne en muy acuerdo ove tamaño miedo e espanto que me hizo aborreçer el aver... (p. 184).

Al recobrar el conocimiento, el ratón renace a una nueva vida que va acompañada de un cambio espacial: "E mudeme de la casa del rreligioso al campo...". La historia del ratón concluye en el punto de partida para cerrar el ciclo. Su concepto de la amistad, la generosidad y la renuncia quedan explicados a partir de su autobiografía. En esta ocasión, el narrador ha sabido agotar las posibilidades de la primera persona.

En XVI,1 ("El religioso y las palomas que le dieron un tesoro"), un religioso explica un episodio de su vida, decisivo para "amar el otro syglo e fazer buenas obras". Un día, dispuesto a redimir almas, gastó parte de su dinero en comprar y libertar dos palomas. Las aves, en agradecimiento por su servicio, le conducen hasta el lugar donde se halla enterrado un tesoro. El religioso se extraña de su sabiduría, que no les ha servido para evitar las redes del cazador. La respuesta de las palomas recuerda al hombre el papel de la "ventura divina".

d) *La historia leída*

Sólo he hallado un caso donde el narrador recurre a un texto escrito como fuente de inspiración. Dada la vinculación del género con la tradición oral, no es extraño que así suceda. Un rey en la *Disciplina Clericalis* retoma su historia de la literatura. El origen del personaje narrador, insólito pues los reyes suelen ser siempre receptores, apoya el recurso:

> .Ait rex: Fabulam quandam in libro quodam legeram, quam hic oculis conspicio. At illi: Quae est illa? Ait rex: Mulum...[39]

Por el contrario, en los libros de sentencias, relacionados más estrechamente con la cultura escrita, son habituales las alusiones a las fuentes. En el *Libro de los buenos proverbios*, la historia de las grullas de Ibycus remite a un texto autorizado:

> Dixo Joaniçio: —Falle escripto en unos libros de los griegos que un rrey fue en Greçia que avie nonmbre Comedes...[40]

La individualización del narrador y de los personajes, sumada a la referencia

---

(39) *Disciplina Clericalis*, ed. cit., p. 16.

(40) *Libro de los buenos proverbios*, ed. cit., p. 43.

escrita, contribuye a separar las dos corrientes didácticas. La divergencia recuerda los límites entre "sentencias autorizadas" y "proverbios anónimos".

EL MARCO DIALOGADO

Jean Marcel[41] recuerda que en ciertos países del Islam se establece un diálogo previo entre el narrador y su auditorio:

—Voy a contarles un cuento.

A lo que los asistentes, infaliblemente, contestan:

— ¡Namún! (lo que quiere decir: ¡Claro que sí!)

El diálogo prosigue:

—No todo es verdad.

— ¡Namún!

—Pero no todo es mentira.

— ¡Namún!

Se trata de un comienzo ritual antes de iniciar y finalizar la fábula que nos introduce en el cuento y nos hace salir. La frontera entre el mundo contado y el real queda claramente establecida con una fórmula codificada. Estas frases formularias pueden denominarse "marco interno fijo", ya que carecen de desarrollo secuencial y su valor es simplemente funcional[42]. El recurso se reiterará en las colecciones medievales, procedente a su vez de los originales sánscritos.

Dentro del *diálogo introductorio* del *Sendebar* pueden distinguirse dos momentos: a) Presentación del narrador; b) Anuncio del cuento. La *conclusión* se divide en: a) Aplicación del cuento a la historia principal y b) Sentencia final del rey.

En el texto, los epígrafes de cada capítulo suministran habitualmente cierto tipo de informaciones. El primer cuento de cada privado está encabezado por un titular presentativo del nuevo narrador. Como los consejeros carecen de nombre, se indica su número dentro del conjunto. El epígrafe al segundo cuento de cada intervención resume el argumento del cuento. Tomando como modelo al privado segundo, sus dos apariciones se anuncian así:

> De commo vino el segundo privado ante el rrey por escusar al ynfante de muerte (primera intervención; p. 18).

> Enxenplo del señor, e del omne, e de la muger, e del marido de la muger, commo se ayuntaron todos (segunda intervención; p. 20).

(41) J. Marcel, *Jacques Ferron malgré lui,* Montreal, Editions du Jour, 1970, p. 50; apud, R. Bourneuf y R. Ouellet, *La novela,* Barcelona, Ariel, 1975, p. 90.

(42) La funcionalidad de estas fórmulas en relación con las perspectivas temporales fue estudiada por H. Weinrich en *Le temps. Le récit et le commentaire,* Paris, Seuil, 1973, pp. 46 y ss.; *Estructura y función de los tiempos en el lenguaje,* Madrid, Gredos, 1968.

Esta regularidad nos permitirá reconocer en el único cuento conservado del privado tercero su primera intervención. El epígrafe es presentativo y no argumental; a ello se añade el contenido de la frase que encabeza el relato:

E vino el terçero privado ante el rrey, e finco los ynojos antel, y dixo...
(p. 24).

La actitud sumisa de los privados ante su rey se indica siempre con la misma fórmula ("e finco los ynojos"), situada en unos casos dentro del epígrafe y en otros al iniciarse el diálogo. La kinésica respetuosa e inmutable de los consejeros, indicio de su tranquilidad, contrasta con la actitud de la narradora. En los epígrafes, dentro del marco dialogado y en su última intervención, la mujer revela por medio de gestos y acciones simuladas su creciente impaciencia. Su primer cuento irá precedido del siguiente anuncio:

Enxenplo de commo vino la muger al segundo dia ante el rrey *llorando...*
(p. 17).

La presentación sucesiva de la narradora no será nominal ni numérica sino temporal. El tercer día "lloro e dio bozes ante el rrey" y concluyó su relato amenazando con darse muerte:

Si non me dieres derecho de quien mal me fizo, yo me matare con mis manos (p. 23).

Los gestos vendrán siempre en apoyo de sus cuentos. El quinto día, al finalizar su intervención, "ovo miedo el rrey que se mataria con el tosigo que tenia en la mano, e mando matar su fijo" (p. 32). Esta correlación entre amenazas y gestos, sumados a los relatos, se rompe en el último día, cuando la mujer pretende suicidarse. Funcionalmente esta acción equivale, dentro del conjunto de la novela-marco, a cualquier cuento y, como tal, va precedido y cerrado por las fórmulas características. El epígrafe, con indicación temporal, resume "el argumento":

Enxenplo de commo vino la muger al seteno dia antel rrey, quexando, e dixo que se queria quemar; e el rrey mando matar su fijo apriesa antes quella se quemase.

El rey no está presente en el lugar de los hechos y recibe una información oral, igual que si de un cuento se tratara. La mujer no pretende suicidarse, pero le interesa que lleguen al rey los ecos ("e mando.. dizir que se queria quemar"). La respuesta del monarca no se hará esperar: "e el rey, quando esto *oyo,* antes que se quemase, mando matar al moço" (p. 43).

Tras la presentación, cada narrador se dirige en estilo directo al rey con un argumento a favor o en contra del infante. Apoya sus palabras con una comparación entre la situación actual y un episodio análogo. Inmediatamente el rey se muestra interesado por escuchar el relato mencionado:

—Si fijo non ovieses, devies rrogar a Dios que te lo diese. Pues, ¿commo puedes matar este fijo que Dios te dio, e non aviendo mas deste? Ca si

lo matas, fallarte as ende mal, commo se fallo una vez un palomo.
Dixo el rrey: — ¿Commo fue eso?[43] (p. 40)

Una vez concluido su cuento el narrador lo aplicará a la historia marco:

> —E señor, non te di este enxenplo sinon que son mates tu fijo por
> dicho de una muger, ca las mugeres ayuntadas en si an muchos enga-
> ños (p. 21).

En la fórmula final, el cuento suele ser designado como tal (bajo los términos de
enxenplo o estoria), contribuyendo así a distanciar más el mundo narrado del
"real" (en este caso, también "contado", pues, al salir del relato, regresamos a
la historia principal). El veredicto final, favorable o no al infante, cierra la intervención de cada personaje antes de que éste se retire; cuando cuenta dos historias
(narrador-privado), el rey sólo se pronuncia al finalizar la segunda. La ausencia
de esta sentencia tras el cuento del privado tercero nos confirma que se trata del
primero de su serie.

Cada capítulo narrativo del *Calila* (es decir, a partir del tercero, tras prescindir de los prólogos) está enmarcado por el diálogo sostenido entre el rey
Abendubet y su filósofo. Así, por ejemplo, "La historia de Calila y Dimna"
(capítulo tercero) se inicia con las siguientes palabras:

> Dixo el rrey Abendubet a su filosofo: —Dame enxenplo de los dos que
> se aman, e los departe el mentyroso, falso, mesturero, que deve ser
> aborreçido en los çielos, e en la tierra, e en los ynfyernos, e en los ayres,
> e los trae a tal estado a perder sus cuerpos e sus animas. —Dixo el philo-
> sopho: —Señor, quando acaeçe a los dos omes que se aman, que el falso
> e mesturero anda entre ellos, van atras, e departese e corronpese el
> amistança que es entre ellos; e esto semeja lo que acaeçio al leon e al
> buey. —Dixo el rrey: — ¿Commo fue eso?. Dixo el filosofo: —(...).

Tras la narración de la historia, el capítulo se cierra con una intervención del rey:

> E dixo el rrey al filosofo: —Oy lo que dixo Dina, e por ser una tan pe-
> queña cosa e mas vil que todas las bestyas salvajes, al leon e al buey, e
> oy en commo enrrido a cada uno dellos el uno con el otro fasta que
> desato su amor e su conpañia. E ay en esto tantas de maravillas e fa-
> zañas que es gran avisamiento para se onbre guardar de los omes tray-
> dores e falsos e de los mezcladores, e entendido sus falsedades e sus en-
> gaños que fazen. E los omes entendidos non se deven asegurar en los
> semejantes onbres, e non deve ome fazer nada por sus dichos, que ellos
> digan syn aver dello çertedunbre e desechar aquellos que sentyere por
> tales (p. 128).

El marco dialogado del *Calila* sigue también un orden establecido, aunque sin la
rigidez del *Sendebar*. El rey suele abrir el cuento aludiendo al ejemplo anterior
("Ya oy este enxenplo") para manifestar a continuación sus deseos de escuchar

---

(43) Como señala J. Vernet, art. cit., p. 13, la fórmula sánscrita *katham etet* dio origen a la expresión árabe *kayfa dalika*, equivalente a: ¿cómo es esto?

algo acerca de un tema. Sus planteamientos son siempre globales y nunca personaliza en situaciones concretas. El filósofo responde primero de forma genérica para después particularizar aludiendo a un caso concreto. Sólo cuando la temática incide en los deberes regios, el filósofo se extiende en su respuesta (como sucede en los capítulos IX, XI, XIV, XV...). La conclusión final no sigue un modelo único. En unas ocasiones, el filósofo vuelve a generalizar acerca de su historia, haciendo extensiva la moralidad a todos los lectores; en otras, es el mismo rey quien extrae las consecuencias, y tampoco son raros los capítulos sin marco conclusivo. En cuanto a los epígrafes, unos se limitan a enunciar el título de la historia (IX: Del gato e del mur) y otros aluden a su temática (VIII: Del rreligioso e del gato. E es el capitulo del ome que faze las cosas rabiosamente e a que torna su fazienda).

Dentro de la obra escasean los datos acerca de los personajes dialogantes. Sólo en una ocasión (capítulo tercero) el monarca es llamado con un nombre: Abendubet[44]. En las restantes serán sólo "un rey" y "un filósofo". Tampoco sus palabras aportan nuevas informaciones que nos permitan situar a estos personajes en un contexto. Lo poco que sabemos de ellos procede del final del capítulo I (La misión de Berzebuey):

> Desi puso en este libro lo que traslado de los libros de Yndia, e unas quistiones que fizo un rrey de los rreyes de Yndia, que avia nonbre Diçelen, a un su aguazil a que dezian Bundobet, e era filosofo a que el mas amava, e de quien mas fiava, e a quien mas bien fizo, e el que mas sabia. E mandole que rrespondiese a ellas capitulo por capitulo, rrepuesta verdadera e apuesta, e que le dixese enxenplos e semejanças, por tal que el viese la çertydunbre de su rrepuesta; e que lo ayuntase a un libro entero, por tal que lo el tomase por castigo para sy mismo, e que lo lançaria en sus armarios, e que lo dexaria por heredat a los rreyes que despues del veniesen (p. 14).

Esta mínima presentación deja sin aclarar la parcela personal del rey y su filósofo; desconocemos las razones que condujeron al primero a indagar sobre estos temas. Sin embargo, Abendubet y su consejero, "personajes sin historia" en el Calila castellano, carecen de ella por la supresión de algún preliminar, conservado en versiones anteriores.

En el Panchatantra la división en cinco libros y su temática se justifican desde la introducción, ya que obedecen a los deseos de Vixnuzarman de educar a los tres príncipes estúpidos. El sabio decide escribir un tratado pedagógico; su vinculación a la tradición escrita hace innecesaria la aparición de un marco dialogado. Por el contrario, en el prólogo al Hitopadeza, el mismo sabio anunciaba su propósito de "contar hermosos cuentos" para instruir a los príncipes. Cada libro se inicia con una formularia conversación entre Vixnuzarman y sus discípulos. Algunos manuscritos árabes van precedidos de un texto (atribuido a Al-Fārisī) que localiza al filósofo Baidaba y al rey Dabxelim en tiempos de Alejandro. Posiblemente hay que suponer la pérdida de algún prólogo semejante que situara al rey y al filósofo del Calila dentro de un contexto que sirviera para

---

(44) Posiblemente este nombre sea una confusión con Berzebuey, Bondobet, Burdoben..., como se designa al filósofo en el capítulo I.

motivar su aparición, explicar su historia y sus razones para preguntar y narrar respectivamente.

La despersonalización de los dialogantes es perceptible en sus intervenciones. No hay ninguna referencia espacio-temporal, ningún dato "ajeno" al propio diálogo. El rey no plantea problemas personales sino preguntas teóricas, relativas en su mayor parte a la convivencia humana. Son cuestiones que desea saber para culminar su formación, no para aplicarlas directamente. Su proceso de aprendizaje se va señalando con la reiterada expresión: "Ya he entendido lo que me dexiste". Su culminación llegará con las palabras del filósofo al concluir la obra:

E dixo el filosofo: —Señor, ayas poder sobre los mares (...); ca en ty es acabado el saber, e el seso, e el sufrimiento, e la mesura, e el tu perfecto entendimiento (...) E yo te he departido e glosado e esplanado las cosas, e te he dado rrespuesta de quanto me preguntaste. E por ty loe mi consejo e mi saber en conplir lo que devia, e el derecho que devo con buena memoria de ty, trabajando mio entendimiento en el consejo e en el castigo leal e en el sermon que te dixe (p. 371).

La enseñanza del filósofo se articula en diversos momentos. En una primera instancia, tras el planteamiento del rey responde teóricamente a la cuestión, extendiéndose a veces con amplitud. En segundo lugar, apoya sus argumentos con una escenificación práctica; sin embargo, la parte narrativa no está desvinculada de la didáctica pues, dentro de la misma historia, los personajes extraen sus propias conclusiones, sirviéndose frecuentemente del diálogo. Estas conversaciones didácticas entre los protagonistas de los relatos hacen, en ocasiones, innecesaria la reaparición del marco final, ya que la funcionalidad del marco conclusivo queda asumida por ellos; cuando intervienen el rey o el filósofo no suelen aportar novedad sustancial a lo ya dicho, pues sus palabras repiten el marco inicial.

LA INSERCION DIRECTA

El procedimiento preferido por los autores medievales para introducir sus *exempla* consiste en atribuir el acto de contar a un narrador ficticio con mayor o menor personalidad literaria (según sea a su vez personaje de la novela-marco o simplemente de un marco dialogado). El cuento aparece así en estilo directo dirigido a un destinatario expreso cuya reacción puede quedar reflejada en el texto.

Empleo el término "inserción directa" cuando el narrador-autor no se esconde tras ningún intermediario, aunque se sirva de pequeños subterfugios para justificar y motivar su relato. Una tenue estructura dialogada, imágenes, proverbios o simples analogías temáticas pueden dar paso a la narración. En ocasiones, el propio autor finge *dialogar* con un lector implícito, ante el cual adopta un tono didáctico con empleo de ejemplos y proverbios. La ausencia del destinatario impide apreciar sus reacciones. El procedimiento es característico de la literatura "de espejos"; así se justifican los ejemplos en los *Castigos e documentos* o en la *Poridat de poridades*, pues Aristóteles debe instruir a Alejandro[45]. El diálogo está en la base del didactismo, por lo que no es extraña su presencia dentro de los mismos cuentos, lográndose así una situación recíproca.. En el ejemplo I del *Conde Lucanor* un cautivo aconseja a un privado[46], en la conocida historia del Medio Amigo un padre conversa con su hijo... En la historia del médico Berzebuey, narrador, protagonista y destinatario parecen coincidir en una sola persona. Berzebuey introduce en su autobiografía cinco cuentos que le van "autoconvenciendo". Para dar mayor verosimilitud a sus conflictos internos se desdobla en dos personajes y dialoga con su alma.

Proverbios y *ejemplos* mantienen una relación muy estrecha, acentuada por la identificación de los términos en muchas lenguas, entre otras el castellano medieval[47]. Una forma está potencialmente incluida en la otra, lo que hace normal que un proverbio dé paso a un ejemplo o viceversa. Hay muchos proverbios de origen literario (o al menos vinculados a la literatura), aunque siempre resulte aventurado delimitar prioridades. La misma división de la didáctica oriental en dos corrientes (colecciones de sentencias y de cuentos) no implica una separación tajante, sino puramente cuantitativa. En ocasiones la relación entre un proverbio y su apoyo narrativo es evidente. El ejemplo LV del *Libro de los gatos* cuenta la indecisión de unos ratones por ver "quien le pone el cascabel al gato"; dentro de los *Castigos e documentos* se recoge una frase proverbial desarrollada en el capítulo XVII del *Calila* ("Alcaravan fadiduro que atodos da consejo e a si non ninguno")[48].

La estrecha relación entre ambos géneros hace que un proverbio pueda ser un buen motivo para insertar un cuento de análoga temática. Dimna recurrirá a este procedimiento para ganar la confianza del león:

> ca la franqueza es ocasyon de la bondat, e la poca verguença es ocasyon de la pelea, e la mentyra es ocasyon de poca fiança, e la gran boz es ocasyon de flaco coraçon. E esto departese en un proverbio que dize

(45) En la *Poridat de las poridades*, ed. cit., p. 41, se inserta el cuentecillo de "La doncella envenenada", utilizando el diálogo implícito: "Et venga vos emiente del presente que vos envio el rey de Yndia..". Igual sucede en los *Castigos e documentos para bien vivir ordenados por el rey don Sancho IV*, ed. de A. Rey, Bloomington, Indiana University Press, 1952, p. 58: "Para mientes en la estoria de quando ganaron los christianos la çibdat de Antiochia...".

(46) El paralelismo entre los personajes del cuento I (el "privado" y el "sabio cativo") y los del marco narrativo fue señalado por A. Várvaro, en "La cornice del Conde Lucanor", *Studi di letteratura spagnola*, Roma, 1964, p. 187.

(47) Para A. Taylor, *the relation of the fable and the proverb is particularly close, and not all nations have regarded them as distinct forms: the Greek* αιγοσ *means both fable and proverb. So also the Aramaic-Syriac* mathla *and the related Hebrew* maschal, *as wel as the Old English* glied; apud H. Sturm en su introducción al *Libro de los buenos proverbios*, ed. cit., p. 23. La misma relación existía en castellano medieval como han señalado E.S. O'Kane, "On the Names of the Refrán", *HR*, XVIII (1950), 1-14 y Y. Malkiel, "Old Spanish *Fazaña, Pa (s) traña* and *Past (r) ija*", *HR*, XVIII (1950), 135-157; 244-259.

(48) *Castigos e documentos*, ed. cit., p. 106; E.S. O'Kane, *Refranes y frases proverbiales de la Edad Media*, Madrid, Anejos de la RAE, 1959, recoge el mismo proverbio; también F. Rodríguez Marín, en sus *Más de 21.000 refranes castellanos*, Madrid, Tip. de la RABM, 1926, p. 19.

asy: "Non se deve ome temer de todas bozes, ca esto semejaria al enxenplo de la gulpeja e del atanbor". E dixo el leon: — ¿Commo fue eso?
(p. 58)

Asimismo una sentencia pudo servir de conclusión a un cuento, resumiendo y
universalizando su contenido, como hará Don Juan Manuel con sus "viessos".

Hay ocasiones en que el único apoyo a los cuentos es el propio *desarrollo
argumental*. Así se introduce en el *Zifar* la anécdota del "carnero y el lobo"[49] o
el primer cuento dentro de la historia de Calila y Dimna (III,1. "El hombre que
murió arrimado a una pared")[50]. La carencia de una conexión formal se suple
por la correspondencia temática. La desgracia del protagonista de este cuento
(III,1) es un anuncio del narrador, el único capacitado para adelantar la tragedia
del buey. Este funesto presagio queda enmarcado por alusiones al restablecimiento de Sençeba:

> Desy salio Sençeba de aquel lugar, e non quedo de andar fasta que llego
> a un prado muy viçioso... (cuento) Desy a poco de tienpo engordo
> Sençeba, e torno loçano e blanco (p. 44-45).

El contraste resulta un recurso eficaz para acumular historias. En la *Poridat de
las poridades*[51], tras la historia del hijo de un tejedor que llegó a alguacil real
cumpliéndose así su horóscopo, se inserta la del príncipe que termina de herrero
como había sido anunciado. En el *Zifar*, la aparición de una "cobijera" genera
la inserción del diálogo entre un padre y una hija, modelo ésta de conducta
recatada[52]. El mismo sistema de analogías y oposiciones temáticas será utilizado
por Pedro Alfonso para enlazar débilmente sus ejemplos.

Ibn al-Muqaffa' en su introducción al *Calila* insertará cinco cuentos apoyándose
en diferentes recursos. Todo prólogo es un medio de comunicación directa entre
su autor y el lector, lo que favorece la adopción de posturas dialogantes. En ocasiones, el prologuista se reviste de un tono didáctico y se sirve de cuentos o anécdotas para apoyar sus postulados, como es frecuente en el Siglo de Oro[53]. Al-
Muqaffa' tiene que enseñar al lector "cómo debe leerse el libro" y para ello explicará con detalle las posturas erróneas. Así, pues, los cinco cuentos se verán
directamente motivados por el mismo argumento, aunque también puede descubrirse cierta correspondencia entre las imágenes utilizadas y el desarrollo de los
cuentos.

Tras comparar el saber con los "tesoros del aver", inserta el cuento de "El
hombre engañado por los cargadores", donde su protagonista encuentra un tesoro que pierde por "non ser enviso". A continuación relaciona el libro con las

(49) *El Libro del Cauallero Zifar*, ed. cit., p. 203.

(50) En la versión del *Calila* que traduce Ahmed Abboud, ed. cit., p. 84, el cuento es
narrado por un hombre encargado de cuidar al buey.

(51) *Poridat de las poridades*, ed. cit., pp. 45-46.

(52) *El Libro del Cauallero Zifar*, ed. cit., p. 235.

(53) Véanse los siguientes estudios de A. Porqueras Mayo: *El prólogo como género
literario. Su estudio en el siglo de Oro español*, Madrid, CSIC, 1957; "Notas sobre la evolución del prólogo en la literatura castellana", *RLit*, XI (1957), 186-194.

nueces, cuyo fruto no puede extraerse sin romper la cáscara. En el cuento segundo un ignorante aprende una gramática y presume de sabio ante las burlas de los entendidos. La sabiduría es igual al "olio que alunbra la tyniebla, ca es la escurydat de la noche" y en la tercera historia ("El hombre que dormía mientras le robaban"), el sueño del rico es equiparado a la oscuridad de la ignorancia. Los dos últimos cuentos no parecen generados directamente por ninguna imagen, aunque van precedidos por una frase sentencial que resume y anuncia su temática. Después de advertir que "nadie deve travajar provecho para sy por dañar a otro", se inserta la historia de "El hombre que quería robar a su compañero". Igualmente el último cuento ("El pobre que se aprovechó del ladrón") es desarrollo de un consejo anterior: "El entendido non deve desesperar nin desfyuzarse, ca por aventura sera acorrido quando non pensare". Por último, los cuentos de este prólogo se apoyan entre sí por las semejanzas temáticas y la progresión de su contenido, relacionado directamente con el saber. Cuatro de ellos son "cuentos de ladrones". La riqueza (equivalente a la sabiduría) se pierde o se gana, según el comportamiento de las personas. Así, el último cuento y el tercero resultarán contrapuestos: el rico es robado por su pasividad, el pobre adquiere un gran tesoro gracias a su actividad.

IV

ESTRUCTURAS Y TECNICAS NARRATIVAS (II). LA CONSTRUCCION DE LAS NARRACIONES

LOS RELATOS INSERTADOS

Tanto el *Calila* como el *Sendebar* (podría añadirse la *Disciplina Clericalis*, pero no el *Barlaam*) coinciden en el tratamiento de una misma temática, el *engaño*, con análogos recursos técnicos: simetrías y contrastes. Las diferencias obedecen al punto de vista adoptado por sus narradores y deben valorarse en función de la historia principal. En el marco del *Sendebar* los personajes, aunque con distinta óptica, están interesados en demostrar el error del rey, engañado según unos por la mala mujer y según ésta por su hijo y los privados. De ahí que en la mayoría de los cuentos insertados un personaje actúe erróneamente inducido por otro (una mujer, un personaje diabólico, un consejero...). Si no llega a cometer una acción irreparable, saldrá del aprieto con la colaboración de auxiliares. En caso contrario, el relato tendrá un final desdichado como anuncio del que espera al rey si comete una injusticia (condenar o salvar a su hijo, según las opiniones). La abundancia de relatos misóginos refleja la situación del marco, donde tanto el hijo como el padre han caído en la trampa de la madrastra. Los privados y en una ocasión el infante (cuento 23) insisten en este paralelismo. En el marco principal, el príncipe desempeña el papel de amante pues, aunque no ha accedido a los deseos de la mujer, ésta debe engañar al marido (el rey) para evitar el castigo. Los cuentos insertados en el *Calila* son más pesimistas y menos irónicos, ya que escasean los relatos con un final feliz. Sus narradores pretenden aleccionar sobre todo al posible lector, mostrándole desde todos los ángulos las desgracias ocasionadas por la falta de prudencia, sabiduría, etc. Los protagonistas suelen llegar a una situación desdichada por su culpa, sin presencia de engañadores. Cuando éstos actúan, se subraya el error de la víctima, culpable siempre por no ser "enviso". Por último, hay un grupo menos numeroso de cuentos donde no suele haber ningún culpable directo de las desgracias que suceden a los personajes. Unicamente el destino o el azar son los responsables.

Curiosamente esta división en dos grandes bloques temáticos (engaño o azar) llega en ocasiones a condicionar la propia construcción de los relatos. Aquellos que se centran en el *engaño* engarzan sus distintos episodios mediante una trabazón lógica que implica unas relaciones causales. El modelo más sencillo se forma por la contraposición de dos partes: una de resultado positivo y otra negativo o viceversa. Por el contrario, en los cuentos dedicados al azar, el mismo

77

carácter ilógico de la temática implica una estructura encadenada de acciones, análoga a la de los cuentos acumulativos. El procedimiento, característico también de algunas canciones infantiles, conlleva ciertos aspectos lúdicos[1]. A partir de un episodio inicial, se suceden una serie de frases casi idénticas, como si el narrador estuviese desenredando una madeja. Es frecuente concluir con una frase final que reúna toda la cadena en sentido inverso.

A continuación trataré de confirmar estas hipótesis mediante el análisis de algunos cuentos del *Sendebar*. Las conclusiones pueden ser igualmente aplicables al *Calila* porque sus cuentos son todavía más esquemáticos y sencillos.

El cuento 1 ("La huella del león"), de gran tradición folklórica y literaria, está claramente dividido en dos partes de construcción paralela. En algunas versiones (*Lucanor*, 50; *Decamerón*, I, V), sólo aparece la primera, lo que permite sospechar, en el caso del *Sendebar*, una posible continuación del núcleo originario con repetición de esquemas análogos[2]. De este modo la narración adopta una forma díptica.

La primera macro-secuencia narra el fracaso de un rey al intentar seducir a una mujer casta. Ella va a engañar al hombre, como es habitual en la colección, pero en este caso la víctima no será el marido sino el supuesto amante. Para lograrlo se sirve de un libro del esposo, donde "avia leyes e juyzios de los rreyes de commo escarmentavan a las mugeres que fazian adulterio" (p. 13). El resultado de la astucia femenina es positivo, pues "el rrey abrio el libro e fallo en el primer capitulo commo devia el adulterio ser defendido, e *ovo gran verguença*" (p. 13).

El ejemplo 50 de *El Conde Lucanor* reelabora un motivo análogo, aunque pueda ser arriesgado establecer una dependencia con el relato oriental[3]. Una mujer casta intenta también, aunque por otros medios, que el rey Saladino se avergüence de su conducta. Antes de ceder a sus peticiones, le impone una *tarea difícil:*

> La buena dueña le vesó la mano et el pie et díxole que lo que dél quería era quel dixiesse quál era la mejor cosa que omne podía aver

(1) Véase S. Thompson, *El cuento folklórico*, pp. 306 y ss.; aunque los cuentos acumulativos sean característicos de la tradición oral, pueden aparecer en colecciones literarias. Así el ejemplo XXVII de la *Disciplina Clericalis* responde a este esquema.

(2) Para la historia de este cuento pueden consultarse, entre otros, los siguientes estudios: R. Ayerbe-Chaux, *El Conde Lucanor. Materia tradicional y originalidad creadora*, Madrid, José Porrúa, 1975, pp. 130 y ss.; A. Castro, "Presencia del sultán Saladino en las literaturas románicas", incluido en sus *Semblanzas y estudios españoles*, Princeton, 1966, pp. 17-43; A. González Palencia, "La huella del león", *RFE*, XIII (1962), 39-59; *Historias y leyendas*, Madrid, Impr. J. Sánchez de Ocaña, 1942, pp. 109-144; J. Prato, "L'Orma del leone. Racconto orientale considerato nella Tradizione", *Ro*, XII (1883), 535-536 y XIV (1885), 132-135; R. Moglia, "Algo más sobre la huella del león", *RFE*, XIII (1926), 377-378; M. Hernández Esteban, "Seducción por obtener/adulterio por evitar en *Sendebar*, 1, *Lucanor* L y *Decamerón* I,5", *Proh*, VI, I (1975), 45-66.

(3) D. Devoto, ob. cit., p. 462, niega la relación entre este cuento y la versión manuelina. "Creo, por el contrario, que el elemento esencial de 'la huella del león' es, precisamente, la huella del león, es decir, el hecho de que el marido advierta que su señor corteja a su mujer y este elemento falta en nuestro ejemplo, donde la mujer se desempeña por sus propios medios".

78

en sí, et que era madre et cabeça de todas las vondades[4].

Tras recorrer numerosas tierras, hallará la respuesta en las palabras de un "cavallero anciano":

> la mejor cosa que omne puede aver en sí, et que es madre et cabeça de todas las vondades, dígovos que ésta es la vergüença[5].

La solución satisfactoria de la prueba no conduce a la recompensa, pues Saladino comprende entonces lo inadecuado de su comportamiento. Un rey, encargado de castigar el adulterio, no debe ser agente del mismo, como advierten los *Castigos e documentos:*

> E si el rey ouiere verguença en si non errara con la muger de su vasallo, e verguença aura de su marido que biue con el, e de si mesmo[6].

En el *Libro de los engaños* prosigue la narración con otra secuencia enlazada por un motivo-llave: un objeto olvidado por el seductor. El proceso resulta inverso al anterior. En aquél, el rey modificaba su conducta por *un libro del marido ausente.* Ahora, el esposo sospecha igualmente de su mujer al hallar *los arcolcoles del rey.* El marido, engañado a sí mismo, se comporta con prudencia y no comete ninguna acción irreparable:

> Sospecho que y durmiera el rrey con su muger, e ovo miedo o non oso dezir nada por miedo del rrey e non oso entrar do ella estava (p. 13).

Tal conducta, sumada a la de su mujer, justifica la presencia de un epílogo, donde se solucione el conflicto. La información veraz, que contrarresta la anterior, se obtiene por dos medios: los parientes de la mujer interrogan al rey de forma alegórica y el marido pide explicaciones a su esposa.

La localización de este cuento al comienzo de la colección no parece totalmente arbitraria, ya que entre el núcleo del relato y la narración marco pueden descubrirse una serie de relaciones, que hacen de él un resumen de los restantes. El planteamiento recuerda al ejemplo I de *El Conde Lucanor.* El rey de "La huella del león" había olvidado cuál debía ser su comportamiento en relación a su estado; Alcos, si condena a su hijo guiado por la saña, actuará inadecuadamente. Ambos personajes deben rectificar para salvar a un inocente acusado sin culpa (tanto la mujer del cuento como el infante han rechazado la seducción). El fracasado seductor rectifica dos veces: en la primera ocasión abandona sus propósitos al leer el primer capítulo de un libro; luego actúa con justicia al escuchar una narración alegórica. Tanto el libro como el "cuentecillo del león" funcionan como espejos[7] donde el rey contempla su imagen. El privado pretende

(4) Don Juan Manuel, *El Conde Lucanor,* ed. J.M. Blecua, Madrid, Castalia, 1969, p. 247.

(5) Ed. cit., p. 250.

(6) Ed. cit., p. 60.

(7) Este sistema de espejos aún se amplía en algunos manuscritos hebreos, ya que el rey lee en el libro del marido ausente la "Historia de David y Betsabé", que guarda un notable paralelismo con todo el cuento. También David había enviado al marido a una guerra para poder seducir a la esposa fiel. Véase la edición hebrea, *Tales of Sendebar,* p. 95.

que su historia sea asimismo un modelo para Alcos en el que halle reflejada su situación. Por último, don Fadrique la manda traducir para adoctrinar a los engañados.

El cuento 6 ("El príncipe y la diablesa"), al igual que el 8, se aleja del tono realista característico de las colecciones medievales para adentrarse en el mundo de lo maravilloso. Su protagonista vive una aventura extraordinaria pero se libra del engaño por auxilio divino. La peripecia del infante se inicia cuando sale de caza en compañía de su privado y éste le induce a perseguir a un venado:

> E dixole el privado al niño: —Ve en pos de aquel venado fasta que lo alcances e lo mates, e levarlo as a tu padre. E el niño fue en pos del venado atanto que se perdio de su conpaña (p. 22).

El infante, al perderse, traspasa el límite del mundo conocido[8]. Una vez solo y abandonado esperamos la aparición de un personaje sobrenatural, bueno o malo:

> e yendo asi, fallo una senda, a ençima de la senda fallo una moça que llorava. E el niño dixo: —¿Quien eres tu? E la moça dixo: —Yo so fija de un rrey de fulana tierra, e venia cavallera en un marfil con mis parientes; e tomome sueño, e cay del, e mis parientes non me vieron; e yo desperte e non sope por do yr, e madrugando en pos dellos hasta que perdi los pies (p. 22).

El príncipe, engañado con estas palabras, se siente identificado con su compañera de desgracia, hasta que él mismo descubre su identidad al llegar a una aldea abandonada:

> e quando vio el niño que tardava, desçendio de su cavallo, e subio en una pared, e paro mientes e vio que era diabla que estava con sus parientes (p. 23).

La novedad del texto castellano reside en la personalidad femenina del diablo, algo bastante insólito en la literatura coetánea. El demonio puede adoptar falsas formas para engañar a los humanos, entre ellas la femenina. Posiblemente el narrador identificaría su apariencia de doncella con su auténtica naturaleza, y de ahí el llamarla diabla[9].

La huida del infante fracasa ante la actitud de la diablesa, que se sube al caballo para no dejarlo escapar:

(8) El motivo del personaje perdido al intentar alcanzar un animal es de claras resonancias folklóricas y se repite en la literatura medieval. El héroe, abandonado a su destino, se encuentra con santos, apariciones femeninas, serpientes, etc., ya que ha traspasado los límites del mundo conocido. H.R. Patch, *El otro mundo en la literatura medieval*, México, FCE, 1956, p. 252, menciona estos dos cuentos (números 6 y 8) como ejemplos de viajes al otro mundo. El mismo tema es analizado también por D. Devoto en "El mal cazador", *Homenaje a Dámaso Alonso*, Madrid, Gredos, 1960, vol. I, pp. 481-491.

(9) R. Marsan, ob. cit., relaciona la aparición de la diablesa con un *efrit*, genio intermedio del Islam que solía tomar apariencia femenina. Sin embargo, considera el caso único, olvidando la presencia de otra "diabla" en el cuento 17 del Sendebar. Según T. Todorov, *Introduction à la littérature fantastique*, Paris, Seuil, 1970, p. 135, *le diable, c'est la femme en tant qu'objet du désir*. Con esta función aparece en el *Libro de los exenplos por a.b.c.*, ed. J.E. Keller, Madrid, CSIC, 1961, p. 105, ejemplo 115 (44).

E quando el moço esto oyo, ovo gran miedo; e desçendio de la pared e salto en su cavallo; e la moça vinose a el a cavalgola en pos del, e començo a tremer con el miedo della (p. 23).

A partir de ese momento se inicia la progresiva solución del conflicto. El príncipe justifica su temblor por su preocupación ante la suerte del privado y, curiosamente, el mismo agresor cumple involuntariamente la misión de auxiliar al brindar al infante la siguiente sugerencia: "E el diablo le dixo: —Ruega a Dios que te ayude contra el, e seras librado" (p. 23). Asimismo, el privado, origen de la desgracia, se convierte en causa indirecta de su salvación. La intervención de la divinidad anula por completo la presencia del diablo: "E cayo el diablo detras e començo a enbarduñar en tierra, e queriese levantar e non podie" (p. 23). El relato finaliza con el regreso al hogar, tras la accidentada cacería, y el restablecimiento del equilibrio inicial:

e estonçes començo el moço a correr quanto podie fasta que llego al padre, muerto de sed, e era mucho espantado de lo que viera (p. 23).

La sed y el espanto se justifican por el carácter de su aventura. Todo viaje al "otro mundo" conlleva la falta de agua. El sufrimiento de los muertos hasta alcanzar la liberación definitiva se concreta en la ausencia del símbolo de vida[10].

El cuento 22 ("El mercader de sándalo") constituye una combinación de trampas y tareas imposibles, felizmente resueltas por el protagonista, gracias a la intervención de un personaje auxiliar. Un mercader es víctima de tres engaños sucesivos. Primero, cuando se presente con un cargamento de sándalo en una ciudad dispuesto a sacar buen provecho de la mercancía, un desconocido le dará una falsa información: "E dixo el omne — ¡Ay buen omne! Esta tierra non quemamos sinon sandalo" (p. 59). Inducido a error, el vendedor acuerda rebajar el precio del producto. Tras este encuentro, hace su aparición una vieja, personaje auxiliar que contrarresta la anterior información:

e poso en casa de una muger vieja, e preguntole commo valia el sandalo en esta çibdat. Dixo ella: —Vale a peso de oro (...) Ya, omne bueno, los de esta villa son engañadores e malos baratadores, e nunca viene omne estraño que ellos non lo escarnesçan; e guardatvos dellos (p. 59).

Sin embargo, el protagonista desatiende este último consejo y es de nuevo víctima de dos engaños consecutivos. Al perder una partida de dados se ve obligado a cumplir una tarea imposible:

—Pues, mandote que bevas toda el agua de la mar e no dexes cosa ninguna nin destello (p. 59).

Un tuerto, que inesperadamente sale a su encuentro, le hace una sorprendente acusación: "—Tu me furtaste mi ojo. Anda aca conmigo ante el alcalle" (p. 60).

Concluidos los tres engaños reaparece la vieja en su ayuda, revelándole la clave para la salvación:

(10) M. Eliade, *Tratado de historia de las religiones*, vol. I, p. 233.

Sepas que ellos an por maestro un viejo çiego, e es muy sabidor; e ayuntanse con el todos cada noche, e dize cada uno quanto a fecho de dia. Mas si tu pudieses entrar con ellos a bueltas e asentarte con ellos, e diran lo que fizieron a ti cada uno dellos, e oyras lo que les dize el viejo por lo que a ti fizieron, ca non puede seer que ellos non lo digan todo al viejo (p. 60).

Siguiendo sus consejos, el protagonista asiste de forma encubierta a la sesión y escucha los reproches del viejo dirigidos a los tramposos[11]. Al igual que en el cuento 6, un personaje negativo contribuye involuntariamente a la salvación del engañado. El viejo ciego propone nuevas tareas imposibles que el mercader aprovecha para anular las anteriores. Al comprador del sándalo le acusa de irresponsable:

E dixo el viejo: —Mal feziste a guisa de omne torpe. ¿Que te semeja si el te demanda pulgas, las medias fenbras e los medios machos, e las unas çiegas e las otras coxas, e las otras verdes e las otras cardenas, e las otras bermejas e blancas, e que non aya mas de una sana? (p. 60)

Idénticas palabras dirige al jugador de dados:

E dixo el viejo: —Tan mal as fecho commo el otro. ¿Qué te semeja si el otro dize: "Yo te fiz pleyto de bever toda el agua de la mar, mas vieda tu que non entre en ella rrio nin fuente que non cayga en la mar. Estonçes la bevere?"[12] (p. 61)

Y al tuerto:

E dixo al viejo: —Non fuste maestro nin sopiste que te feziste. ¿Que te semeja si te dixiera: "Saca el tuyo que te finco, e sacare yo el mio, e veremos si se semejan, e pesemoslos, e si fueren eguales, es tuyo, e si non, non?" (p. 61)

El mercader toma nota de estas tareas y cuando reencuentra a sus deudores les

(11) Según Thompson, *El cuento folklórico*, p. 120, el que un hombre escuche una reunión de espíritus y aprenda de ellos secretos muy valiosos puede considerarse un motivo folklórico. En el *Libro de los exenplos por a.b.c.*, p. 89, ejemplo 92 (21), un judío escucha cómo Satanás adoctrina a sus diablos. Cada uno de los espíritus hace el balance de su jornada y el jefe le reprocha su ineficacia.

(12) Las palabras del viejo recuerdan una anécdota incluida en *La vida del Ysopete con sus fábulas hystoriadas,* ed. facsímil de la RAE, 1929, f.º XIIII: "Uno de los escolares, entendiendo que Xantus fuese cargado de vino, dixo le: —Dime, maestro, ¿un hombre solo podría beber la mar toda? Respondió el filósofo: —Y, ¿por que nó? Ca yo mismo bebería toda la mar. Dixo el discípulo: —Y si no la bebes toda, ¿qué pagarás? respondió Xantus: —Mi casa daré, si no la bebo. Los quales apostaron sobre esto, poniendo los anillos por señal, e fueronse cada uno para su casa (...). (Al día siguiente Esopo da la solución a Xantus.) Cuando tu contrario dirá y te requerirá que le entregues lo que prometiste, mandarás que te pongan el estrado y mesa en la ribera del mar, y que sean puestos ende servidores, escanciadores y coperos, con todos aparejos para ellos pertenescientes (...) y dirás: —Varones de fama. Ya oystes yo aver prometido de bever toda la mar; más como sabeys muchos ríos y arroyos corren a la mar. Y mi contrario en este caso guarde se que los ríos no corran ni se entren en la mar y yo faré lo que he prometido". En los *Bocados de oro*, p. 146, se atribuye una anécdota similar a Loginem.

plantea idénticas respuestas. De este modo el relato guarda una perfecta simetría entre sus partes: I.–El mercader sufre tres engaños. II.–Ayuda voluntaria de la vieja. II.–Ayuda involuntaria del viejo. I.–El mercader engaña a los tres tramposos.

En los tres cuentos analizados, así como en el número 8 ("El príncipe y la fuente"), 20 ("El niño de cuatro años") y 21 ("El niño de cinco años"), el equilibrio inicial, perturbado por el engaño, queda totalmente restablecido. Para que esto suceda deben reunirse dos condiciones básicas: la inocencia del personaje engañado y la presencia de auxiliares. Todos responden a este esquema, aunque entre ellos cabría hacer distinciones. En el cuento 1 el marido está equivocado al sospechar de su mujer, pero el error se aclara con la colaboración de los parientes y el acertado empleo de la alegoría. Los cuentos 6 y 8 presentan a un infante engañado por una intervención sobrenatural que sólo se anula con otra similar. En los últimos cuentos, 20, 21 y 22, las víctimas inocentes cuentan con la ayuda inesperada de personajes sabios (dos niños y una vieja), que solucionan el conflicto. Desde el punto de vista de sus narradores parece acertada la elección del tema. El privado primero confía en la salvación por medio del lenguaje alegórico (cuento 1); la mujer, sintiéndose angustiada, sólo espera una intervención divina (cuentos 6 y 8); por último, el infante demuestra su fe en la sabiduría (cuentos 20, 21 y 22).

Hay otros cuentos en los que, concluido el engaño, sólo un personaje considera restablecido el equilibrio inicial, aunque otros personajes y los lectores sean conscientes del cambio. En el cuento 5 ("La espada"), conocido también a través de la *Disciplina Clericalis,* el *Decamerón,* colecciones de *fabliaux,* etc.[13], se complica el problema al aumentar el número de personajes implicados. La versión del *Sendebar* resuelve con gran acierto la ampliación del clásico triángulo amoroso (mujer, marido, amante) con la presencia de un segundo amigo. El argumento resumido es como sigue: una mujer tiene un amante, que manda a otro hombre a casa de su amada con la misión de averiguar si está allí el marido. Mientras la mujer se entretiene con el mensajero, llega el amante. Con rapidez ella esconde al primero y recibe al segundo, pero en este momento aparece el marido. La mujer persuade al amante para que salga a la calle con una espada y gesto amenazador. Entretanto ella explica al marido que el hombre de la espada entró en casa persiguiendo a un enemigo que había buscado en ella refugio. Seguidamente sacó al amante escondido y el marido le dejó marchar sin problemas.

Ya J. Bédier señalaba que la principal dificultad para el narrador reside en encontrar una respuesta coherente a la siguiente pregunta: ¿Por qué el primer amante cede el puesto al segundo en lugar de hacer una escena de celos? En los textos orientales más antiguos, los personajes son padre e hijo, lo que explica que este último se esconda ante la llegada de su progenitor. En el *Decamerón,* la relación se cambia al hacer del segundo un personaje "poderoso y terrible" y del primero un joven asustado.

En el *Libro de los engaños* el conflicto narrativo se resuelve de modo satisfactorio. No se parte de una situación inicial de mujer con dos amantes, sino con uno sólo, poderoso por ser privado del rey:

(13) G. Paris, "Le lai de l'épervier", *Ro,* VII (1878), 1-21; H. Schwartzbaum, art. cit.; S. Thompson, *El cuento folklórico,* p. 273; J. Bédier, ob. cit., p. 288 y ss.

Dize que era una muger que avia un amigo que era privado del rrey, e avia aquella çibdat de manos del rrey en poder; e el amigo enbio a un su omne a casa de su amiga que sopies si sera y su marido (p. 20).

La lógica del relato exige que se establezca entre ambos personajes ("el amigo" y "su omne") una relación de subordinación, semejante a los vínculos de servidumbre. El encuentro de los dos amantes en casa de la mujer se justifica perfectamente por la impaciencia del poderoso, a diferencia del *Decamerón*, donde no se explica tal coincidencia. La relación de dependencia entre los dos amantes hará que el privado del rey se encuentre respecto a la pareja mujer-criado en una posición equivalente a la del marido. Ambos (mujer y criado) han roto los pactos de fidelidad que les unían respectivamente al recién llegado (mujer-amante y criado-señor). De este modo, se justifica que el criado acepte esconderse rápidamente y ceda el puesto al "titular". Pero ante la inesperada presencia del marido, los dos amantes se hallan en situación de inferioridad, pues había un pacto anterior (mujer-marido), que todos han roto.

El ingenio de la mujer debe conseguir ocultar al marido la presencia de los dos amantes, pero a su vez el privado del rey no debe encontrarse con su criado. El último engaño constituye el núcleo del relato:

E dixo al amigo: —Toma tu espada en la mano, e parate a la puerta del palaçio, e amenazame, e ve tu carrera e non fables ninguna cosa (p. 20).

Sus palabras se apoyan en la presencia oculta del amante ocasional, quien para el marido es víctima de una injusta persecución: "El marido dixo: —¿Do esta este mançepo? —En aquel rryncon esta" (p. 21). El relato concluye con la satisfecha aprobación del marido ("Feziste a guisa de buena muger, e feziste bien, e gradescotelo mucho"), todavía más irónica en la *Disciplina Clericalis* y el *Ysopete:*

Et introiens advocavit amasium uxoris suae et secum sedere fecit. Sicque dulcibus alloquiis delinitum circa noctem exire dismisit[14].

En otros dos relatos de gran popularidad[15] (10: "La perrilla" y 13: "El paño quemado"), el esquema se amplía por la presencia de una vieja que actúa de alcahueta. Tanto en un caso como en otro, la intervención de la mediadora se justifica por la honestidad inicial de la mujer que sólo cede cuando ella misma es engañada. Sin embargo, el hecho de que la alcahueta sea del género femenino incide en el tono misógino de la colección.

La protagonista del cuento 10 es una joven virtuosa que sólo accederá al adulterio tras conocer la historia de la perrilla llorosa. El ingenio de la vieja, personaje de gran tradición literaria, le lleva a conseguir sus propósitos sin perder

(14) *Disciplina Clericalis*, ed. cit., p.29.

(15) H. Schwartzbaum, art. cit.; A. Tobler, "Die weinende Hündin", *ZRPh*, 10 (1886), 476-480; G. Paris, "Le conte de la Rose en vers et en prose. Le roman de Perceforest", *Ro*, XXIII (1894), 78-161; E. Hermes, *The Disciplina Clericalis of Petrus Alfonsi*, London and Henley, Routledge and Kegan Paul, 1977.

su reputación. La máscara que adopta le da una imagen de buena y devota mujer, apreciada por todos, incluso por el marido engañado.

La versión de la *Disciplina Clericalis,* el *Ysopete, Gesta Romanorum...* concluye con la aceptación del adulterio por parte de la joven, temerosa de sufrir un mal mayor. El relato del *Sendebar,* al igual que sucedía en el cuento 1, se prolonga en una situación inversa y humorística. La vieja sale en busca del hombre, para quien había cumplido el encargo y, al no encontrarlo, trae otro, que resulta ser el legítimo marido ya de regreso de su viaje. Este resulta fácil de convencer, convirtiéndose así en un esposo adúltero, al menos de intención. El encuentro crea una situación irónica. La esposa le acusa, no sin razón, de ser cliente de viejas alcahuetas; a su vez, ella justifica su actitud mediante el engaño:

> Dixieronme agora que vinies; e afeyteme, e dixe a esta vieja que saliese a ti, por tal que te provase si usava las malas mugeres, e veo que ayna seguiste la alcaueteria. ¡Mas jamas nunca nos ayuntaremos, nin llegares mas a mi! (pp. 30-31)

La joven ingenua del comienzo se ha convertido en una mujer interesada que sabe sacar buen partido del equívoco:

> e ella non lo quiso perdonar fasta quel diese gran algo; e el mandole en arras un aldea que avia (p. 31).

La alcahueta actúa de modo semejante en el cuento 13 ("El paño quemado"), donde de nuevo el marido y la mujer son víctimas del engaño, orquestado por la vieja con la colaboración del amante. El resultado final es también análogo: el marido, que en un principio sospechó de la mujer, le pide perdón; la vieja resulta triunfadora.

Todos estos cuentos siguen un esquema, característico también de gran número de *fabliaux*[16]: un hombre es víctima de la astucia de la mujer pero ignora la situación. Ello implica un mínimo de dos engaños: por un lado la mujer engaña al marido con un amante y por otro acalla sus sospechas con otra trampa. En unas ocasiones, el marido sospecha acertadamente la infidelidad de su mujer, pero ella sabe demostrar su inocencia (cuentos 2, 10 y 16). Otras veces se adelanta a los hechos y favorece con su actitud el engaño (cuento 13). El enredo más típico se origina ante la inesperada presencia del marido, cuando los amantes se hallan reunidos. El humor, constante en estos cuentos, se acentúa al subrayar antes de finalizar la satisfacción del esposo por la ejemplar conducta de la mujer.

Hay por último otra variante del tema del engaño que conduce el relato a una situación totalmente inversa a la inicial. Para que se llegue a este final desdichado es necesario que la víctima sea el único personaje culpable que, después de haberse engañado a sí mismo, comete una acción irreparable. Los cuentos n.º 3 ("El curador de paños y su hijo"), 4 ("El mercader y el pan de adargama"), 9 ("El bañista"), 11 ("El puerco y el simio"), 12 ("Llewellyn y su perro") y 15 ("Los palomos") terminan con la desgracia de uno o más personajes. Antes de finalizar

---

(16) Según P. Nykrog, *Les Fabliaux (Etude d'histoire littéraire et de stylistique médiévale),* p. 60, "le thème de fabliaux par excellence est le thème à triangle".

el relato, el personaje engañado conoce la realidad, cuando ya es demasiado tarde. Si no ha muerto antes (como en los cuentos 3 y 11), queda sumido en la desesperación ante su impotencia para modificar unos hechos. Dentro de este grupo se incluyen los relatos de menor calidad narrativa. En algunos se oponen dos situaciones con diferente tratamiento temporal. Una acción cotidiana contribuye a engañar progresivamente al protagonista hasta que el hábito se rompe un día, desvelando la realidad de lo pasado. La reiteración en el error justifica el castigo.

En los cuentos analizados hasta ahora (todos ellos con el engaño como tema central) siempre había un personaje que actuaba con una perspectiva equivocada. Al error podía llegar por culpa de otros personajes o por un fallo propio. Según se tratara de una u otra razón variaba el resultado final. La misma construcción de los relatos intenta, mediante la contraposición de secuencias paralelas, subrayar la conducta de los personajes. Sin embargo, en otro grupo menos numeroso de cuentos no hay más culpable que el *azar*.

En el cuento 7 ("La gota de miel"), el motivo inicial es la presencia en el suelo de una gota de miel. Sobre ella se posa una abeja, un gato se abalanza para devorarla, sobre el gato un perro..., en una cadena que puede representarse así:

gota de miel ← abeja ← gato ← perro ← dueño del gato (=tendero) ← dueño del perro (=cazador) ← vecinos del tendero ← vecinos del cazador.

La concatenación de los acontecimientos no obedece a una relación causal sino a una gradación de menor a mayor que suple a la lógica.

En el cuento 19 ("Los huéspedes envenenados"), una sucesión de circunstancias fortuitas ocasiona la muerte de varias personas. Un milano, sujetando una culebra entre los dientes, sobrevuela un jarro de leche. La serpiente deja caer una gota de veneno sobre el líquido y causa la muerte de una familia y sus huéspedes. También en el cuento III,1 ("El hombre que murió arrimado a una pared") del *Calila* se encadenan los peligros graves hasta la muerte del protagonista, cuando ya se creía a salvo. Logra escapar del lobo, salvarse del río y del puente quebradizo, pero no puede evitar ser aplastado por una pared.

También en este caso la temática parece condicionar las estructuras. La concatenación de sucesos sin orden lógico aparente contribuye a reforzar la idea de un mundo movido sólo por el azar o un destino inexplicable.

Por último al analizar unos relatos insertados nunca debe olvidarse la interrelación, más o menos lograda, que mantienen con el marco. En el *Sendebar* los cuentos de los privados siguen una rígida ordenación. Con el primero de cada intervención tratan de evitar una acción precipitada. En todos ellos, un hombre actúa equivocadamente, debido a un proceso de información falso que él mismo ha propiciado. Como resultado de este error castiga a quien debería retribuir. En un caso sospecha de su mujer al ver los zapatos del rey (cuento 1), o de su perro al encontrarlo ensangrentado (cuento 12), o de la conducta de la paloma al observar la mengua del trigo (cuento 15)... Las consecuencias de esta falsa apreciación son siempre negativas para el personaje inocente (la mujer es temporalmente repudiada, el perro y la paloma muertos). En todo ellos es un hombre quien inflige un castigo injusto a un ser inferior (su mujer, un criado, un perro...). Guiado por la ira comete un abuso de autoridad. El paralelismo con la conducta del rey Alcos es apreciable.

En una segunda intervención, cada privado cuenta un relato misógino. Aquí de nuevo un hombre actúa erróneamente, pero esta vez la culpable es siempre una mujer que engaña al hombre. A consecuencia de la trampa el hombre retribuye a quien debería castigar. En estos cuentos siempre coincide el personaje autor de la falsa información (la mujer en los cuentos 5, 10, 16, 18 u otro personaje inducido por ella) con el retribuido, siendo, sin embargo, merecedor de castigo. Asimismo es una clara advertencia al rey, quien está escuchando con excesiva credulidad las palabras de la madrastra, culpable de todo el conflicto.

La mujer sólo narra cinco cuentos, viéndose obligada a distribuir sus focos de atención. El ser personaje activo de la acción principal le impide mantener la serenidad y la objetividad de los privados, meros espectadores. También temáticamente intenta aproximar sus relatos al marco. Los personajes de sus cuentos no están unidos por lazos matrimoniales sino paterno-filiales. De los cinco cuentos, tres están protagonizados por un padre y un hijo, a los que se suma en dos ocasiones (cuentos 6 y 8) un privado. Sin embargo, en estos casos el hijo es siempre una víctima inocente de la maldad de los privados. El desajuste aparente con la opinión de la madrastra tiene su explicación, ya que en este momento la mujer trata sobre todo de contrarrestar las palabras de los consejeros, mientras el infante queda relegado a un segundo plano. Asimismo todos sus relatos tienen un final trágico con la muerte de uno o más personajes.

En conclusión, los narradores del *Sendebar* intentan acomodar temáticamente sus cuentos a la situación principal. Las pocas excepciones pueden deberse a las características de la transmisión. Igualmente la oposición de secuencias que caracterizaba la estructura de las narraciones aparece en otros niveles de la obra. Los personajes se distribuyen en dos claros grupos enfrentados: infante y privados por un lado y la mujer por otro, mientras la indecisión del rey prolonga la situación. Cuando se ponga definitivamente a favor de su hijo se dará por concluida la historia. La oposición de personajes se refleja en los cuentos de ambos bandos y hasta en la intervención de cada privado con la alternancia de relatos trágicos (los primeros) o humorísticos (los segundos). La actuación final del infante, además de contribuir a destacar su sabiduría y la de su maestro, sirve de contrapunto y síntesis a todo lo anterior.

LAS HISTORIAS-MARCO DEL "CALILA"

Cada capítulo del *Calila* constituye una narración de mayor extensión y entidad que los cuentos insertados. El paso de estos núcleos mínimos a las historias simples se realiza mediante la conjunción de una serie de factores, paralelismos, digresiones, repeticiones..., que contribuyen a dar unidad al conjunto. El procedimiento es común a la narrativa medieval, donde las historias suelen amplificarse a base de motivos semejantes. En unos casos se introducen variantes para que las situaciones no resulten monótonas, pero en otros el procedimiento participa directamente del diseño estructural.

En la primera historia que da nombre a la colección (III: "Del león e del buey") hay un predominio del diálogo sobre la acción. Cuatro personajes (el león, el buey Sençeba y los dos chacales, Calila y Dimna) se agrupan por parejas (Dimna-león; Dimna-Calila; Dimna-Sençeba) para conversar en tres espacios diferentes (palacio real, morada de los chacales y posada del buey). A través de sus palabras conocemos el desarrollo de la acción y el carácter de sus protagonistas. Las escasas intervenciones del narrador sólo sirven para indicar cambios espaciales o temporales, lo que confiere a la historia una estructuración casi teatral, apta para la representación[17].

En el capítulo pueden distinguirse dos partes paralelas, con una perfecta simetría formal, aunque sus contenidos sean de signo contrario. En la primera, asistimos a la *ascensión de Dimna* desde un *status* inferior hasta ocupar el puesto de privado del rey. Sin embargo, el método elegido para satisfacer su ambición será a su vez origen de su desgracia y de la segunda parte. Inicialmente pueden distinguirse cuatro escenas distintas, según las parejas dialogantes:

1) *Dimna y Calila:* el primero expone su atrevido plan, mientras Calila pronostica los riesgos del proyecto.

2) *Dimna y el león:* en la corte se escucha un bramido extraño que origina el temor del rey. Dimna se propone ganar la confianza del león, demostrándole que el causante de su miedo es un buey inofensivo. Finalmente logra borrar la falsa imagen que el león se había forjado de Sençeba.

3) *Dimna y Sençeba:* el chacal hace amistad con el recién llegado y le convence para que preste homenaje al rey.

4) *León y buey:* el narrador relata la creciente intimidad entre ambos personajes, hasta que Sençeba suplanta a Dimna en su puesto de privilegio.

Los medios empleados por Dimna para ocupar un primer lugar en la corte han propiciado su desgracia al ser ahora suplantado por el buey. En el texto castellano, el conflicto es de índole estrictamente cortesana:

> E duro asy el buey un tienpo, e yvale queriendo mas, e pagandose mas del, atanto que fue el mas pryvado de su conpaña, e el que mas el amava e preçiava (p. 61).

En las versiones sánscritas, *Panchatantra* e *Hitopadeza,* adquiere un alcance social, que justifica la posterior intervención de Dimna al ampliar el número de afectados:

> le apartó en las costumbres del bosque y le hizo entrar en las de la ciudad. Alejó de su lado a todas las demás bestias; ni siquiera tuvieron entrada junto a él Karataka y Damanaka. Y como el león se abstuvo

(17) En esta época existía un teatro en la India y un teorizador, Bahrata. Hay noticias de que algunos cuentos se representaban por el procedimiento de las figuras chinas. En ocasiones, el narrador se servía de unos retablos, semejantes a los de "ciegos" donde aparecían las figuras de los personajes. Algunos de estos datos pueden ampliarse en *The Oxford Companion to the Theatre*, ed. by Ph. Hartnoll, London, Oxford University Press, 1962, pp. 384 y ss.

desde entonces de la caza de animales, toda su corte celestial, se dispersó huyendo cada animal por su lado[18].

En el *Hitopadeza,* el buey queda encargado de administrar la despensa: la escasez de víveres provoca la intervención de los dos chacales.

En la segunda parte se reiteran las mismas escenas, variando únicamente las intenciones de Dimna y, por consiguiente, el resultado final:

1) *Dimna y Calila:* éste reprocha a su compañero su conducta anterior, pero Dimna propone un nuevo plan.

2) *Dimna y el león:* el chacal tergiversa con sus palabras la conducta de Sençeba hasta conseguir que el león se forje una falsa imagen de su amigo.

3) *Dimna y Sençeba:* con sus mentiras contribuye asimismo a enemistar al buey con el león.

4) *León y buey:* Los chacales contemplan alejados la lucha encarnizada de los antiguos amigos.

Dimna ha conseguido con sus palabras persuasivas romper la unión que él mismo había involuntariamente motivado con idénticos procedimientos. La historia, antes de finalizar, incluye un breve epílogo donde Calila lamenta la inutilidad de sus consejos. Tras una frase conclusiva ("En este lugar se acaba la rrazon de Dina e de Calylla"), reaparece Dimna acallando cínicamente los remordimientos del león.

El ejemplo XXII de *El Conde Lucanor* ("De lo que contesció al león et al toro") guarda notables paralelismos con esta historia, sin que sea fácil delimitar cuál fue la versión manejada por Don Juan Manuel. Las técnicas dilatorias empleadas en el *Calila* y la gradual transformación de los personajes desaparecen para dar paso a una narración rápida y esquemática. De las dos partes señaladas, el ejemplo de Don Juan Manuel sólo va a relatar la segunda: la desunión de amigos.

El cuento comienza con los problemas derivados por la unión entre el toro y el león:

> el león et el toro eran mucho amigos, et porque ellos son animalias muy fuertes et muy reçias, apoderávanse et enseñorgavan todas las otras animalias: ca el león, con el ayuda del toro, apremiava todas las animalias que comen carne; et el toro, con la ayuda del león, apremiava todas las animalias que pacen la yerva[19].

La distinción entre herbívoros y carnívoros, empleada en el *Calila* y los textos sánscritos para sembrar la discordia, es utilizada por Don Juan Manuel como símbolo de la alianza entre poderosos. El conflicto privado se transforma en crisis colectiva con la desaparición del mesturero, personificado en Dimna, y la distribución de sus funciones entre varios animales. El raposo y el oso, seguidores del león, y el carnero y el caballo, del toro, traman una red de intrigas y acusa-

(18) *Panchatantra,* ed. cit., p. 44.
(19) Don Juan Manuel, *El Conde Lucanor,* p. 132.

89

ciones hasta levantar las sospechas entre los amigos. A ellos se suman otros animales:

> Et desque las animalias esto vieron, començaron a esforçar a aquellos sus mayorales fasta que les fizieron començar la contienda, et dando a entender cada uno dellos a su mayoral quel guardava[20].

El ejemplo no concluye con la muerte del toro, sino con la pérdida de autoridad del león, quien, tras atender los malos consejos, "fincó tan desapoderado dallí adelante que nunca pudo enseñorar las otras vestias nin apoderarse dellas commo solía, también de las del su linage commo de las otras"[21].

En el *Calila,* la acción se fragua con lentitud gracias a las sucesivas conversaciones de Dimna con los implicados hasta ir cambiando sus presupuestos. El papel del "mesturero" y el poder disuasorio de las palabras quedan de manifiesto. Don Juan Manuel simplifica el relato y le da mayor rapidez al presentar simultáneamente lo que en el *Calila* es sucesivo: el raposo y el oso convencen al león, mientras el carnero y el caballo se encargan del toro. No conocemos directamente ninguna de estas escenas, pues el autor pasa a resumir los resultados sin detenerse en las "artes" empleadas. El ejemplo XXII demuestra cómo la concisión y la unidad no son suficientes para lograr una obra artística. En esta ocasión, el texto del *Calila,* con sus técnicas dilatorias, supera a la reelaboración manuelina[22].

Por su parte el traductor árabe Ibn al-Muqaffa' quiso modificar el original en el cual, casi con seguridad, no figuraría el castigo de Dimna (cap. IV: "De la pesquysa de Dina"). No aparece, por tanto, en las versiones sánscritas pero sí en todas las derivadas directa o indirectamente del texto árabe.

Con la inserción de este añadido, Ibn al-Muqaffa' alteró la armonía estructural de la obra, en la cual cada capítulo constituye una unidad semántica independiente con sus personajes propios. En este caso, prosigue la historia anterior con la reaparición de Calila, Dimna y el león, más otros personajes nuevos (la leona, el león pardo, el lobo...) que posiblemente el autor retomó del capítulo XIV ("De leon, e del anxahar e del rreligioso"). Copia asimismo las técnicas del original, insertando también relatos que sirven de contrapunto irónico a las actuaciones del narrador. Combina los diálogos de dos personajes en escena con reuniones públicas, pero descuida los elementos teatrales al cambiar frecuentemente el estilo directo por el indirecto, con la consiguiente pérdida de agilidad. El

---

(20) Don Juan Manuel, *El Conde Lucanor,* p. 133.

(21) *Ibidem.*

(22) Para D. Marín, "El elemento oriental en Don Juan Manual: síntesis y revaluación", *CL,* 7 (1955), p. 6, "el efecto difuso del *Calila,* con sus interrupciones incidentales, da paso a una mayor intensidad dramática al narrar toda la historia seguido y acumular las sospechas del león con hábil gradación psicológica". Véase también la ob. cit. de R. Ayerbe-Chaux, pp. 39-43. Por último en las palabras de C. Wallhead Munuera, "Three Tales from *El Conde Lucanor",* recogido en *Juan Manuel Studies,* ed. by I. Macpherson, London, Tamesis, 1977, p. 108, se aprecia una duda acerca de la superioridad de la versión manuelina. *The result is that Juan Manuel's version is not so immediately dramatic, nor can it use speeches to build up the subtle aspects of character such as one finds in Dimna, but, because it is more concise, it has greater unity".*

relato se desarrolla a base de esquemas repetidos. Sin embargo, en el capítulo precedente el uso de escenas y situaciones paralelas cumplía una finalidad artística ya que se establecía entre situaciones semejantes pero contrapuestas. Así se ponía de manifiesto el carácter de Dimna, quien con idénticos medios lograba en una ocasión la amistad del león y el buey, y en otra, su enemistad. Ibn al-Muqaffa' imita el recurso pero con sus reiteraciones sólo consigue retrasar el resultado final. La repetición por tres veces de una misma situación se convierte en una técnica innecesaria y algo monótona:

1) *Diálogo entre el león y su madre*. La leona instiga a su hijo para que haga justicia, convocando una reunión (o un juicio) en la corte.

2) *Sesión pública*. Intervienen los acusadores y Dimna se defiende con cuentos.

3) *Diálogo entre el león y su madre*. Dimna regresa a la cárcel tras cada sesión. La leona informa al rey de lo sucedido en el juicio.

En las tres sesiones Dimna se defiende con agudeza y no se llega en ellas a ninguna solución definitiva. Es más, aparentemente podrían prolongarse sin límite, pues el acusado siempre cuenta con recursos para defender su inocencia y no se aprecia ninguna progresión en la acción. Sin embargo, paralelamente a este proceso judicial y "desde el exterior", llegan las filtraciones que solucionarán el conflicto. El motivo inicial del relato es la confesión de Dimna escuchada casualmente por el león pardo quien, tras informar a la leona madre, prefiere permanecer en el anonimato. La leona mantiene fielmente la "poridat" y el rey se siente remiso a condenar a Dimna sin conocer el nombre del acusador.

En la cárcel, Dimna vuelve a confesar ante Calila su culpabilidad y esta segunda conversación también cuenta con un testigo casual: "E yazia en la carçel un lobo e estava çerca de Dina, e oyo toda la fabla que avian en uno" (p. 148). Este personaje no vuelve a aparecer en ninguno de los dos manuscritos castellanos, con lo que su presencia resulta injustificada.

Ibn al-Muqaffa' en su continuación rechaza la amoralidad del texto original y pretende enmendar un relato, reflejo de una mentalidad primitiva. El comportamiento de un mismo personaje, el rey, ante dos situaciones análogas es completamente distinto:

el rrey non deve justiçiar a ninguno por sospecha nin con duda, que la sangre de muy gran preçio es. Maguer que yo andude a çiegas en la fazienda de Sençeba, non quiero fazer otro tal en Dina syn prueva e syn çertedunbre (p. 133).

La evolución en la conducta del león, que Ibn al-Muqaffa' trata de explicar por el arrepentimiento, puede relacionarse con dos grados distintos de civilización, pues todo el proceso de Dimna guarda estrecha correspondencia con el derecho musulmán. El rey está ausente de las sesiones y recibe luego relación escrita de lo tratado. Para condenar a Dimna falta un elemento esencial, la presencia de dos testigos o la confesión del acusado, sin el cual el juicio puede prolongarse sin solución[23]:

> E tovieron a Digna en la carçel siete dias; e cada dia le demandavan
> e *non le rresçebian ninguna escusaçion de su pecado,* e nunca lo pudie-
> ron vençer nin fazer que *manifestase* (p. 163, ms. A).

El encierro prosigue, según el texto traducido por J.A. Conde, "como nadie
pudiese *probar* a Dimna delito alguno"[24].

En el texto castellano del XIII, al igual que en otras versiones árabes, la
aparición aislada del lobo, que escucha la segunda confesión de Dimna, carece
de funcionalidad. Sin embargo, su presencia resulta comprensible analizada
desde el *Exemplario contra los engaños e peligros del mundo:*

> Tanto persuadio la madre al leon que el, teniendo ya por cierta y ver-
> dadera la maldad de Dymna, se puso deliberadamente en la voluntad
> de le mandar castigar y hizo al leon pardo testificar quanto havia
> oydo hablar de su yerro a Dymna con Belilla la noche que cerca la
> posada dellos passava; y esto mesmo mando que el lobo testificase lo
> que en la prision havian hablado Dymna y Belilla[25].

Una vez interrogados ambos testigos puede el rey, de acuerdo con el derecho
musulmán, dictar sentencia. El lobo actúa de segundo testigo, necesario para
que el relato llegue a una solución definitiva.

La historia de los búhos (capítulo VI: "De los cuervos e de los búhos")
alcanzó mayor popularidad en el área hispana por figurar dentro de *El Conde
Lucanor* (XIX: "De lo que contesçió a los cuervos con los buhos"). Pese a la
opinión de D. Devoto y R. Ayerbe-Chaux[26], el cuento de Don Juan Manuel
es un resumen excesivamente abreviado de esta historia. Como ha demostrado
acertadamente J.E. Keller[27], los relatos insertados, la técnica dialogada, la

---

(23) Según el derecho musulmán era necesaria la presencia de dos testigos para condenar al acusado. Véase, J. López Ortiz, *Derecho musulmán,* Barcelona, Labor, 1932; en
la *Suma de los principales mandamientos y devedamientos de la ley y çunna,* recogido en
el *Memorial Histórico Español,* Madrid, Impr. de la RAH, 1853, vol. V, p. 372, se lee:
"En los fechos corporales, denuestos, muertes o heridas, casamientos, quitaçiones o tor-
mentos, bastan *dos testigos barones de bista y no menos".*
(24) Manuscrito citado, f.º 129 v.
(25) Ed. cit., f.º XLVI v.
(26) Para R. Ayerbe-Chaux, ob. cit., p. 44, "no hay duda de que el apólogo original
ganando en concisión bajo la pluma de Don Juan Manuel se ha hecho más fuerte, menos
difuso en los interminables parlamentos de los consejeros y ha adquirido todo su impacto
ejemplarizante". Según D. Devoto, ob. cit., p. 404, "si es verdad el axioma de que hace
falta tiempo para escribir corto, el príncipe dispuso del tiempo y del talento para sacar
un limpio cuento de un laberinto, cuyos intereses sucesivos van en contra del interés general".
(27) Sin embargo, J.E. Keller, "From masterpiece to résumé: Don Juan Manuel's
Misure of a Source", p. 40, opina lo contrario. El ejemplo XIX *reveals that the Prince could
take an excellently structured story and reduce it to one far from its original excellence.*
Más adelante afirma *number XIX in* El Conde Lucanor, *then, is simply a well-written
résumé: whereas its model, chapter VI of,* Calila e Digna *is an artistically developed story*
(p. 50). Para C. Wallhead Munuera, art. cit., p. 111, Don Juan Manuel *presents his material
succintly and the result, though different from the Arabic, is dramatically effective and
artistically pleasing.*

aparición de varios personajes... hacen de este capítulo del *Calila* una pequeña obra maestra, frente al ejemplo de Don Juan Manuel excesivamente conciso, rápido y desdibujado.

La presencia en el ejemplo XIX de algunos detalles, ausentes del *Calila*, puede hacer dudar acerca de la fuente manejada por Don Juan Manuel. Fundamentalmente son tres: 1) El cuervo espía sale de la morada de los búhos, simulando ir en busca de sus antiguos compañeros para informar a sus nuevos amigos; 2) El consejero sabio del rey de los búhos se marcha con algunos seguidores al ver el escaso eco de sus advertencias; 3) Tanto el cuervo sabio, como el búho, son los personajes más ancianos en sus respectivas cortes. Estos dos últimos detalles figuraban también en el *Panchatantra*, pero no en la versión castellana del XIII.

La narración se divide inicialmente en dos esferas enfrentadas: la corte de los cuervos y la de los búhos. Concluida la acción principal en este último lugar, vuelve el narrador a la mansión de los cuervos para ofrecer una versión distinta de lo sucedido. La clave de la historia consiste en contrastar ambas cortes y el comportamiento de sus personajes:

1) Corte de los cuervos: se planea la acción.

2) Corte de los búhos: desarrollo de la acción.

3) Corte de los cuervos: comentario final.

Los cambios de escenario coinciden con ataques enemigos. Sin embargo, el capítulo se inicia con la mención de un asalto concreto, que mueve al rey de los cuervos a convocar a sus consejeros y preguntar por el origen de la enemistad. Por el contrario, Don Juan Manuel alude a la frecuencia de los enfrentamientos sin centrar su historia en un marco más concreto. Asimismo reduce el número de consejeros en cada corte a uno, frente a los cinco del *Calila*. En este texto, cada intervención bifurca el relato en diferentes planos. El lector asiste a unas sesiones privadas y tiene ocasión de confrontar las diferentes estrategias: huir, atacar, hacer las paces, someterse o intentar un engaño. Al conocer con antelación los planes secretos, el lector adquiere otra perspectiva para contemplar la escena siguiente en la corte de los búhos.

Allí se introduce el cuervo espía y su presencia motiva una reunión de los cinco consejeros con el rey. El búho más sabio —figura paralela del cuervo infiltrado— interviene en primer lugar sin que sus palabras obtengan ningún eco. El orden de aparición de los consejeros no resulta arbitrario. El rey de los búhos se inclina por los otros privados, favorables al cuervo, sin atender las sabias advertencias de su buen consejero ("El rrey non tornava cabeça nin los otros sus pryvados en lo que el buo dezia", p. 224).

Tras concluir felizmente su maquiavélico plan, el cuervo y su rey reanudan la conversación para comentar ahora todo lo pasado. En el relato de Don Juan Manuel, la reducción de personajes y detalles se acompaña de una mayor despersonalización. En el *Calila*, la morosa gradación convierte la historia en una lección propia de un "espejo de príncipes". Las sesiones en las respectivas cortes abundan en detalles y técnicas militares y muestran la relación entre los privados y los reyes. Los diálogos superan a la acción (eliminada en pocas líneas) porque en ellos reside el didactismo de la historia. Don Juan Manuel, al pretender "extraer" la anécdota, eliminó lo más característico de su fuente.

No todos los capítulos del *Calila* tienen las mismas características ya que, frente al modelo de narración-marco con historias insertadas (capítulos III, IV, VI, XVII...), otros, más alejados del original sánscrito, tienen una estructura simple. Sin embargo, el principio de paralelismos y contrastes sigue siendo la base de su composición. A veces se contraponen dos cuentos, según un esquema que podría calificarse de "narración díptico"[28], válido para los capítulos VII ("Del galápago e del simyo"), VIII ("Del rreligioso e del gato") y XIII ("Del rreligioso e de su huesped").

En el capítulo VII ("Del galápago e del simyo") se contrapone la acción prudente a la imprudente. Un galápago traba amistad con un simio hasta que la hembra lamenta la ausencia de su esposo. Aconsejada por su vecina, finge haber contraído una extraña enfermedad que sólo puede curarse con corazón de mono. El galápago, tras dudar entre la amistad y la fidelidad conyugal, decide engañar a su amigo. Este último, cuando descubre sus planes, se sirve de la mentira para liberarse:

> Dixo el ximio: "Asy es que avemos por ley los ximios que quando algunos de nos salen de la posada que dexa ay su coraçon; pero sy tu quieres, torname al lugar donde saly e yo te dare my coraçon con que sanes tu muger" (p. 246).

El simio, una vez evitado el peligro, rechaza las palabras amistosas del galápago arrepentido y, puesto a salvo en una higuera, le cuenta la historia de "El asno sin corazón". Los dos relatos se contraponen. En la primera historia, la prudencia ayudaba al simio a salir de su error; en la segunda, la imprudencia del asno le impide acumular su experiencia y le conduce a la muerte. El paralelismo se acentúa por un objeto: el corazón. Con él sanarían la mujer del galápago y el león del segundo cuento.

Las historias estudiadas hasta ahora como ejemplo se construían por medio de la contraposición de escenas paralelas o semejantes. Esta técnica aparecía también en un nivel inferior en los cuentos del *Sendebar*. Sin embargo, no es éste el único recurso utilizado en el *Calila*. En ocasiones, los personajes de los capítulos invierten su tiempo en largas conversaciones, adornadas de sentencias y comparaciones, mientras el narrador elimina en breves líneas las "acciones" principales. El procedimiento, desconocido en los relatos insertados, tiene una clara función didáctica y suele emplearse en dos ocasiones distintas:

En unos casos, los diálogos y monólogos se entremezclan con la propia acción, siendo la génesis de ésta. Tanto en el capítulo III como en el IV, Calila, el león, Sençeba y, sobre todo, Dimna, confían en la capacidad persuasiva de sus palabras. La narración avanza (ascenso y descenso de Dimna, amistad y enemistad del león y el buey) como consecuencia directa del diálogo entablado entre dos personajes. La ironía reside en la desacomodación entre la teoría y la práctica. El fallo de Ibn al-Muqaffa᾽ consistió en desvincular las palabras del

---

(28) W.W. Ryding, *Structure in Medieval Narrative*, The Hague-Paris, Mouton, 1971, distingue tres esquemas característicos de la narración medieval: la narración díptico, el "roman à tiroirs" y la "agrupación en ciclos".

desarrollo narrativo. Como ya señalé con anterioridad, la solución del conflicto no llegaba tras las sesiones judiciales, sino por caminos paralelos.

Los puros amigos del capítulo V combinan equilibradamente los diálogos y monólogos doctrinales con la acción. Cada uno de ellos es capaz de actuar de acuerdo con sus razonamientos éticos en una clara contraposición con la figura de Dimna. La narración se fragmenta en cuatro núcleos distintos: 1) Liberación de las palomas caídas en la red; 2) Historia del ratón, liberado a sí mismo; 3) Liberación del gamo; 4) Liberación del galápago. Por vez primera, los personajes van aprendiendo dentro de la historia, gracias a la conducta y a las palabras del prójimo.

En otras muchas historias el diálogo cumple una función persuasiva, consiguiendo así hacer avanzar paulatinamente la acción. En el capítulo XII ("Del arquero e de la leona e del arxara"), el "arxara" logra con sus razonamientos que la leona abandone la caza y termine alimentándose de hierbas; en el XIII ("Del rreligioso e de su huesped"), el religioso convence al huésped para que no intente alterar su "natura".

El poder modificador de la palabra queda subrayado en el capítulo XI ("Del rey Cederano e del su aguazil Beled e de su muger Elbed"). El rey Cederano, llevado por la "saña", ordena al privado Beled que dé muerte a la reina. El consejero finge aceptar la orden y trata de conseguir el arrepentimiento del rey por medio del diálogo. Cada exclamación de Cederano obtiene una respuesta en términos numéricos de Beled quien llega a mostrarse insolente:

> Dixo el rrey: "Non vere a Elbed mas de quanto la vy". Dixo Beled: "Dos son los que non veen: el çiego de los ojos, e el que non ha seso; que asy commo el çiego non vee cosa, asy el neçio non vee su pro nin su daño" (p. 292).

El dolor del rey es tal que soporta los ataques de su privado sin dejarse arrastrar por la cólera. Con ello da pruebas de su mesura y se hace digno de conocer la verdad.

En otros casos, una vez concluida la acción, dos personajes dialogan comentando lo sucedido. Sus palabras no modifican el curso del relato, ya finalizado, pero sirven para reforzar el carácter didáctico del conjunto. De los dos personajes implicados, uno lleva el peso del discurso, adoptando una posición superior y distanciada tanto espiritual como físicamente, ya que suele hablar alejado de su oponente. Este escucha y acepta el mensaje.

El capítulo VI ("De los cuervos e de los buos") termina con la presencia del rey de los cuervos y su espía, quien va explicando las peripecias de su aventura. Asimismo pronuncia una lección de táctica militar. Los capítulos VII ("Del galapago e del ximyo"), IX ("Del gato e del mur") y X ("Del rrey Beramer e del ave que dizen Çatra") tienen un final semejante. El galápago, el gato y Beramer quieren reanudar las relaciones con sus antiguos compañeros pero éstos demuestran ser personajes entendidos. El simio alecciona al galápago subido a una higuera y desde allí le cuenta la historia de "El asno sin orejas". La amistad rota no puede recomponerse. El capítulo IX concluye con el diálogo entre el gato, subido a un árbol, y el ratón de nuevo en su cueva. Este le demuestra que, terminadas las condiciones favorables para la tregua, la alianza entre enemigos naturales no tiene justificación. Por último, en el X la acción ocupa breves líneas y el resto del capítulo se dedica a reproducir la conversación entre el rey Beramer y el ave Catra. Ambos se han enemistado tras la cruel riña entre sus hijos y Catra manifiesta su prudencia rechazando la amistad de Beramer.

En conclusión, cada capítulo del *Calila* refleja los esfuerzos de una narrativa primitiva por traspasar los límites de los relatos breves. Para ello se recurre a diferentes procedimientos conocidos tanto por el folklore como por la narrativa medieval. Así el recurso de los paralelismos y repeticiones no sólo remite a la *amplificatio*[29] retórica sino que se relaciona con la composición tradicional. A principios de este siglo, A. Olrik[30] recopiló trece leyes por las que se regía, a su juicio, la literatura oral. Estos principios limitan la libertad de la narrativa popular hasta un grado desconocido en la literatura escrita. Pese a estar pensados para el folklore, algunos de ellos resultan válidos para todo arte narrativo, especialmente aplicados a una literatura primitiva, más vinculada a géneros orales. Las técnicas empleadas en el *Calila* coinciden, en ocasiones, con lo expuesto por A. Olrik. Según la "ley de repetición", la literatura folklórica casi prescinde de la descripción. Las reiteraciones, a veces en número de tres, están presentes en todas partes no sólo para dar suspense a un cuento, sino para rellenar el cuerpo de la narración. Otros principios expuestos por Olrik, como la ley de dos en escena, la unidad de acción, la caracterización sencilla, etc., se pueden descubrir en los cuentos medievales, pese a pertenecer a la tradición escrita.

El paralelismo de situaciones, sea de influencia folklórica o retórica, puede emplearse en la literatura como simple ornato o bien como apoyo a la significación de conjunto[31]. Muchas narraciones medievales presentan una forma bipartita y posiblemente sus autores utilizaran este modelo guiados por un impulso artístico hacia la dualidad narrativa[32]. Pese a resultar ajeno a nuestro concepto de unidad, debe admitirse, aunque sea como hipótesis, la validez de cualquier forma múltiple. Pero lo más interesante no es demostrar la frecuencia de esquemas bipartitos en el *Calila* (al igual que en los relatos insertados del *Sendebar*), algo por lo demás evidente, sino averiguar su función. Tras un análisis detallado

(29) Las semejanzas pueden relacionarse con dos recursos retóricos, *interpretatio* y *expolitio,* identificados por los medievales (*eadem rem dicere, sed commutare*). Al mismo propósito obedecen los "laisses similaires". W. Ryding cita numerosas obras medievales donde la historia se amplifica gracias a la repetición de motivos narrativos. El escritor termina un episodio y, para evitar llegar al final, añade otro con la misma estructura pero cambiando algunos detalles. Esta técnica cumple en la prosa un efecto equivalente a la rima en poesía. Puede servir de amplificación, como principio de recurrencia temática o para equilibrar una historia.

(30) A. Olrik, "Epic Laws of Folk Narrative", incluido en *The Study of Folklore*, recogido por A. Dundes, Prentice-Hall, Englewood Cliffs, N.J., 1965, pp. 129-141; S. Thompson, *El cuento folklórico*, pp. 577 y ss.

(31) Según E. Vinaver, *The Rise of Romance*, Oxford, Clarendon Press, 1971, la yuxtaposición de incidentes análogos puede aclarar algo que permanecía oculto o sin explicar.

(32) Como demostró J. Ruiz de Conde y, con posterioridad, R. Walker la unidad de *El Libro del Cauallero Zifar* se basa en los paralelismos. Todos los libros siguen el mismo modelo y, en particular, la historia de Roboan, construida según los esquemas de la aventura de su padre. Véase el estudio de R.M. Walker, *Tradition and Technique in "El Libro del Cauallero Zifar"*, London, Tamesis, 1974.

de sus estructuras creo poder afirmar que las técnicas empleadas en la obra están en apoyo de un único aspecto: su *didactismo*.

El paralelismo de situaciones contrapuestas o la yuxtaposición de personajes (Dimna/Calila, cuervos/búhos...) contribuye a subrayar la moraleja implícita en el texto y la dualidad de las situaciones. Todos los capítulos se mueven entre dos planos señalados en los prólogos (lo abstracto y lo concreto, la teoría y la práctica). Ello hace que los argumentos de cada historia sean muy simples y puedan resumirse en pocas frases, mientras el capítulo se prolonga, aun después de concluida la acción. La narración básica maneja escasos recursos y elimina con rapidez los puntos conflictivos. Sin embargo, los personajes razonan gradualmente y muestran así su paulatina evolución. Hay una cuidadosa graduación en las acciones de Dimna, en las palabras de los consejeros (cap. VI) o del ratón (cap. V), en la evolución de Cederano (cap. XI), etc. Los personajes aprenden dentro de las historias y con ello se pretende que los lectores también lo hagan (por rechazo o por imitación). La estructuración de los capítulos no es casual, sino que responde a técnicas complejas, manejadas en algunos casos con sorprendente madurez.

V

EL SABER

Según J. A. Maravall, "el carácter estático de la sociedad medieval puede afirmarse como un modo de ser general de la misma en los países del occidente europeo"[1]. El carácter estático se reflejará en las diversas esferas de la vida que manifestarán idéntica tendencia hacia el inmovilismo: el derecho, la economía... y, lo que nos interesa en este momento, la ciencia.

El saber se concibe como un sistema acabado, completo: "tantos fueron los sabios que fablaron en las sabidurías que non ay en el mundo cosa que ya dicha non sea"[2], afirma Don Juan Manuel. Los sabios que menciona el noble castellano aparecen en los textos como personajes sin nombre que, situados en una época remota, se dedican a la investigación altruistamente en favor de sus descendientes y por su deleite personal. Se presentan ajenos a toda circunstancia concreta, por cuya razón sus conocimientos sirven en todo momento. De ahí el valor de las traducciones. Para al-Muqaffa':

> los filósofos entendidos de qualquier ley e de qualquier lengua syenpre punaron e se trabajaron de buscar el saber, e de rrepresentar e hordenar la filosofia; e eran tenudos de fazer esto, e acordaron e disputaron sobre ello unos con otros, e amavanlo mas que todas las otras cosas de que los omes se trabajan, e plaziales mas de aquello que de ninguna juglaria nin de otro plazer; ca tenien que non era ninguna cosa de las que ellos se trabajavan de mejor premio nin de mejor galardon que aquello de que las sus animas trabajavan e enseñavan (p. 3).

Según ellos, el saber ya alcanzado por los antiguos no plantea problemas de investigación sino de comunicación[3]. Una vez adquirido debe conservarse y trans-

(1) J. A. Maravall, "La concepción del saber en una sociedad tradicional" en sus *Estudios de Historia del Pensamiento Español*, p. 219.

(2) Don Juan Manuel, *Libro de los Estados,* ed. R. B. Tate y I. R. Macpherson, Oxford, Clarendon Press, 1974, cap. LXV, 22-24, p. 119.

(3) Para J. Le Goff, *La civilisation de l'occident médiéval,* Paris, Arthaud, 1966, p. 399, *le poids des autorités anciennes n'oppresse pas seulement le domaine intellectuel. Il se fait sentir dans tous les secteurs de la vie. Il est d'ailleurs la marque d'une société traditionnelle et paysanne où la vérité est le secret transmis de génération en génération, légué par un "sage" à celui qu'il a jugé digne de ce dépôt.*

mitirse por herencia, como si fuera un tesoro[4]. Esta imagen, utilizada con frecuencia, aparece en la introducción del traductor árabe. El niño que recibe buena ilustración en su infancia agradecerá de mayor este legado, aún más provechoso que si "falla que su padre le ha dexado gran tesoro de oro e de plata e de piedras preçiosas, por donde le escusaria de demandar ayuda e vida" (p. 4). La comparación entre ciencia y riqueza será muy empleada aunque, cuando haya que establecer una prelación, la primera superará al haber.

El saber se considera algo cerrado, estático, que no necesita acrecentarse, lo cual no implica que pueda acabarse ni deteriorarse con su utilización. Contra este temor insisten los catecismos hispano-árabes: "El saber es tal como la candela, que quando pasan çerca della ençienden sy quieren e alunbranse con ella e ella nos vale menos por ello"[5]; o bien "el ffuego non mingua porque toman del mas por non aver lleña: Otrosi el saber non mingua por quanto aprenden del mas los sabios lo fazen perder y minguar porque lo non quieren mostrar"[6].

Muchos serán los hombres que quieran aproximarse a este fuego, ya que el saber se presenta como una apetencia natural del ser humano, diferenciado así de los animales:

> Destas tres melezinas (saber, virtud y provecho), buenas e prouechosas, la mejor e la que los omnes mas aman... es el saber. Ende dize el sabio Aristotiles que todos los omnes desean naturalmente el saber, sin el qual atal es el omne como la ymagen que esta pintada en la pared, que non ha en si rrazon ninguna[7].

Pero la inclinación hacia el saber nunca puede ser satisfecha por completo ya que la ciencia es extensa y la vida humana fugaz. El hombre debe conformarse con participar de ese saber que no puede aprehender por completo. El aforismo hipocrático se cita a menudo: "La vida es corta e la arte es luenga"[8]. Figura también en el prólogo al *Libro de los engaños:* "E el omne es de poca vida e la çiençia fuerte e lengua, non puede aprender nin saber..." (p. 3). La idea implícita de estas citas mueve a los escritores a presentar los conocimientos de un modo que puedan asimilarse rápidamente. El empleo de ejemplos, fábulas, sentençias... está encaminado a este fin.

(4) Según J. Le Goff, *Les Intellectuels au moyen âge*, Paris, Seuil, 1976, p. 14, *la science pour ces chrétiens, chez qui sommeille le barbare, c'est un trésor. Il faut le garder soigneusement. Culture fermée, à côté de l'économie fermée. La renaissance carolingienne, au lieu de semer, thésaurise.* La imagen es frecuente en numerosas obras. En el texto bíblico de *Los Proverbios* (2,4) leemos referido a la sabiduría: "si la buscas como la plata / y como un tesoro la rebuscas". Para Don Juan Manuel, *Libro Infinido y Tractado de la Asunçion*, ed. J. M. Blecua, Granada, Universidad de Granada, 1952, p. 6, "non deve ninguno creer que puede el saber todo el saber; mas el que mas a del es de buena ventura, e alcança el mejor tesoro que puede seer".

(5) *El libro de los Cien Capítulos*, ed. A. Rey, Bloomington, Indiana University Press, 1960, p. 28.

(6) *Libro de los buenos proverbios*, ed. cit., p. 83.

(7) Maestre Pedro, *Libro del consejo e de los consejeros*, ed. A. Rey, Zaragoza, Librería General, 1962, Biblioteca del Hispanista, V, p. 18.

(8) *Bocados de oro*, ed. M. Crombach, p. 30 (2). Se repite en el *Libro de los buenos proverbios*, ed. cit., p. 147: "La sapiençia es mucha y la vida del onbre es poca, pues aprended de la sapiençia cosa que vos llegue lo poco a lo mucho". Una cita semejante aparece en el prólogo al *Libro Infinido*, p. 7: "Et porque la vida es corta e el saber es luengo e grande de aprender...".

Tal concepción del saber remite a un tipo de sociedades que deducen de textos sagrados tanto las formas confesionales como las propias de la vida diaria. En ellas, el desarrollo legal y el dogmático dependen del trabajo exegético que se lleve a cabo sobre estos textos. M. García Pelayo[9] calificó a determinadas culturas que reunían en sí una serie de rasgos comunes como "Culturas del libro". La denominación abarca todas las religiones basadas en Escrituras Sagradas. Sin embargo, donde se dan con mayor plenitud las características de la "cultura del libro" es en tres grandes sociedades: la judía, la musulmana y la cristiano-occidental[10]. En estas culturas podemos decir con L. Spitzer que "todo descubrimiento de verdad consiste ante todo en la aceptación de las verdades tradicionales y, secundariamente, en concordar racionalmente los textos de autoridad. El comprender el mundo no se concibe ya como una función creadora sino como un aceptar y reelaborar una situación dada, cuya expresión simbólica es la vida"[11]. Hay una verdad preexistente, cifrada dentro del *Libro,* que es necesario desvelar por medio de la exégesis, llevada a cabo con frecuencia por una clase especializada.

La comunidad judía se sustenta en torno a la *Tora,* a la que se suman los restantes libros de la *Biblia* y otros libros exegéticos que tratan de iluminar el sentido del texto sagrado. En el cristianismo, la Revelación se llevó a cabo por medio de las palabras y hechos de Jesús, que a su vez fueron recogidos por escrito hasta constituir el *Nuevo Testamento.* Si bien el Libro no forma el centro en torno al cual se integra el Templo, se le considera santo ya que en él se contiene la verdad. El hecho de tener que combatir contra dos religiones bibliocéntricas, como la judía y la musulmana, hizo que el Libro fuera elevado a símbolo de la cultura cristiana. De ahí derivó el realzamiento del libro en abstracto, símbolo de toda realidad y de la sabiduría en sí.[12]

Puede considerarse el Islam como modelo perfecto de sociedad estática, tradicional y cerrada a toda innovación. Dada la configuración de la vida entera por la religión, se comprende la actitud general contra todas las novedades como una consecuencia del pensamiento religioso. De los textos estudiados, especialmente los catecismos hispano-arábigos, se deduce un concepto de la cultura y la sociedad, reflejo de los principios que regulan la vida islámica. En ésta, la unión íntima entre religión y gobierno dará origen a que la voluntad del profeta sea considerada el móvil rector de todas las cosas, tanto religiosas como civiles. Desde los inicios se planteó el problema de la transmisión de los dichos de Mahoma, pues éste (al igual que muchos poetas) confió lo esencial de su obra a los "memoriones". El texto coránico está fijado desde sus comienzos por dos vías

(9) M. García Pelayo, "Las culturas del libro", *ROcc,* 24 (1965), 257-273; 25 (1965), 45-70.

(10) Dentro del género de literatura sapiencial, los cinco libros del Antiguo Testamento *(Job, Proverbios, Eclesiastés, Eclesiástico* y *Sabiduría)* guardan notables paralelismos con los textos estudiados, de los que sólo se diferencian por el temor de Dios. Formalmente las semejanzas son también apreciables: la base más antigua es el proverbio (mâsâl) que, al desarrollarse, se hace parábola o alegoría; la evolución se aprecia en *Job* o *Sabiduría.* Véase, *Nueva Biblia de Jerusalén,* Bilbao, Desclée de Brouwer, 1975, pp. 647 y ss.

(11) L. Spitzer, *Lingüística e historia literaria,* Madrid, Gredos, 1968, p. 10.

(12) E. R. Curtius, ob. cit., especialmente el capítulo XVI dedicado a "El libro como símbolo", I, pp. 423 y ss.

independientes —la escrita y la oral—, lo que dio origen a escuelas de lectura y a un estudio detallado de la cadena de transmisiones ininterrumpidas desde los compañeros del Profeta. Los hechos y dichos de Mahoma eran tomados como modelo y repetidos sin innovaciones para no ser alterados. En una sociedad como la musulmana, en la que la incidencia del pensamiento religioso sobre todas las esferas de la vida y, en especial, el campo cultural es tan notable, esta rigidez impondrá un tradicionalismo en la actitud de los "sabios". Dentro del pensamiento teológico se cierran las puertas a la interpretación personal y, al mismo tiempo, se delimitan para uso de letrados las normas y los temas de un enciclopedismo. La interpretación del saber es tan cerrada como la Revelación. La cultura *(adab)* se convierte en sinónimo de antologías, sumas, dichos... que pasan de un escritor a otro. La ciencia no consiste en abrir nuevos caminos sino en profundizar en lo conocido y, sobre todo, en su transmisión de forma didáctica. La originalidad, no sólo la literaria, queda enmarcada en las normas de la imitación. Los problemas planteados por el saber, tal como se refleja en los textos estudiados, se reducen a su localización y posterior transmisión. Por un lado, esto origina la imagen del sabio que se desplaza hasta el lugar donde se halla depositado y por otro nos revela el sentido de la didáctica medieval. El papel del sabio no será acrecentar esos conocimientos, sino mostrarlos a todos los hombres.

BUSQUEDA Y TRANSMISION

Al frente del *Calila e Dimna* figura la legendaria misión de Berzebuey, quien trajo de la India una serie de libros que "encerraban" el saber, entre ellos el texto estudiado. En el relato de este viaje se combinan unos elementos míticos procedentes de un mundo de creencias primitivas, junto con otros más acordes con la mentalidad medieval.

En unas versiones, Berzebuey prepara su expedición por mandato real y en otras, como la castellana, responde a un deseo personal: a través de las obras de unos filósofos conoció la existencia en la India de unas hierbas que resucitaban a los muertos y marchó en busca de estas plantas con la esperanza de hallar la solución a todos sus problemas. En la autobiografía (prólogo segundo de la edición castellana) se nos presenta el protagonista como un ser eternamente insastifecho. Al ser médico está en contacto diario con la enfermedad y la muerte, y descubre su incapacidad para evitarlas. Ante el desengaño de la medicina, intenta buscar una salida en la religión:

> E tornose my fazienda a querer ser rreligion e en emendar mys obras quanto podiese, por que fallase ante my anchura syn fyn en la casa de Dios, *ado non mueren los que ay son* (p. 40).

Tanto el relato de la expedición de Berzebuey a la India como la autobiografía que le sigue a continuación ofrecen distintas facetas de un mismo personaje atormentado que busca por diferentes caminos una salida. Las hierbas, el saber o la religión no serán más que diversos medios para alcanzar un mismo fin: *la in-*

mortalidad. Según afirma J. Duchesne-Guillemin, los ritos y creencias de la zona indo-iraní gravitaban en torno a la esperanza de inmortalidad. "En principio, se ofrecen tres vías hacia un destino de eterna beatitud. La primera y más arcaica se caracteriza por la libación de un licor sagrado, fuente de vida y supervivencia, *soma* en la India, *haoma* en Irán. La segunda vía, conocida en la India por los sabios de los upanishad, es la que libera de la muerte por medio del conocimiento. La tercera vía, la que predica Zarathustra, es la adhesión a la justicia, el orden justo y verdadero, en pensamiento, palabra y obra"[13].

La búsqueda emprendida por Berzebuey se encuentra ya en el principio de la humanidad. Los grandes mitos primitivos narran los intentos por vencer la muerte y el envejecimiento. En casi todas las teogonías primitivas la esencia de la vida o de la eterna juventud se encuentra en la vegetación[14]. Para la mentalidad arcaica, la vegetación (el árbol o las hierbas) se convierte en un objeto religioso por su poder: crece, pierde hojas, las recobra... es decir, se regenera (muere y resucita) infinidad de veces. El mismo Alfonso X justifica así el culto a la vegetación:

> Et estos o andavan a las lavores e por los montes conlos ganados pararon mientes en las yerbas e enlos arvoles, e vieron como crecien e se alçavan por si de tierra contral cielo, e mesuraron en ello, e tovieron que eran creaturas mas llegadas a Dios que non las piedras que (...) nin crescien, nin florescien, nin levavan fruto de que se governassen los omnes e las otras animalias, como lo fazien las yerbas e los arvoles. Et muchos destos dexaron por estas razones de aorar las piedras e aoraron las yervas e los arvoles[15].

En diversas tradiciones nos encontramos con el árbol o la hierba de la vida[16], pero el problema es llegar hasta él ya que está emplazado en un lugar inaccesible

---

(13) J. Duchesne-Guillemin, "Irán Antiguo y Zoroastro", en *Historia de las religiones. Las religiones antiguas, II*, Madrid, Siglo XXI, 1977, pp. 406-488.

(14) Mircea Eliade, *Tratado de Historia de las religiones*, vol. II; L. Bonilla, *Los mitos de la humanidad*, Madrid, Prensa Española, 1971; J. G. Frazer, *La rama dorada*.

(15) *General Estoria*, ed. cit., I, I, 63a, 40-55.

(16) Mircea Eliade, ob. cit., vol. II, cap. VIII, recoge un texto del *Ramayana* según el cual en el monte Oshadi crecen cuatro hierbas maravillosas: una resucita a los muertos, otra hace que las flechas salgan de las heridas, la tercera resucita las llagas y la cuarta tiene la virtud de volver a unir las partes de un cuerpo muerto. También sabemos que, en tiempos anteriores a la escisión en dos pueblos (iraní e hindú), la rama aria tributaba culto a una planta mágica (de donde derivaría el *soma* de los indios y el *haoma* de los iraníes); el jugo de esta planta, que sólo podía ser extraído por los sacerdotes, confería la salud. Más información puede encontrarse en el estudio de F. König, "La religión de Zarathustra", en *Cristo y las religiones de la tierra. Manual de historia de la religión. II. Religiones de los pueblos y de las culturas de la antigüedad*, direcc. F. König, Madrid, BAC, 1968, pp. 575-626. La versión del viaje de Berzebuey inserta en la *General Estoria* añade algunos detalles (no mencionados en el texto del *Calila)* coincidentes con este ritual. Los libros manejados por Berzebuey indican que se "coian las yervas, et que las maçen e saquen ende el çumo" (I, VII, XLI, 198a, 44-45).

Según el historiador al-Tabari, la razón que impulsaba a los beduinos a atacar el imperio persa, buscando así su perdición, era una simiente, sin la cual no podían vivir. F. Corriente, en "Dos elementos folklóricos comunes en la visión etiópica de la leyenda de Alejandro y la literatura árabe", *Al-An*, XXXII (1967), 221-229, compara este episodio con la versión

y, a veces, celosamente guardado. En ocasiones se encuentra en el fondo del océano, en el país de las tinieblas o, como en este caso, junto a elevadas montañas[17]. El hombre que pretende alcanzarlo debe vencer una serie de pruebas y convertirse en héroe.

Berzebuey, una vez conseguidas las anheladas hierbas, descubre que carecen de las propiedades que él les atribuía. Su fracaso puede parangonarse a la autoaniquilación del héroe cuando no logra superar las dificultades. El miedo se apodera de él por tener que regresar "neçio e vago e errado". Así como el héroe mítico cuenta siempre con auxiliares que le ayudan en sus propósitos, los filósofos indios colaboran con Berzebuey para solucionar el misterio. Estos auxiliares han recorrido el mismo camino que él, pero, tras consultar idénticos libros y fracasar con las hierbas, han descubierto el sentido oculto en esas palabras. Son, pues, inmortales:

> E ellos dixeronle que aquello mismo fallavan en sus escrituras, segun que el avia fallado en las suyas, e propiamente el entendymiento de los libros de la filosofia e el saber que puso Dios en algunos cuerpos, e que la melezina que el dezia son las escryturas en que son los castygos e el saber, e que los muertos que rresuçitavan con aquellas yerbas son los omes neçios que non saben quando son melezinados con el saber, e les fazen entender las cosas, e esplanandolas aprenden de aquellas escripturas que son tomadas de aquellos sabios, e luego, leyendo, aprenden el saber e alunbran sus entendymientos (p. 13).

Los filósofos dan la clave interpretativa, según la cual saber e inmortalidad constituyen términos equivalentes. Volveré sobre esta identidad; pero antes hay que anotar el paso de lo que era una aventura mítica, iniciática, en un viaje en busca del saber.

Una vez Berzebuey ha alcanzado lo que buscaba, tiene que regresar a su mundo para compartir el hallazgo. En algunas versiones (Ta'-alibi, Firdawsi) encuentra dificultades para cumplir su cometido, pues los "guardianes del tesoro" le impiden copiar el libro. El rey sólo le permite ver el texto a condición de no leerlo más que en su presencia y, sobre todo, de no copiarlo. Sin embargo, Berzebuey consigue cada día aprender de·memoria lo que ha leído y al llegar a Persia lo traduce al pahlevi. La versión que figura en el *Calila e Dimna* no menciona estas dificultades: Berzebuey regresa con·varios libros, entre ellos el *Calila* que traduce al persa. La última etapa de su misión consiste en propagar lo adquirido, para el bien de los demás. Para ello reúne a todo el pueblo y entrega las escrituras a "aquellos que eran mas privados e mas çerca del rey".

etiópica del Pseudo-Calístenes. En este texto, Alejandro, una vez conquistada Persia, se dispone a atacar la India atraído por la existencia de unos manjares sólo dignos de reyes. Para F. Corriente, el episodio narrado por al-Tabari procede de un cruce de tradiciones facilitado por la identidad geográfica de los lugares. ¿No pudo este episodio haber sido influido por la leyenda de Berzebuey?

(17) Según L. Bonilla, ob. cit., pp. 67-68, "es un concepto característico de los pueblos indoeuropeos, situar el paraíso en una altísima meseta rodeada de montañas inaccesibles". "Las leyendas de la India sitúan el origen de los hombres en el monte Meru, unión entre la tierra y el cielo, residencia de los dioses y origen del pueblo indoeuropeo (...). Allí estaba el árbol de la vida, o el árbol Djambú, en un jardín encantador entre cuatro lagos, donde había también otro árbol maravilloso, el Kalpavnkeha o Kalpataru "árbol de los deseos"; una especie de árbol de la ciencia del bien y del mal".

En el trasfondo del legendario viaje de Berzebuey a tierras indias puede identificarse un remedo de aventura iniciática. Siguiendo a J. Campbell,[18] reconocemos en esta historia el viaje del héroe mítico que abandona su mundo y avanza hacia el umbral de la aventura; allí encuentra fuerzas poco familiares mientras otras le prestan ayuda; una vez que ha conseguido el don, el trabajo final es el regreso. El bien que trae restaura al mundo. La misión de Berzebuey se relaciona con las aventuras de varios héroes míticos que van en busca de la inmortalidad y guarda algunos paralelismos con el viaje de Gilgamesh tras la hierba de la vida eterna. Gilgamesh fracasa (una serpiente le arrebata la preciada hierba), como sucedió a los que intentaron lo mismo, ya que "la búsqueda de la inmortalidad física nace de un malentendido de las enseñanzas tradicionales". Los filósofos ayudarán a Berzebuey a distinguir de qué inmortalidad se hablaba en aquellos libros que él mismo había malinterpretado. Esta reinterpretación de la inmortalidad como equivalente al saber confiere al pasaje una nueva perspectiva.

La aventura de Berzebuey será el prototipo de una larga serie de textos que narran la búsqueda del saber. En el *Bonium,* el rey de Persia se traslada a la India con el mismo fin. Logra llegar al palacio donde se reúnen los sabios y tienen ocasión de escuchar sus palabras; con ellas formará el libro.[19] Una historia semejante cuenta el traductor de la *Poridat de las poridades:*

> non dexe templo de todos los tenplos o condensaron los philosophos sos libros de las poridades que non buscasse, nin omne de horden que yo sopiesse que me conseiasse de lo que demandaua a quien no preguntasse fasque uin a un templo quel dixen Abdexenit que fizo Homero el Mayor pora si, et demande a un hermitanno sabio et roguel et pedil merçed fasta que me mostro todos los libros del templo; et entrellos falle un libro que mando Almiramomelin buscar, escripto todo con letras doro...[20].

En este motivo tan reiterado la realidad se confunde con la leyenda de modo que resultan difícilmente deslindables. Hay efectivamente unos textos que viajan de la India a Persia, y de ahí al mundo islámico (con algunas escalas intermedias), como lo atestiguan las versiones del *Calila* y el *Sendebar...* Para la filosofía y la literatura sentencial habrá otro camino que pase de Grecia a Siria y Persia, y de nuevo al mundo islámico. La historia de estas versiones permite trazar el recorrido de la *transmisión real.* En algún momento, el viaje de estos libros se mezcló con relatos legendarios de mayor o menor base "histórica", como sucedió con el *Bonium* o con la misión de Berzebuey a la India. Por último, esta *transmisión legendaria* viene a coincidir con la *cosmovisión medieval* para la que no resultaba insólito que los centros de cultura se trasladaran de un lugar a otro[21].

(18) J. Campbell, *El héroe de las mil caras. Psicoanálisis del mito,* México, FCE, 1972.

(19) Este pasaje inicial sólo se encuentra en la edición de H. Knust; el editor más reciente de los *Bocados de oro,* M. Crombach, lo excluye por tratarse de una adición de un manuscrito más moderno.

(20) *Poridat de las poridades,* ed. cit., p. 31.

(21) Sobre este tema véanse los estudios de F. Rico, *Alfonso el Sabio y la General Estoria;* J.A. Maravall, *Antiguos y modernos;* E.R. Curtius, *Literatura europea y Edad Media Latina.*

Dentro del mundo medieval el concepto de "translatio" se adecúa perfectamente a la idea de continuidad. La Edad Media es una época en la que pesa decisivamente el ideal de autoridad y de tradición; a ello hay que añadir el carácter estático de la sociedad medieval donde impera para una larga serie de actividades la tendencia a la repetición de modelos y normas conservadas del tiempo anterior. Por un lado, hay una conciencia de continuidad política respecto a la antigüedad que hace pensar en una "translatio potestatis" desde el comienzo de la humanidad. Igualmente se habla de una "traslatio imperii" desde Babilonia, Macedonia... hasta Roma, como explicará Alfonso X. De esta técnica repetitiva y continuista tampoco se ven exentas las leyes. Al igual que el saber, el derecho se recibe o se reconoce, pero no se crea. Las leyes las toman unos pueblos de otros, de la tradición, de un depósito general y común a disposición de todos. De ahí, la historia del sabio que va a recorrer tierras para descubrir dónde se conocen las mejores leyes y llevarlas a su pueblo. Es la "translatio legis" parodiada por Juan Ruiz. En el concepto de historia —tal como la concebían los medievales— entraba esta idea de un continuo ininterrumpido. Alfonso X en su *General Estoria* podrá sentirse heredero del Imperio Romano o del saber alcanzado por Júpiter o Abraham. Grecia, Roma y París se irán pasando la "antorcha" del saber.

Por otro lado, las obras precedidas de semejantes preliminares (como el *Calila*, el *Bonium*, la *Poridat*) ganaban en prestigio y adquirían carta de naturaleza para continuar su peregrinar. De este modo se produce una cadena, en unos casos real y en otros ficticia, que sirve para enlazar la obra nueva con la antigua y confiere a la primera el prestigio del que carece. En el caso del *Calila* los diferentes prólogos que explican su génesis, transmisión a los persas y de éstos a los árabes, contribuyen a revalidar el interés del libro.

De la misma manera, la ideología que subyace en el viaje de Berzebuey —con la identificación entre saber e inmortalidad— coincide plenamente con la concepción alfonsí:

> Todas las artes de todos los saberes (que) son cosas que nunca mueren, mas siempre biuen e fazen biuir al que las sabe, e el quelas non sabe, o si mas no algo dellas, tal es como muerto; et por esta razon los sabios al saber llaman uida, al non saber muerte [22].

A continuación Alfonso X retoma el episodio de la misión de Berzebuey para explicar la etimología de Atenas que "quier dezir tanto como logar sin muert" [23]. La misma idea reaparecerá en los textos hispano-arábigos del XIII [24].

El saber concede la inmortalidad, por medio de la fama que prolonga entre los vivos el recuerdo de aquéllos que lo alcanzaron, "ca los sabios destos saberes, maguer que mueren segund la carne, pero siempre viven por memoria" [25]. Curio-

---

(22) *General Estoria*, I, VII, XXXX, 197 b.

(23) *Ibidem*, 197 b.

(24) En el *Libro de los Cien Capítulos*, p. 29, leemos: "El saber es lunbre e la torpedad es abscuridad. Todos los omes del mundo mueren fueras el sabio... Los que cobdiçian el aver muertos son maguer sean vivos, e los sabios maguer mueran vivos son; maguer sus personas non sean presentes fallados son en libros, en los coraçones de los omnes". La idea se reitera en el *Libro de los buenos proverbios*, p. 67, *Las Glosas de sabiduría o Proverbios morales y otras Rimas* de Don Sem Tob, ed. A. García-Calvo, Madrid, Alianza Editorial, 1974, los libros sapienciales bíblicos, etc.

(25) *Ibidem*, 198 b.

samente uno de los primeros textos castellanos en establecer esta vinculación (saber = fama = inmortalidad) es el maltrecho prólogo al *Libro de los engaños*[26]. El infante don Fadrique explica en él las razones que le llevaron a encargar esta versión:

> ...por cuanto nunca se perdiese el su buen nonbre, oyendo las razones de los sabios, que quien bien faze nunca se le muere la fama, e sabyendo que *ninguna cosa ay mejor para aver de ganar la vida perdurable sinon el bien obrar y el saber...* (p. 3).

Don Fadrique considerará su labor de mecenazgo como camino hacia la fama, pero será necesaria la presencia escrita del prólogo que atestigue lo ejecutado. La escritura, gracias a su poder de perduración en el tiempo, se convierte en el vehículo que conduce a la vida eterna. Así lo comprendió Berzebuey y por esto exigió, como única recompensa tras su misión, la redacción de su biografía para que figurara al frente del libro. Todo el episodio remite, pues, a una cultura "libresca". El libro —o los libros— son el motivo desencadenante del viaje; después se convertirán en vehículo de transmisión de ese saber que se conservaba en la India, y por tanto en conductos de inmortalidad. El papel que desempeñaba la memoria en algunas versiones del viaje de Berzebuey queda suplantado en el texto castellano por la escritura. Por medio de la escritura el saber se conserva indefinida e intemporalmente y puede ser transmitido. Más adelante, para Don Juan Manuel, la escritura llega a ser algo más que "fijadora del saber", al atribuirle el papel de "acrecentadora del mismo":

> Et otrosí tienen (los sabios) que una de las cosas que lo más acreçenta, es meter en escripto las cosas que fallan, por que el saber et las buenas obras puedan seer más guardadas et mas levadas adelante[27].

PRESENTACION

Una vez localizado el depósito donde se contenían los conocimientos, la misión del sabio es darlos a conocer. Para la divulgación se elegirá un método que facilite el aprendizaje gradual, sin grandes esfuerzos y que a su vez favorezca la retención de lo aprendido. Los autores o traductores utilizan los prólogos con el fin de insistir en el valor didáctico de los contenidos y del método seleccionado. Pedro Alfonso justifica detalladamente los motivos de su elección:

> *Fragilem etiam hominis esse consideravi complexionem: quae ne taedium incurrat, quasi provehendo paucis et paucis instruenda est; duritiae quoque eius recordatus, ut facilius retineat, quodammodo neccesario mollienda et dulcificanda est; quia et obliviosa est, multis indiget*

---

(26) M.ª R. Lida de Malkiel señala, en *La Idea de la Fama en la Edad Media castellana*, p. 151 y 159, el parecido existente entre estas palabras y el contenido de los libros sapienciales. Por vez primera aparece la inmortalidad de la fama como impulso para la labor literaria y no la edificación de los lectores.

(27) *Libro del Cauallero et del escudero*, en *Obras de Don Juan Manuel*, I, ed. de J. M. Castro y Calvo y M. de Riquer, Barcelona, Clásicos Hispánicos, 1955, p. 11.

quae oblitorum faciant recordari (...) Modum tamen consideravi, ne si plura necessariis scripserim, scripta oneri potius sint lectori quam subsidia, ut legentibus et audientibus sint desiderium et occasio ediscendi. Scientes vero per ea quae hic continentur oblitorum reminiscantur.[28]

En un intento por lograr estos fines, Pedro Alfonso compuso su libro tomando *partim ex proverbiis et castigationibus Arabicis et fabulis et versibus, partim ex animalium et volucrum similitudinibus*[29]. Tras esta detallada enumeración se encubren los tres componentes que sirven de base a gran número de obras didácticas: proverbios, ejemplos y semejanzas. Las "sumas", "flores", ejemplarios... abundarán durante la Edad Media. Th. Welter recoge un texto donde se alaba a un personaje diciendo de él que *erat totus plenus proverbiis fabulis et exemplis*[30]. El mismo procedimiento utilizaron los sabios autores del *Calila*, según nos refiere Ibn al-Muqaffa':

> posieron enxenplos e semejanças en la arte que alcançaron (...) e con pararon los mas destos enxenplos a las bestias salvajes e a las aves (p. 3).

La presentación amena de las enseñanzas puede hacer olvidar a los lectores, desde una perspectiva actual, el contenido moral que en ella se encubre, por lo que algunos críticos se preguntan si el didactismo es sólo un soporte formal para unas obras cuya única finalidad es entretener. Según J. E. Keller[31], las moralizaciones se añadían en Oriente de forma deliberada a ciertas historias para justificar su presencia en los libros. Con ello se cumplía, a su vez, otra función, ya que, al estar envueltos en moralización, los reyes, filósofos, religiosos, etc., podían leer relatos licenciosos. Esta hipótesis se derrumba al estudiar las palabras de los propios autores y al analizar las producciones dentro del sistema cultural e ideológico que las sustenta.

Por lo que respecta al *Calila*, su traductor, Ibn al-Muqaffa', se encarga de anunciar la existencia de un sentido oculto tras las bellas palabras. Con este fin, utiliza una imagen que se hará tópica dentro de la didáctica medieval y que aún perdura en fechas posteriores:

> E por ende, sy el entendido alguna cosa leyere deste lybro, es menester que lo afyrme bien, e que entienda lo que leyere, e que sepa que ha otro seso encobierto; ca synon lo sopiere, non le terna pro lo que leyere, asy como sy ome levase nuezes sanas con sus cascas, e non se puede dellas aprovechar fasta que las parta e saque dellas lo que en ellas yaze (p. 4).

Mas adelante es Berzebuey quien, después de haber traducido el texto indio, añade:

(28) Pedro Alfonso, *Disciplina Clericalis*, p. 2.

(29) *Ibidem.*

(30) Th. Welter, *L'exemplum...*, p. 135.

(31) J. E. Keller, *Alfonso X, el Sabio*, N. York, Twayne Publishers, 1967, tampoco cree en el didactismo del *Libro de los engaños* y añade: *surely no one who reads these stories today can believe that they were intended to be serious* (p. 57). Lamento no compartir su seguridad.

e tove que traya algo en el para quien le entendiese, e rrogue a Dios por los oydores del que fuesen entendedores de las sus sentençias e del meollo que yaze en ellas (p. 40).

La imagen se convertirá en un motivo común dentro de los prólogos medievales y reaparecerá con variaciones en los *Milagros* de Berceo, los *Proverbios* de Sem Tob, El *Libro del Cauallero Zifar, Libro de Buen Amor, Espéculo de los legos...* Sin embargo, habrá matices en el empleo de este tópico que separen a unos autores de otros.

La existencia de un sentido oculto tras las apariencias es algo común a la mentalidad oriental y a la occidental, acostumbrada esta última desde siglos a la exégesis judeo-cristiana de las Escrituras. L. Spitzer, al analizar el citado pasaje del *Libro de Buen Amor*, establece una distinción entre el alegorismo oriental y el occidental. Este último deriva de la costumbre de distinguir en los textos sagrados diferentes sentidos más allá del estrictamente literario. Por influencia de la exégesis bíblica, todo libro necesita su "glosa", la cooperación del lector para interpretarlo. El oriental, por el contrario, "es la revelación de una filosofía que se complace secretamente en destacar la superioridad, el distanciamiento del sabio frente a su interlocutor".[32]

Si bien la base de la distinción parece acertada, no creo que el alegorismo oriental responda exclusivamente a un intento de distanciamiento entre sabio y discípulo, motivado por la superioridad de aquél. En la literatura didáctica de origen oriental se observa un notable afán de enseñar, de divulgar el saber por parte del que lo posee. La presentación encubierta de la ciencia exige del lector y oyente un esfuerzo de colaboración. Sin la participación y el trabajo de éste, no puede transmitirse ese gran tesoro que es el saber. Basta leer, para ilustrar este aspecto, el primer cuento que inserta Ibn al-Muqaffa' en su introducción ("El hombre engañado por los cargadores"). Un hombre, siguiendo el consejo de los sabios, se encuentra con un tesoro enterrado; decide contratar unos peones para que se encarguen de llevarlo hasta su casa. Una vez dispuesto esto, "fuese el ome para su posada e non fallo nada, mas fallo que cada uno de aquellos avia apartado para sy lo que levara, e asy non ovo dende salvo el lazerio de sacarlo" (p. 4).

La utilización de un lenguaje alegórico sirve a varios fines. Por un lado, es útil para encubrir las verdades a quienes fueran indignos de ellas y para acrecentar el aprendizaje por medio de obstáculos. En otros casos, su empleo se hace obligatorio dada la dificultad de la materia y la altura intelectual del discípulo.

Dentro de la disposición didáctica de los contenidos podemos distinguir varios recursos, según afecten a la distribución externa de la materia o a su presentación interna. Como *presentación externa* favorecedora del aprendizaje se utilizan principalmente dos técnicas: la *división en capítulos* con la inserción de un índice en el prólogo y la ficción de *dos personajes dialogando* dentro del texto (uno de los cuales suele ser el maestro y el otro el discípulo). Los prólogos justificarán estos procedimientos:

Cuenta vn sabio que ha nombre Boeçio, que tres prouechos vienen a omne en toda partiçion del libro que se parte por capítulos. La primera

(32) L. Spitzer, *Lingüística e historia literaria*, p. 92.

es que falla omne mas ayna las cosas que ha menester que son puestas e ordenadas en el libro. La segunda, que las rretiene en la memoria mas firmemente. La terçera, que la entiende mejor mas conplidamente. Por ende, acatando yo estas tres cosas, parto este libro por capitulos, e pongolos en el su comienço[33].

La cita procede del *Libro del consejo e de los consejeros,* pero el motivo se repite en los textos didácticos.

Al mismo interés por presentar ordenadamente la materia responde la tendencia a agrupar las *sentencias en listas numéricas,* recurso favorito de toda la didáctica oriental y ya conocido en los libros sapienciales. El *Calila* y el *Sendebar* utilizarán en abundancia estas listas, hasta llegar al límite dentro del capítulo XI del *Calila.*

Los diálogos no narrativos adoptarán con frecuencia la forma de una representación simulada del aprendizaje y el modelo más sencillo lo forman las preguntas y respuestas intercambiadas por una pareja (maestro-discípulo, padre-hijo, rey-privado...), antes de que el más sabio de los dos desarrolle un ejemplo o tema. Servirá este recurso de núcleo estructurante para numerosas obras didácticas como la *Disciplina Clericalis,* el *Lucidario,* el *Calila,* el *Conde Lucanor,* el *Libro del cauallero e del escudero,* etc. Don Juan Manuel será explícito al justificar la utilización de esta técnica en su *Libro de los estados:*

> Et porque los omnes non pueden tan bien (entender) las cosas por otra manera commo por algunas semejanças, conpus este libro en manera de preguntas et respuestas que fazian entre si un rrey et un infante su fijo, et un cavallero que crio al infante, et un philosopho[34].

La literatura no hace más que retomar de la realidad lo que ha sido en épocas diversas el procedimiento más corriente de enseñanza. Para E. Myers[35] hay pruebas claras de que en las escuelas índicas se empleaba el método de los debates. P. Riché describe así las prácticas de una escuela monacal del siglo VIII, que debieron ser comunes en la Edad Media: *Le maître devait se contenter de dialoguer avec ses élèves comme il le faisait à propos de la grammaire. La leçon prenaît plutôt l'allure d'une interrogation que d'une* disputatio[36].

En el *Calila* se repite este esquema con los diálogos filósofo/rey que abren y cierran los capítulos, pero a su vez el sistema adquiere una mayor complejidad. Los personajes de las narraciones mantienen extensos diálogos sobre las acciones (pasadas, presentes o futuras) o sobre temas más abstractos, como la riqueza, la amistad... Estas distintas situaciones dialogadas van configurando la estructura del *Calila* y contribuyen a desvelar ante el lector el "meollo" de los relatos. Para la *presentación interna* del contenido sirven las "semejanzas" *(ejemplos y comparaciones)* y las *sentencias.* Esto por lo que concierne a la enseñanza escrita, ya

---

(33) *Libro del consejo e de los consejeros,* ed. cit., p. 23.

(34) Don Juan Manuel, *Libro de los estados,* ed. cit., p. 16.

(35) E. D. Myers, *La educación en la perspectiva de la historia,* México, FCE, 1966.

(36) P. Riché, *Education et culture dans l'Occident Barbare. VIe-VIIe siècles,* Paris, Ed. Du Seuil, 1962 (Patristica Sorbonensia, 4), p. 527.

que ésta no es el único campo didáctico pues también se cuenta con la enseñanza visual y oral.

Las sentencias y comparaciones responden muchas veces al mismo propósito: el ejemplo describe un hecho del que se puede extraer una sentencia de carácter general. En otras ocasiones, el ejemplo es el desarrollo de una sentencia preexistente. Sea cual fuere la prelación, la sentencia constituye siempre una forma condensada de "saber", por lo que entraña con frecuencia una mayor dificultad para desvelarlo. Una muestra de esta dificultad se encuentra en las partes segunda, tercera y cuarta del *Conde Lucanor,* en las que, además, su autor distorsionó voluntariamente la sintaxis. El procedimiento viene impuesto por el valor de la materia misma transmitida, a lo que se añade la satisfacción por la dificultad vencida. En el prólogo a la *Crónica abreviada* explica que "segunt dizen los sabios, quanto ome más trabaja por haber la cosa, más la terna después que la ha. Otrosí (...) dizen quel saber debe ser cercado de tales muros que non puedan entrar allá los nescios"[37].

Según cuentan los *Bocados de Oro,* una actitud semejante adoptaba Platón, el cual "mostraba por alegoría la sapiencia, e encobríe-la por tal que la non entendiesen d'él, si non los sabios"[38]. La literatura gnómica hispano-árabe fue la fuente de inspiración del noble castellano para redactar estas partes, ya que en ella se hacía un abundante uso de sentencias, en ocasiones no demasiado explícitas. Todos estos textos van dirigidos a un público culto, personas entendidas y de recta intención. El gran tesoro que es el saber no puede desvelarse a determinados individuos, capaces de hacer un mal uso de él. "Aristóteles" justificaba con estas razones sus procedimientos estilísticos ante su discípulo Alejandro, en un libro cuyo título ya es suficientemente expresivo, *La Poridat de las poridades:*

> Pues pensat en sus palabras encerradas con la manera que sabedes de mi et entender lo edes ligera miente, pero non çerre tanto sus poridades si non por miedo que non caya my libro en manos de omnes de mal sen et desmesurados[39].

El saber debe presentarse veladamente porque tiene un carácter esotérico. "Para el hombre primitivo el poder y osar algo significa poderío, pero el saber algo significa poder mágico. En el fondo, para él cada conocimiento es un conocimiento sagrado, un saber misterioso y mágico. Porque cada conocimiento guarda, para él, una relación directa con el orden del mundo"[40]. En el marco narrativo del *Sendebar,* la adquisición del saber está presentada como un rito iniciatorio, como se verá más adelante.

La preferencia por uno u otro sistema (semejanzas, sentencias) está en relación con el público al que vaya destinado el texto. Las colecciones narrativas hacen mayor uso de ejemplos y comparaciones como medio para allanar la exposición de materias difíciles. Así lo explica el filósofo en el *Libro de los Estados:*

(37) *Escritores en prosa anteriores al XV,* ed. cit., p. XXII.

(38) *Bocados de oro,* ed. cit., p. 71.

(39) *Poridat de las poridades,* ed. cit., p. 32.

(40) J. Huizinga, *Homo ludens,* Madrid, Alianza, 1972, p. 129.

Otrossi, sennor infante, devedes saber que por rrazón que los omnes somos enbueltos en esti carnalidat grasosa non podemos entender las cosas sotiles spirituales sinon por algunas semejanças[41].

Supondrán las comparaciones un grado intermedio entre los ejemplos y las sentencias: tratan de poner en relación un elemento del texto con algo familiar al lector u oyente, generalmente relacionado con el mundo de la naturaleza. Habrá comparaciones muy próximas a los ejemplos, como ésta de Sençeba:

> ...e so en esto atal commo la aveja que se asyenta en la flor del nenufar, e comiendo ende pagase atanto della que olvida que deve bolar dende, e en la noche çierrase la flor sobre ella e muerese ende, ca se abre el nenufar quando sale el sol, e çierrase quando se pone el sol (p. 94).

Los ejemplos tienen también su vertiente esotérica al utilizarse animales en representación de los humanos. Según nos cuenta Ibn al-Muqaffa', tres fueron las razones que impulsaron a los sabios autores del *Calila* a utilizar ejemplos de animales:

> E ayuntaronseles para esto tres cosas buenas: la prymera, que los fallaron usados en rrazonar, e trobaronlas, *segun que los usavan, para dezir encobiertamente lo que querian,* e por afyrmar buenas rrazones; la segunda, es que lo fallaron por buena manera con los entendidos, *porque les crezca el saber* en aquello que les mostraron de la filosofia quando en ella pensavan e conoçian su entender; la terçera es, que *los fallaron por juglaria* a los disçipulos e a los niños (p. 3).

El método es una forma más de encubrir el saber relacionado con los diversos públicos[42]. Los entendidos serán capaces de ver lo que se esconde tras estos relatos, aunque deban prestar gran atención hasta llegar al sentido oculto. La misión de Berzebuey mostraba cómo hasta un gran sabio podía tomar los textos en su sentido literal y obrar erradamente. Los discípulos y los niños (es decir, los no iniciados) se sentirán atraídos por la amenidad de los relatos y llegará un día en que:

> quando el moço oviere hedat e su entendymiento conplido, e pensare en lo que dello oviere decorado en los dias que en ello estudio, a asmare lo que ende ha notado en su coraçon, sabra ende que avra alcançado cosa que es mas provechosa que los tesoros del aver (p. 3).

(41) *Libro de los estados,* ed. cit., p. 225; L. Massignon, en "Los métodos de realización de los pueblos del Islam", *ROcc,* 38 (1932), p. 279, destaca el carácter inanimado de la metáfora islámica: "De intento se la forja irreal. Y existe una gradación descendente en ella. El hombre es comparado a los animales; el animal es, por lo general, comparado a una flor; la flor, a una piedra: un tulipán es un rubí".

(42) El pasaje guarda estrecha semejanza con otro de la *Glosa castellana al Regimiento de príncipes,* ed. cit., I, p. 11: "...en toda la moral filosofía la manera de fablar según el Filósofo es figural e gruesa, ca conviene en las tales obras usar de figuras e de enxenpla, ca los fechos morales e de costumbres non caen complidamente so recontamiento. Onde por tres cosas devemos mostrar que la manera que devemos tener en esta arte e en esta sciencia conviene que sea figural e gruesa. La primera razón se toma *de parte de la manera de este arte* e de esta sciençia. La segunda, *de parte del fin* que entendemos en esta arte. La tercera *de parte del oidor* que deve ser ensennado por este arte". Véase en esta línea el libro de E. Auerbach, *Lenguaje literario y público en la baja latinidad y en la Edad Media,* Barcelona, Seix Barral, 1961.

De este modo se consigue abarcar un amplio espectro de lectores. Este es también el propósito de Don Juan Manuel al componer el *Conde Lucanor* y por ello utiliza indistintamente sentencias oscuras y semejanzas. Incluso se puede aventurar que hacía uso de la enseñanza visual; en efecto, según J. M. Blecua[43] cabe pensar que la voz "estoria" repetida al concluir cada ejemplo ("Et la estoria deste exiemplo es esta que se sigue") podría aludir a una miniatura que siguiese al cuento en el códice original. El valor de "estoria" como equivalente a "pintura o dibujo" queda atestiguado en varios textos. Mª Rosa Lida de Malkiel[44] creía, por el contrario, que esta frase anunciaba la "estoria" o parte narrativa que venía a continuación (es decir, el próximo cuento). Sin embargo, su argumento no explica por qué el último ejemplo (LI) termina con idéntica frase. Asimismo, de aceptarse la hipótesis de J. M. Blecua, la ilustración podría ser un medio más para explicar el contenido de cada relato.

Otros textos didácticos anteriores atestiguan la utilización de este procedimiento para facilitar el aprendizaje. Emblemas, jeroglíficos, etc., presentan encubiertos los conocimientos para los iniciados; otro tipo de ilustraciones facilitan la asimilación rápida de los contenidos por parte de los indoctos. Durante la época medieval la abundancia de iletrados también hizo necesario recurrir a otros canales de difusión del saber, como la enseñanza oral y la visual. Según cuenta P. Riché[45], desde el siglo IV los clérigos de Occidente sacaron partido de las representaciones que decoraban las iglesias; Gregorio el Grande afirmó el papel pedagógico de las pinturas.

ADQUISICION

El conocimiento puede adquirirse por diversos caminos coincidentes: la lectura, la experiencia, la contemplación de imágenes, el contacto directo con el maestro... Los textos didácticos, pese a encuadrarse en un mundo libresco, mantienen relaciones con todos estos métodos, ya que ninguno de ellos es en sí suficiente. Para llegar a alcanzar la sabiduría hay que superar una serie de etapas que Ibn al-Muqaffa' trata en su introducción al *Calila;* aunque sus palabras se centren en la correcta comprensión del libro son válidas por extensión a todo proceso de aprendizaje. Las correspondencias con otros textos confirmarán esta suposición. El complejo proceso hasta llegar a adquirir la sabiduría no se reduce a la lectura. Esta no es más que una primera etapa que debe ser seguida por otras: esforzarse y entender lo aprendido, ponerlo en práctica, obrar bien y confiar en Dios. El proceso se cerrará cuando el discípulo se convierta a su vez en maestro y enseñe sus conocimientos.

El saber, la riqueza, la amistad... —a semejanza de la naturaleza— se conciben como ciclos cerrados en sí mismos, con un desarrollo paralelo que se acentúa

(43) *El Conde Lucanor,* ed. cit., p. 61, n. 100.

(44) M.ª R. Lida de Malkial, "Tres notas sobre don Juan Manuel", p. 107.

(45) P. Riché, pp. 542-43. La relación entre las imágenes y la memoria es el tema de la obra de F. Yates, *El arte de la memoria,* Madrid, Taurus, 1974.

con la utilización de determinados símiles. El saber, al convertirse en obra, "fructifica"[46] ("el saber es commo el arbol, e la obra es la fruta", p. 5). Los consejos que el mercader da a sus hijos relativos al recto uso de la riqueza (capítulo III) podrían aplicarse igualmente a los conocimientos. El padre advierte a sus hijos acerca de la necesidad de:

> ganar aver de buena parte, desey mantenerlo bien, desy fazerle fazer fruto, e despenderlo en las cosas que emiende la vida, e byvir a plazer de los parientes e de los amigos, e que torne con alguna pro para el otro mundo. E quien menospreçia alguna destas con alcança lo que desea (p. 42).

Cumplidos estos cuatro requisitos, el hombre logrará los tres fines propuestos por el libro: "abondada vida, e aver alguna dinidat entre los omes, e anteponer buenas obras para el otro syglo" (p. 42). El proceso resulta, pues, coincidente para "saber" y "riqueza". En ambos casos se propugna su adquisición, mantenimiento, hacer buen uso de lo poseído con el fin de acrecentarlo y lograr el bienestar en el mundo (el del individuo en sí mismo y en relación con los demás) y en la otra vida. La vinculación entre sabiduría y riqueza se acrecienta por la temática de los ejemplos (ricos, pobres, ladrones...) insertados por Ibn al-Muqaffa' para explicar las etapas del conocimiento.

La relación entre los cuentos y los consejos del traductor árabe no aparece directamente establecida en el texto; sin embargo, a mi juicio, los relatos ilustran la vía negativa de lo afirmado en las advertencias. Sólo el último tendrá un final positivo, pero ya antes han concluido las diferentes etapas para adquirir la sabiduría.

Para superar la primera –*adquisición del saber*– es necesario que el discípulo colabore con su esfuerzo y entendimiento:

> E sepas que la prymera cosa que conviene al que este libro leyere, es que se quiera guiar por sus anteçesores, que son los filosofos e los sabios, e que *lo lea, e que lo entienda bien*, e que non sea su yntento de leerlo fasta el cabo syn saber lo que ende leyere (p. 4).

Dentro de este primer punto establece una distinción gradual. "El hombre engañado por los cargadores" (cuento 1) se dejó guiar por los sabios y, gracias a ellos, localizó el tesoro enterrado, pero aquí concluyó su trabajo ya que pidió ayuda a unos cargadores para transportarlo; el fracaso se justifica por la *falta de esfuerzo personal*.

Está representado el segundo grado por aquel que trabaja pero le falta el entendimiento, con lo que el esfuerzo resulta baldío. El traductor narra el caso (cuento 2: "El ignorante que quería pasar por sabio") de un hombre que deseaba aprender gramática y pidió a un sabio que le escribiera las partes de esta ciencia. Leyó con detenimiento y aprendió el texto, pero *le faltó entenderlo* ("pero non conoçio nin entendio el entendymiento que era en aquella carta" p. 5). Sus

---

(46) Por el contrario, aquel que "fuer su seso (menos) que su saber es commo arbol syn fruto", *Libro de los Cien Capítulos*, ed. cit., p. 27.

confusiones darán origen a las burlas de los sabios con quienes pretende discutir[47]: "E ellos burlaron del, porque non lo sabia entender, e los sabios tovieronlo por muy gran neçio" (p. 5).

Una vez adquirido el saber, éste debe concretarse en dos formas: *poniéndolo en práctica*[48] y *enseñándolo*[49]. De este modo fructifican y se multiplican los conocimientos aprendidos. Los textos didácticos se muestran unánimes en este punto:

> Saber syn obra es como la nave quando peresçe; qualquier de los que se pierden, muchos se pierden con el... Non es el saber con mucha verba mas con que lo sepa omne e obre por ello[50].

Todos los posibles efectos benefactores de la sabiduría desaparecen, si no se lleva a la práctica: "E aquel que sopiere la cosa e non usare de su saber, non lo aprovechara" (p. 5). Para ilustrar dicha norma, Ibn al-Muqaffa' incluye el cuento de "El hombre que dormía mientras le robaban". Por un exceso de confianza en sí mismo, decide dejar actuar al ladrón libremente, pensando intervenir después: "Quiero callar fasta ver lo que fara, e de que oviere acabado de tomar lo que quisiere, levantarme he para ge lo quytar" (p. 5). Sin embargo, durante su espera, el hombre termina durmiéndose y, al despertar, "entendio que el su saber non le tenia pro, pues que *non usara del*".

La primera obligación del sabio es obrar en su provecho, lo cual no debe tomarse como una prueba de egocentrismo, pues al experimentar sobre sí se convierte en un modelo para los demás, que de este modo pueden desear adquirir la sabiduría. Una vez que el sabio ha logrado mejorarse a sí mismo poniendo en práctica sus conocimientos, está en óptimas condiciones para actuar en beneficio de otras personas:

> E el sabio deve castygar prymero a sy e despues enseñar a los otros; ca seria en esto atal commo la fuente que beven todos della e aprovecha a todos, e ella non ha de aquel provecho cosa ninguna; ca el sabio, despues que adereça bien su fazienda, mejor adereça a los otros con su saber (p. 6).

La concepción estática del saber, presente en estos textos, no supone aceptar sin mayor comprobación todos los conocimientos. Los individuos, transmisores de

(47) Según Pedro Alfonso, *Disciplina Clericalis*, ed. cit., p. 15: *Non omnis qui sapiens dicitur sapiens est, sed qui discit et retinet sapientiam.*

(48) Como recuerda el *Zifar,* ed. cit., p. 266, "el saber syn el obrar es commo el arbol syn fruto". Don Juan Manuel, en *El Conde Lucanor*, p. 266, reitera estas ideas aplicadas tanto al saber como a las riquezas: "Non es cuerdo el que solamente sabe ganar el aver, mas eslo el que se sabe servir et onrar él dél commo deve. Non es de buen seso el que se tiene por pagado de dar o dezir buenos sesos, mas eslo el que los dize et los faze".

(49) Ya vimos cómo el saber era una fuente inagotable. Según matizará el *Libro de los buenos proverbios,* ed. cit., p. 83, la única razón capaz de hacer menguar ese depósito es la negativa de los sabios a divulgarlo: "El ffuego non mingua porque toman del mas por no aver lleña. Otrosi el saber non mingua por quanto aprenden del mas los sabios lo fazen perder y *minguar porque lo non quieren mostrar.* Pues non seades escassos de lo que sopieredes".

(50) *Libro de los Cien Capítulos,* p. 29.

115

tal sabiduría, pueden actuar con malas intenciones, por lo que es necesaria una verificación previa:

> E el omne entendido deve sienpre sospechar en su asmamiento e non creer a ninguno, maguer verdadero sea e de buena fama, salvo de *cosa que le semeje verdat* (p. 8).

El tema se replanteará al tratar la selección de las amistades:

> El ome entendido non deve poner su amor con ninguno, synon despues que le provare; que el que se atreve en fyarse en alguno non le aviendo provado, metese en grande peligro e llega a fuerte lugar (páginas 322-323).

Con frecuencia, las personas se presentan recubiertas de una falsa apariencia. Ante un mundo lleno de engaños, el ejemplo triunfa por su carácter de prueba. El proceso es doble y reversible: una experiencia particular pasa a convertirse en "ejemplo" cuando es útil para otras situaciones; cada individuo debe comprobar, a su vez, la validez de ese modelo para su circunstancia. En *El Conde Lucanor,* el conde aprende el consejo ejemplificado por Patronio y, a continuación, lo verifica personalmente ("fizol commo el le consejara, et fallose ende bien"). Tras esta puesta en práctica personal, el conde puede ya convertirse en guía para otros, pero será el propio autor quien eleve a categoría general en los dísticos finales lo particular del caso.

Si un sabio no ejercita su sabiduría, pierde su categoría de tal. Ibn al-Muqaffa' no inserta ningún ejemplo en este punto, si bien el capítulo final de la colección (XVIII: "Del que da consejo a otro e non lo tiene para sy") sirve de ilustración perfecta. De este modo, el libro —pese a estar compuesto a base de aportaciones sucesivas— adquiere un carácter unitario y cerrado.

El servirse de lo aprendido para obrar mal es uno de los hechos más reprendidos dentro de la ética del *Calila:*

> E aquel que se trabajara de demandar el saber perfetamente, leyendo los libros estudiosamente, *sy non se trabajase en fazer derecho,* e seguir la verdat, non avra del fruto que cogiere synon el trabajo e el lazerio (p. 4).

En este punto Ibn al-Muqaffa' introduce el cuento de "El hombre que quería robar a su compañero". Un especiero deja una señal sobre el sésamo de su compañero con el ánimo de robarlo por la noche. El otro, sin conocer el engaño, cambia la señal y el ladrón se roba a sí mismo.

Con este ejemplo quedan prácticamente concluidas las etapas del saber. Sin embargo, Ibn al-Muqaffa' retoma el tema de la riqueza vinculándolo al determinismo. Al pobre (¿podríamos leer también al carente de entendimiento?) se le cierra en principio la puerta del otro mundo, al no poder hacer fructificar su riqueza. En estos casos, el traductor propugna la confianza en Dios. A continuación, narra un ejemplo que resulta incoherente en el texto castellano y es necesario reconstruir con ayuda de otras versiones. Un pobre nota la presencia de un ladrón en su casa, pero, convencido de que no tiene nada que perder, adopta una postura pasiva (análoga a la del hombre sabio y rico que se durmió mientras le robaban). Finalmente cambia su actitud al ver que el ladrón había localizado sus únicos bienes: un poco de trigo. Intenta darle alcance y se queda no sólo con lo suyo sino con el botín de anteriores robos que, con las prisas, abandona el ladrón. La ayuda de Dios y, sobre todo, la participación del pobre, han cambiado el resultado. El cuento es una clara invitación de Ibn al-Muqaffa' a la vida activa.

EL SABIO Y LA CORTE

Aquel que ha seguido todas las etapas reseñadas con anterioridad ha adquirido la sabiduría. Pero para ser llamado sabio no sólo está obligado a convertir sus conocimientos en obras, sino también a difundirlos, ya que el incumplimiento de esta obligación contribuye a que mengüe ese gran depósito inagotable:

> Lo que omne sabe sy non la muestra a otros e non obra con ellos como deve es muy gran pecador por ello[51].

Por el contrario, la puesta en práctica de su sabiduría contribuye a que la ciencia se difunda y, a su vez, a que el sabio mantenga vivos sus conocimientos:

> El enseñamiento añade en el seso, e el decorar retiene el saber, e el usar aguza la natura memoria; el (disputar) aguza la agudez, e el olvidar es ocasion del saber[52].

Por su parte, el discípulo debe poner la mejor disponibilidad para captar las enseñanzas. Los consejos más apropiados se estrellan contra aquél que no quiere escucharlos. Tal es el problema de las relaciones entre Calila y Dimna. Las buenas palabras del primero no hacen mella en el ánimo del segundo que carece de la voluntad necesaria. Al concluir el capítulo tercero, Calila se lamentará repetidas veces de la ineficacia de sus consejos:

> Non te entremetas de endereçar al que no se endereça, nin de abyvar al que non se abyva, nin castigar nin enseñar al que non se castiga (p. 116).

Lo mismo le sucede al buen privado del rey de los búhos y a tantos otros personajes cuyas opiniones no son escuchadas.

Tanto el maestro (o sabio) como el consejero deberán ser respetados para que sus palabras resulten eficaces. El paralelismo maestro-consejero se encuentra en la misma categoría social del cargo, muchas veces coincidente. Los cuentos presentan personajes que asumen ambas funciones, aunque en otras ocasiones se distribuyan entre personas diferentes. La identidad se basa en la necesidad de que el rey cuente con un conjunto de asesores distinguidos por su sabiduría y su

---

(51) *Libro de los Cien Capítulos,* p. 28.
(52) *Ibidem,* pp. 27-28

experiencia. Los años y las lecturas acumuladas les confieren la posibilidad de aconsejar al rey en sus tareas.

Un caso claro de este reparto de funciones se encuentra en el capítulo XVI del *Calila,* que narra la historia del rey Çederano. Todo el relato sigue una estructuración bimembre que afecta a los personajes: al "honrrado pryvado Beled" le corresponde la función de consejero, pero será "Cayneron su filosofo" el encargado de interpretar el sueño que angustia al rey. El primero reside en palacio junto al monarca y comparte con él todos los problemas; es precisamente quien le aconseja consultar a Caynero. El filósofo vive apartado y parece entendido en conocimientos esotéricos, pues es capaz de interpretar el sueño. A la hora de repartir los regalos enviados por reyes vecinos, Çederano entrega a cada uno atributos que coincidan con su función. El privado recibe la espada y Caynero los paños de oro, símbolo de dignidad y sabiduría.

La misma distinción figura en algunas versiones del *Calila* al narrar la misión de Berzebuey. Cosroes, rey de Persia, contaba con numerosos consejeros, entre otros su visir Buzurjumihr (nombre que recibe en estas traducciones). Al tener noticias de la existencia de las hierbas de la inmortalidad, encargó a su privado favorito que buscara a un hombre capaz de realizar tan arriesgada misión. Este será el filósofo-médico Burzoe. Al regreso del viaje, el visir queda encargado de redactar la biografía del filósofo. Sin embargo, ya vimos cómo, según las tesis de A. Christensen, el sabio y el consejero no son más que un desdoblamiento del mismo personaje histórico: el médico de Cosroes.

Los reyes para asesorarse convocaban asambleas de sus sabios, que aparecen con frecuencia reflejadas en los cuentos. De un numeroso conjunto de voces, el narrador recoge sólo las opiniones contrastadas de cuatro o cinco sabios, los cuales suelen recurrir al lenguaje comparativo —más o menos desarrollado— para ilustrar sus puntos de vista. El último en intervenir, y aquel que se opone con mayor fuerza a las opiniones de los demás, resulta el consejero perfecto o el maestro idóneo para los infantes. En el debate entre los sabios podemos ver un reflejo de la costumbre oriental de discutir públicamente los temas científicos. Como recuerda Grunebaum, *la savant était censé mettre son sujet sous discussion. Ces combats verbaux étaient menés d'une façon açerbe et qui nous semble plutôt déporvue de tact: Comme c'est inévitable en de telles circonstances, le meilleur homme, même la meilleur cause, peuvent facilement avoir le dessous*[53]. Este será el caso del buen privado del rey de los búhos cuyas palabras quedarán ahogadas por las opiniones de los demás. Sin embargo, lo más frecuente es lo contrario (consejeros del rey de los cuervos en el capítulo VI; liebres, VI, 2; gatos, XVI, 2).

En otras ocasiones, el monarca reúne a sus sabios consejeros preocupado por la educación de sus hijos. De la asamblea surge el maestro adecuado *(Hitopadeza, Sendebar)* o bien un ministro propone el nombre de la persona idónea *(Panchatantra).* Una vez localizado, el maestro se aparta con sus discípulos durante un plazo prefijado para intentar su aprendizaje. La enseñanza individualizada se preferirá durante mucho tiempo por ser más selecta y a su vez porque

---

(53)   G. von Grunebaum, *L'Islam médiéval. Histoire et Civilisation,* p. 270.

la convivencia conjunta ayudaba a formar el carácter del discípulo[54]. El estudio apartado aparece en el *Sendebar*, el *Hitopadeza*, el *Libro de los estados*[55] ... Las referencias pedagógicas que pueden extraerse de estas colecciones cuentísticas coinciden con los rasgos característicos de la educación índica. Según E. Myers, ésta puede definirse como oral, privada, tutelar, semiaristocrática, fundamentalmente religiosa y dominada por un ideal.

La necesidad de buscar un buen maestro para los infantes viene dada por el papel que les espera en la sociedad. Aquel que va a convertirse en dirigente debe reunir en sí la sabiduría, el poder, la riqueza...; por tanto, la obligatoriedad de aprender no afecta a todos en la misma medida:

> Punad de ganar enseñamiento sy fuerdes reyes o señores e señorear vos hedes e valdrédes mas por ende[56].

Del mismo modo, los "espejos de príncipes" serán útiles para todos, pero el rey o el infante —dada su función— podrán sacar el máximo provecho de ellos:

> Mas sennaladamente conuiene a los rreyes e aquellos que tienen estado de honrra e de poderio, ca los sus consejos son mas altos e mas grandes que de todos omes ningunos, por que les cae mucho en auer este libro e de entender lo que dize, e obrar por ello[57].

La sabiduría a la que aluden estas citas no remite tanto a conocimientos científicos en sí como a un tipo de filosofía moral.

Dentro de una sociedad estamental, aquél que ocupe el puesto más elevado estará más obligado a adquirir el saber[58]. Sin embargo, en algunos textos se discute la prioridad entre saber y linaje, inclinándose por el primero:

(54) Como recoge E. Myers, ob. cit., p. 82, la educación índica "daba la mayor importancia a la primacía del papel del maestro en un sistema educativo cuya misión no era sólo comunicar conocimientos, sino también, y principalmente, formar el carácter: los maestros, no los libros, eran las fuentes importantes de instrucción". Algo semejante ocurría entre los griegos, según cuenta I. Marrou en su ob. cit., p. 37.

(55) E. Myers, ob. cit., p. 84, nos recuerda el carácter histórico de esos datos. El estudiante "dejaba su hogar y su familia para entrar en casa de su maestro y convertirse en un miembro de ella. La admisión en casa del gurú la determinaba únicamente el juicio de éste acerca de la preparación moral e intelectual del solicitante para recibir la instrucción. La residencia en casa del maestro implicaba la petición de limosna, el cuidado de los fuegos sagrados y el servicio del maestro por la palabra, la mente y las acciones". Un reflejo de estas costumbres puede encontrarse en el *Hitopadeza*, el *Sendebar* y hasta en el *Libro de los estados*, aunque en este último puedan reconocerse huellas de los "estudios particulares", codificados por Alfonso X.

(56) *Libro de los Cien Capítulos*, p. 27.

(57) *Libro del consejo e de los consejeros*, p. 21. Un planteamiento análogo puede encontrarse en la *Glosa castellana al Regimiento de príncipes*, ed. cit., I, p. 14.

(58) En las *Partidas*, II, V, 16 se dice: "Acusioso debe el rey seer en aprender los saberes, ca por ellos entenderá las cosas de raíz, et sabrá mejor obrar en ellas, et otrosí por saber leer sabrá mejor guardar sus poridades et seer señor dellas... Et aun sin todo esto, por la escriptura entenderá mejor la fe, et sabrá más complidamente rogar a Dios, et aun por el leer puede él mesmo saber los fechos granados que pasaron, de que aprenderá muchos buenos enxiemplos. Et non tan solamente tovieron por bien los sabios antiguos que los reyes sopiesen leer, mas aun que aprendiesen de todos los saberes para poderse aprovechar dellos".

> Mas vale enseñamiento que linaje, ca el omne bien enseñado conosçer lo han quantos lo vieren por su enseñamiento, e non lo conosçeran por su linaje sy non gelo muestran o non gelo fazen saber[59].

Esto se lleva al límite al conceder al saber una cierta capacidad de movilidad social:

> El enseñamiento es de las mas nobles cosas del mundo; alcançan los omes de los linajes viles en alto logar[60].

Hasta el punto de que, según el *Libro de los buenos proverbios,* "el buen enseñamiento escusa el linnage"[61].

Cobrarán estas obras nuevas resonancias en un contexto medieval. A fines del XI, con el desarrollo de la cultura románica, comienzan a adquirir un puesto social los letrados, por razón de sus conocimientos. A esto se añade la multiplicación de las Universidades a partir del XIII, hasta que poço a poco va surgiendo un grupo de "hombres de saber" en torno al rey. Con ello se establecen unas nuevas relaciones entre sabiduría y linaje (unido a función en la sociedad). En palabras de J. A. Maravall, "el saber capacita —y sólo él— para el desempeño de funciones públicas de gobierno y administración, las cuales, en consecuencia, deben ser reservadas a quienes están en posesión de aquél"[62].

En el *Calila,* por encima del saber habrá otras fuerzas inalcanzables como el linaje (capítulo XVI) o el destino. El "entendido", como veremos más adelante, podrá hacer muy poco contra ellas. Don Juan Manuel, por el contrario, se muestra menos determinista:

> Et aun a el saber otra mejoria: que beemos muchas vezes que si vn omne que a grant saber le ayuda la ventura, tanto subra con el su saber, que aunque la ventura se buelua, que siempre fincara el muy bien andante; et aunque la ventura sea contraria, con el su saber se sabra mantener fasta que la ventura se mude[63].

Un tercer elemento, en pugna con los anteriores (saber y linaje), es la riqueza. El problema lo recoge agudamente Don Juan Manuel, inclinándose por el primero:

> Et muchos dubdan qual es mejor, el saber o el aver; e çiertamente esto es ligero de judgar; ca çierto es que el saber puede guardar el aver, e el aver non guardar el saber[64].

Los dos términos —saber y riqueza— suelen ir emparejados, como vimos en el apartado precedente:

(59) *Libro de los Cien Capítulos,* ed. cit. p. 26.

(60) *Ibidem,* p. 27.

(61) *Libro de los buenos proverbios,* p. 59.

(62) J. A. Maravall, "Los hombres de saber o letrados y la formación de su conciencia estamental", en *Estudios de Historia del Pensamiento Español.*

(63) Don Juan Manuel, *Libro Infinido,* p. 6.

(64) *Ibidem;* una cita idéntica se recoge en el *Libro de los Cien Capítulos,* p. 28.

Dos glotones son los que non se fartan nunca: el que ama el saber e el que ama el aver. Con sapiença gana omne parayso e con el aver abra solaz (...). El saber e el aver alça los viles e cumple los menguados[65].

En los textos orientales es frecuente hallar una cierta armonía entre los dos conceptos, que no se consideran excluyentes. El caso más ilustrativo se encuentra en la autobiografía de Berzebuey, quien, tras alcanzar el conocimiento de la medicina, se decide por curar altruistamente al prójimo con la esperanza de "ganar el otro syglo". El que persigue tan nobles fines no se verá desamparado en este mundo, pues, según sus palabras, "el que quisiere por su fisica aver el galardon del otro siglo, non le mengua rriqueza en este mundo" (p. 18).

HISTORIA DE UN APRENDIZAJE: EL MARCO NARRATIVO DEL "SENDEBAR"[66]

La historia del marco del *Sendebar* reúne en sí elementos comunes a diversas tradiciones literarias y folklóricas, junto con ecos de antiguos ritos iniciáticos. Sin embargo, el núcleo estructurante de todo el relato, razón por la cual se incluye en este capítulo, es *el aprendizaje*.

Al igual que tantos cuentos maravillosos, la narración se inicia antes del nacimiento del héroe, lo que nos da ocasión para conocer los problemas planteados por su concepción. Un rey de Judea se lamenta ante una de sus noventa mujeres por la falta de un heredero. Aconsejado por ella, reza una oración que pone fin a su esterilidad prolongada, solucionándose la carencia de hijo:

E quando fueron conplidos los nueve meses, encaesçio de un fijo saño; e el rrey ovo gran gozo e alegria e mucho fue pagado del (p. 5).

Esta circunstancia la tendrán presente varios personajes del relato, ya que la actitud justiciera del rey contrastará con el hecho de ser su único hijo. Los privados se encargarán en varias ocasiones de recordar esta contradicción. La alegría por el nacimiento del niño se ve pronto enturbiada por la observación de su horóscopo. Los sabios contemplan la estrella del heredero y anuncian al rey "que era de luenga vida e que seria de gran poder, mas a cabo de veynte años quel avia de conteçer con su padre por que seria el peligro de muerte" (p. 6).

Las etapas reseñadas hasta ahora son comunes a diferentes mitos heroicos[67]. Otto Rank resumió así los primeros años en la vida del héroe: "Desciende de padres de la más alta nobleza; habitualmente es hijo de un rey. Su origen se

---

(65) *Libro de los Cien Capítulos,* p. 29.

(66) Este apartado es reelaboración del artículo de J. M. Cacho Blecua y M.ª J. Lacarra Ducay, "El marco narrativo del *Sendebar",* en *Homenaje a Don José María Lacarra de Miguel en su jubilación del profesorado,* Zaragoza, Anubar, 1977, vol. II, pp. 223-243.

(67) En los comienzos del relato se pueden reconocer casi todos los apartados que V. Propp, *Morfología del cuento,* Madrid, Fundamentos, 1971, incluye en la situación inicial.

121

halla precedido por dificultades, tales como la continencia o la esterilidad prolongada, o el coito secreto de los padres, a causa de la prohibición externa u otros obstáculos. Durante la preñez, o con anterioridad a la misma, se produce una profecía bajo la forma de un sueño u oráculo que advierte contra el nacimiento por lo común poniendo en peligro al padre o a su representante"[68].

Tras conocer el resultado del horóscopo, el rey no tiene ninguna reacción defensiva al sentirse indirectamente amenazado. Su actitud consiste en dejar todo a la libre voluntad de Dios:

> Quando oyo dezir esto, finco muy espantado, ovo gran pesar; e tornosele en alegria e dixo: —Todo es en poder de Dios que faga lo quel toviere por bien (p. 6).

Dentro de los esquemas habituales del mito heroico, el padre trata de hacer lo posible porque desaparezca el niño que va a causarle un futuro peligro. Esto da origen al motivo del héroe abandonado en las aguas, en el bosque..., entregado a algún criado con orden de darle muerte o encerrado en un palacio[69]. Ninguna de estas actitudes defensivas resultan nunca eficaces contra lo profetizado, al igual que sucederá con la prohibición de hablar impuesta por Çendubete.

Los años de la infancia transcurren vertiginosamente, sin ninguna mención especial. Lord Raglan[70] llamó la atención sobre esta laguna que solía presentarse entre el nacimiento y la adolescencia del héroe. En su opinión, la vida de un héroe tradicional se ajusta a una serie de incidentes no reales sino rituales; el silencio informativo se justifica desde el momento en que el niño, durante esta etapa de su vida, no tomaba parte en ningún rito iniciático. La predicción pesa, pues, como una amenaza soterrada que trata de olvidarse durante el rápido desarrollo del joven:

> E el ynfante creçio e fizose grande e fermoso, e diole Dios muy buen entendimiento. En su tienpo non fue omne nasçido tal commo el fue (p. 6).

Al entrar en la adolescencia, surgen de nuevo los problemas ante las dificultades del héroe para el aprendizaje. El relato abandona así los esquemas habituales del mito heroico para discurrir por caminos más conocidos de la tradición literaria:

> E despues que el llego a edat de nueve años, pusolo el rrey aprender quel mostrasen escrevir fasta que llego a hedat de quinze años; e non aprendie ninguna cosa (p. 6).

(68) O. Rank, *El mito del nacimiento del héroe*, Buenos Aires, Paidós, 1961, p. 78.

(69) El comienzo de este cuento guarda notable paralelismo con la *Historia de Barlaam e Josaphat*. El rey Anemur, caracterizado por su odio al cristianismo, se lamentaba por la falta de heredero. Por fin logra tener un hijo y convoca a cincuenta y cinco astrólogos de la corte. Uno de ellos comunica que el recién nacido se hará cristiano. Su padre asustado "fizo un palaçio apartadamente muy fermoso e en el estableçio camaras muy resplandesçientes por mucha arte e obra. E puso y el moço para morar despues que acabo la hedat de la infançia, e mando que no llegase ninguno a el...", ed. cit., p. 337.

(70) Lord Raglan, "The Hero of Tradition", en *The Study of Folklore*, ed. A. Dundes, Prentice-Hall, Englewood Cliffs, N. J., 1965, pp. 142-157.

Ante esta situación el rey convoca a todos los sabios de su reino y les plantea el problema. De un total de novecientos hombres, el narrador destaca las intervenciones de cinco (número idéntico al de los consejeros en las cortes de búhos y cuervos dentro del capítulo VI del *Calila)*. El primero en hablar, y el único con nombre propio en la versión castellana, es Çendubete, quien se compromete a enseñarle en un plazo de seis meses:

> Dadme lo que yo pidiere que yo le mostrare en seys meses, que ninguno non sea mas sabidor que el (p. 6).

Las palabras de Çendubete provocan la sorpresa de sus cuatro compañeros y se establece entre ellos una pequeña disputa. El primero y el tercer sabio le interrogan sobre el mismo punto:

> —¿por que non le enseñaste tu ninguna cosa en estos años que estuvo contigo, faziendote el rrey mucho bien? (*primer sabio, p. 6)*
>
> —E tu, Çendubete, pues que non podiste enseñar al ñino en su ñinez, ¿commo le puedes enseñar en su grandeza? (*tercer sabio, p. 7).*

Tras estas preguntas, podemos sospechar que Çendubete fue el primer maestro del niño durante aquel período de nueve a quince años en que "non aprendie ninguna cosa". Aunque aquí no queda excesivamente explícito, las sospechas se confirman al cotejar el texto con la versión hebrea.[71] Posiblemente en el relato primitivo no existiría este primer fracaso, que no aporta nada al desarrollo de la narración y da origen a una explicación poco convincente por parte del maestro:

> Por la gran piedat que avia del non le pud enseñar, que avia gran duelo del a lo apremiar; porque cuydava buscar otro mas sabio que yo, pues que veo que ninguno non sabe mas que yo mostrase (p. 7).

El sabio segundo y cuarto piden a Çendubete alguna demostración que garantice su capacidad para la misión encomendada:

> Por ende, non te devemos loar fasta que veamos por que: mostrar tus manos, fazer algo de tu boca, e dezir algo por que faras de su consejo e su coraçon (*segundo sabio, p. 7).* Quiero que me emuestres rrazon commo puede seer que lo asi puedes fazer (*cuarto sabio, p. 7).*

Çendubete da una respuesta que resulta confusa en el manuscrito castellano:

> Mostrarle e en seys meses lo que non le mostrare otrie en sesenta annos, por guisa que ninguno non sepa mas quel: et yo non lo tardare

(71) En la versión hebrea, *Mishle Sendebar,* ed. cit., pp. 58-59, encontramos: "El muchacho creció y, cuando cumplió *siete años,* el rey dijo a los sabios: '¿Quién desea enseñar a mi hijo?' Y Sendebar dijo: 'Yo quiero enseñarle'. Y el rey entregó el príncipe a Sendebar, porque era más sabio que los otros seis. Y el muchacho estuvo con Sendebar *doce años* y seis meses. Y el rey lo mandó llamar y lo trajeron ante él, y él probó al muchacho con adivinanzas. Y no halló en él nada de sabiduría". Posiblemente los datos proporcionados por este texto sean los más próximos al original. Según E. Myers, ob. cit., pp. 78 y 83, en la sociedad índica el niño era admitido en la escuela a la edad de siete años y el período de estudios tenía una duración normal de doce años.

mas de una ora, ca me fizieron entender que en qualquier tierra que el
rregno fuese derechero, que el que non judgue los omnes que les libre
por derecho que lo faga entender e non aya consejo que enmiende a lo
quel rrey fisiere, si lo provare. La rriqueza fue por una egualdat, et el
fisico fuese loçano con su fiesta que non la emuestre a los enfermos bien
commo tiene. Si estas cosas fueran en la tierra non devemos ay morar.
Pues todo esto te he castigado... (p. 8).

El texto tiene un sentido más transparente en el original griego *(Syntipas)*:

> Resultaría extraño que un reino tan grande y floreciente como éste,
> enriquecido con un rey lleno de comprensión y aguda percepción,
> no poseyera un hombre que fuera filósofo y experto en el arte de la
> medicina. Si un hombre así no residiera en un reino como este, no
> deberíamos ahí morar[72].

Según esta versión, Çendubete repite un proverbio indio en el cual se enumeran
las condiciones necesarias para que un reino sea perfecto. El autor ha adaptado
el proverbio a su propia concepción de corte modelo en la que debe figurar
junto al rey un personaje conocedor de la medicina y la filosofía (el sabio ideal).
Posiblemente, la corrupción del pasaje en el texto castellano estaría motivada
por el intento del traductor árabe de arreglar el original, ajustándolo al proverbio
conocido[73]. Para B.E. Perry, el narrador tiene "in mente" el reino de Cosroes,
famoso por contar con la presencia del sabio médico Burzoe (recordemos su
papel en la transmisión del *Calila*); de ahí infiere el orientalista un nuevo apoyo
para su tesis del origen persa del *Sendebar*.

Tras estas palabras, el rey considera a Çendubete vencedor de la prueba y le
encarga la educación de su hijo. Previamente le permite expresar un deseo, a lo
que el maestro responde de nuevo con una frase proverbial, conocida en textos
eclesiásticos: "Tu non quieras fazer a otrie lo que non queries que fiziesen"
(p. 8).

Todo el apartado precedente guarda estrecha similitud con la introducción
del *Panchatantra* (recogida en el *Hitopadeza* con alguna modificación), ausente
de la versión castellana del *Calila*, ya que posiblemente al ser trasvasado el original sánscrito a Persia aún no se habría incorporado al libro. En ella se presenta a
un rey preocupado por la incapacidad de sus tres hijos para el estudio. El padre
convoca a los sabios del reino y uno de ellos propone el nombre de Vixnuzarman
como maestro ideal. En el *Panchatantra* el sabio escribe una colección de cuentos
(los que forman la obra) que los príncipes deben estudiar. El *Hitopadeza* presenta posiblemente una variante más arcaica, puesto que el maestro, en lugar de

(72) B. E. Perry, art. cit., p. 55.

(73) El mismo proverbio aparece con modificaciones en otros textos didácticos medievales. Así, en el *Libro de los doze sabios*, ed. cit., XVIII, pp. 31-35, leemos: "Que dixo
un sabio a un su amigo, dandole consejo: Fuy de la tierra donde vieres rey justiçiero e rio
corriente, e fysico sabidor, que ésta ayña perecerá". En los *Bocados de oro*, p. 15 (109) reaparece: "El que mora en lugar do no ha señor apremiador e juez justiciador e físico sabidor e
mercado fuerte e río corriente, aventura a sí e a su conpaña e a su aver". Por último lo
recoge Don Juan Manuel en *El Conde Lucanor*, p. 271: "Quien escoge morada en tierra do
non es el señor derechurero et fiel et apremiador et fisico sabidor e complimento de agua,
mete a ssí et a ssu conpaña e gran aventura".

redactar un libro, cuenta historias. El motivo afecta a la estructura de la colección, pues cada capítulo se inicia con un diálogo entre Vixnuzarman y sus discípulos.

El paralelismo entre estas introducciones y el marco del *Sendebar* ya fue puesto en evidencia por Th. Benfey. Para el orientalista alemán resultaba bastante clara la prelación del *Sendebar* ya que los prólogos al *Panchatantra* y al *Hitopadeza* presentan unas versiones inútilmente complicadas (de un hijo se pasa a tres...), sin destacar el final feliz de la misión pedagógica. Por el contrario, en el texto del *Sendebar* todavía podemos atisbar resonancias iniciáticas.

El maestro y el rey firman un contrato donde se trasluce la importancia concedida a la posición de los astros:

> E fizieron carta del pleyto, e amos pusieron en qual mes e qual ora del dia se avia de acabar, e metieron en la carta quanto avia menester del dia (p. 8).

A partir de este momento Çendubete y el niño se retirarán a un palacio construido especialmente por aquel para lograr el máximo aislamiento:

> Eran pasadas dos oras del dia, Cendubete tomo este dia el ñino por la mano, e fuese con el para su posada, e fizo fazer un gran palaçio fermoso de muy gran guisa, e escrivio por las paredes todos los saberes quel avia de mostrar e de aprender, todas las estrellas e todas las feguras e todas las cosas (p. 8).

Ya vimos como en la educación índica era costumbre que el discípulo fuera a vivir a casa de su maestro[74]. A las razones expuestas en el apartado precedente puede añadirse el interés de Çendubete por librar al infante de preocupaciones ("desembarga tu coraçon..." p. 8). El alejamiento de palacio contribuiría a relajar el ánimo del joven y a predisponer su espíritu hacia la ciencia. En cuanto a la enseñanza gráfica, aunque el texto castellano no dé muchos detalles, puede inferirse que se centraría en el estudio de los astros.[75]

(74) A. Metz, *El renacimiento del Islam*, Madrid, Impr. de Estanislao Maestre, 1936, p. 232, recoge una anécdota en el mismo sentido: "Muhammed b. Abd Allah b. Tahir —bien es verdad que era uno de los próceres más generosos de sus tiempos— daba al gramático Ta'lab, maestro particular de su hijo, una vivienda en su propio palacio en la cual habitaban juntos maestro y discípulo". En la *General Estoria*, I, 319, 14 b y ss., se dice de Moisés que tenía "muy grand sabor de appartar se del roydo de los omnes, e de los bolliçios del mundo, que *embargan* mucho a los qui en los saberes quieren contender pora aprender e aprovar en ellos mas". En el *Libro de los Estados*, p. 41, encontramos: "Et mandat que nos den una posada muy buena en el vuestro alcaçar, do nos non fagan ningún *embargo* en quanto ý oviesemos a morar". Tanto el párrafo del *Sendebar* como los citados de la *General Estoria* y el *Libro de los Estados*, emplean la misma voz, *embargo* (desembargar), para aludir a las preocupaciones que se quieren dejar atrás con el traslado.

(75) Las representaciones gráficas han cumplido en diferentes épocas un papel pedagógico. A los ejemplos aducidos en el apartado precedente puede añadirse esta cita de la *Glosa al Regimiento de príncipes*, I, p. 97: "Carlos el Grande fue muy estudioso e supo muy bien las artes liberales, e mandólas pintar en su palaçio". En las distintas versiones del *Sendebar*, las pinturas se irán adecuando a los contextos. Así, en la hebrea Çendubete rodeó el palacio "de un muro decorado con tapices de diferentes colores y dibujó en el techo todos los signos del Zodiaco y todas las estrellas y los planetas y escribió en las paredes todos los libros de

Este pasaje (y aun todo el marco) se aclara de modo considerable si se coteja con unos fragmentos del *Bonium*, el *Libro de los buenos proverbios* y el *Libro de saviessa*[76], similitud que sorprendentemente no ha llamado la atención de ningún crítico. El texto aducido posiblemente llegaría al mundo árabe a través de Hunayn b. Ishaq (el Iohannitius latino), médico y traductor de la corte de Al-Mamun:

> Dixo Johanniçio: —Estas yuntas que ffazen los philosophos eran porque los rreyes de los griegos y de los otros gentiles amostravan a sus ffijos la sapiençia y la philosophia y todas las artes y enseñavanles todo buen enseñamiento; y fazianles palaçios con oro y con plata muy pintados de muchas maneras de ffiguras por tal que oviessen sabor de yr a estos palaçios, ca estas eran sus escuelas y por esto avien mayor sabor de yr alla los moços que aprendien. Y por esta rrazon fazien los judios muchos entalles en sus sinogas y los christianos en sus ygleijas, y otrosi los moros pintan sus mezquitas. Tod esto ffazen por tal que ayan sabor los omnes de yr alla, y por esta rrazon misma fazen las escuelas de los rreyes y de los gentiles de oro y plata, y avien por costumbre que quando alguno dellos aprendie alguna sapiençia o algun enseñamiento bueno, subien por unas gradas a un palaçio todo fecho de marmol entallado y ffigurado y en el dia de la fiesta en que se ayuntavan todos los omnes de pro que avie en tod el rregno en derredor daquel palaçio. Despues que avien fecha su oraçion, ffablava el ffijo del rrey daquella sapiençia y daquel enseñamiento que avie apreso de su maestro, y oyendo todos en derredor teniendo corona de oro en la cabeça y vestido de unos paños preçiados todos fechos con piedras preçiadas y con el adobe preçiado. Y ffazen es dia al maestro grant ondra y en aquel dia entienden de que seso era el ffijo del rey o de que entendimiento podrie seer y por qual seso avie assy lo preciavan[77].

Según este texto, las imágenes tienen por misión hacer más atractivo el aprendizaje. Esta enseñanza particularizada se destinaba a hijos de reyes o de personajes nobles que debían mostrar públicamene lo aprendido, antes de pasar a ocupar el "status" que les estaba destinado. El infante del *Sendebar* se presenta por dos veces ante la asamblea: en la primera ocasión su silencio apenaba al rey

sabiduría" (p. 71).. En otras versiones, como las editadas por A. González Palencia, las figuras representan las siete artes liberales.

(76) *Libro de los buenos proverbios*, pp. 55 y ss; *Bocados de oro*, ed. H. Knust; *Llibre de doctrina del rei Jaume d'Arago*, ed. J. M. Solá-Solé, Barcelona, Hispam, 1977, pp. 57 y ss.

(77) El *Libro de los buenos proverbios* y el *Llibre de doctrina* continúan relatando la historia de Platón y su discípulo Nitaforius, hijo del rey. El padre "fizo fazer una rrica escuela para su ffijo", en la cual se encerraron maestro y discípulo en compañía de algún criado. El día de la fiesta en que Nitaforius debía "dezir la sapiençia que aprendiera de su maestro sobre el rrey y sobre sus rricos omnes" permaneció en silencio sin recordar nada. Platón estaba avergonzado cuando de improviso el criado (que no era otro que Aristóteles) subió al estrado y "rrendio toda la sapiençia y todos los enseñamientos" que había escuchado. Tras este fracaso, el hijo del rey no fue coronado. J. Vernet, ob. cit., p. 20, incluye una versión directa del texto de Hunayn que aporta nuevos detalles a la sesión festiva; el joven discutía "ante el público de las ciencias que había aprendido y recitaba fragmentos literarios de memoria. Su maestro le saludaba, se enorgullecía y le daba regalos; el muchacho era agasajado y tratado como un sabio como consecuencia de su ingenio e inteligencia (...). Los propios asistentes iban vestidos elegantemente. Y así se practica hoy entre los sabeos y los magos".

y el maestro era denostado. Los últimos cinco cuentos son pronunciados por el infante ante un público asombrado por sus conocimientos. Con su intervención demuestra ser digno sucesor de su padre.

Todo aprendizaje es en sí iniciación del discípulo en los conocimientos del maestro y a su vez la puerta de ingreso en el mundo de los adultos y en una categoría social superior. El retiro del infante con Çendubete recuerda el abandono del hogar y el aislamiento absoluto del iniciado junto a su maestro-guía, como se practicaba en algunos ritos. Esta ceremonia se realizaba al llegar la pubertad y en ella el joven aprendía lo indispensable para la vida; tras superar el rito, se convertía en un miembro efectivo de la comunidad que había abandonado y en la que pasaba a reintegrarse.[78]

En el *Sendebar,* el maestro, antes de devolver el niño a palacio, quiere contemplar el horóscopo:

> E tornose Cendubete al ñiño e dixole: –Yo quiero catar tu estrella. E catola, e vio quel niño seria en gran cueyta de muerte si fablase ante pasasen los siete dias (p. 9).

De la confrontación con el primer horóscopo resulta un error cronológico, bastante frecuente en la narrativa tradicional. Según el primer vaticinio, el infante se encontraría en peligro de muerte al cumplir veinte años, pero ahora, al llevarse a cabo el segundo, sólo puede tener quince más los seis meses transcurridos durante el aprendizaje. El contenido del horóscopo consiste, como en muchos relatos folklóricos, en un prohibición defensiva cuya transgresión hará que el héroe caiga en la trampa del agresor. Las características semánticas de esa orden –*prueba del silencio y número siete*– hicieron pensar a Carra de Vaux en una influencia pitagórica. A esto cabría objetar que el silencio no era privativo de esta religión, pues también se imponía a los jóvenes para guardar los secretos de su iniciación[79]. Sin embargo, tampoco debe olvidarse que, en el texto, la

(78) E. de Rivas, *Figuras y estrellas de las cosas,* Maracaibo, Universidad del Zulia, 1968, desentraña, valiéndose de los elementos numéricos, el sentido oculto del cuento. La aventura del príncipe sería un remedo del "proceso de iniciación mística por medio del cual las antiguas culturas significaban el perfeccionamiento del alma". Para J. Campbell, *El héroe de las mil caras,* la aventura iniciática del héroe sigue estas etapas: "una separación del mundo, la penetración a alguna fuente de poder, y un regreso a la vida para vivirla con más sentido" (pp. 39-40). Más adelante, expone los diversos grados de la iniciación: Primero tiene lugar la *separación o partida* en la que el héroe abandona su hogar camino de lo desconocido. Le sigue un período de *pruebas y victorias* de la iniciación en las que tiene que enfrentarse con la mujer como tentación y puede contar con la ayuda de auxiliares. La etapa final es el *regreso y reintegración* del héroe a la sociedad. V. Propp, en *Las raíces históricas del cuento,* Madrid, Fundamentos, 1974, estudia las connotaciones iniciáticas de varios cuentos rusos en los que el héroe abandona el hogar en compañía de un anciano para vivir un período de aprendizaje. Métodos semejantes se han aplicado también a diversas novelas. Véase, entre otros, J. Villegas, *La estructura mítica del héroe,* Barcelona, Planeta, 1972; S. Vierne, *Rite, roman, initiation,* Grenoble, Presses Universitaires de Grenoble, 1973.

(79) Carra de Vaux, art. cit.; F. Cubells, *Los filósofos presocráticos,* Valencia, Anales del Seminario de Valencia, 1965, pp. 68 y ss., expresa sus dudas en torno al silencio de los pitagóricos. La prohibición de hablar acompañaba numerosos ritos iniciáticos, como puede verse en los estudios de M. Eliade, *Iniciaciones místicas,* Madrid, Taurus, 1975, pp. 37, 181, y V. Propp, *Las raíces históricas,* ob. cit. Asimismo los relatos folklóricos conservan este motivo que comprende los números C 400-499 de la obra de S. Thompson, *Motif-Index of Folk-Literature: A Classification of Narrative Elements in Folktales, Ballads, Myths, Fables,*

prohibición de hablar es una defensa contra un peligro; no se trata, en modo alguno, de silenciar lo ocurrido durante el aprendizaje (que podrá relatar transcurrido el plazo), sino de proteger al infante; asimismo el joven puede dar prueba de su madurez al someterse a la orden.

En cuanto al número siete, quizá resulte más iluminadora una lectura en "clave astrológica". En una época de gran interés por la astrología, la adoración del número siete aparece vinculada al culto a los planetas y no debe olvidarse que la prohibición se fundamenta en la observación atenta de la estrella del infante. Consiste en no hablar en el período de una semana, división hecha basándose en las esferas planetarias, como se manifiesta en la consecuencia de adscribir cada uno de los días a uno de los planetas. Asimismo, el influjo de éstos puede tener también un aspecto negativo, con el que se relacionan los siete pecados capitales, el monstruo de siete cabezas y "el peligro como aparición gradual en siete días". Una vez que haya variado la situación de los astros, el héroe no tendrá amenazada su vida.

Dentro de este mismo episodio cabe señalar la aparición frecuente del número dos:

Eran pasadas *dos* oras del dia Cendubete tomo este dia el ñino... (p. 8).

El rey demando por el *dos* dias del plazo... (p. 9).

E Cendubete le dixo: —Señor, tengo lo que te plazera, que tu fijo sera cras *dos* oras pasadas del dia contigo (p. 9).

Quando fueren pasadas *dos* oras del dia, vete para tu padre... (p. 9).

El "dos" para ciertas corrientes esotéricas constituye un número completamente nefasto; aquí puede anunciar el peligro futuro[80].

A su regreso a palacio el infante se ve rodeado de grandes festejos, hasta que el padre comprueba su extraño silencio. Durante el plazo de una semana, el maestro permanecerá escondido para observar la actitud del discípulo y evitar posibles represalias. El infante queda solo para superar una nueva prueba iniciática: *el enfrentamiento a una mujer tentadora.* Una de las esposas del rey se aparta con el joven bajo el pretexto de hacerle hablar. La situación resulta algo similar a la precedente. El maestro se llevaba al niño a un palacio para tratar de solucionar su carencia de conocimientos; la mujer hará lo mismo para intentar romper su silencio. Sin embargo, si esta era su verdadera intención, pronto se cambia en otra:

Mediaeval Romances, Exempla, Fabliaux, Jest-Books, and Local Legends, Bloomington-London, Indiana University Press, 1966, 6 vols. En *El Libro del Cauallero Zifar*, p. 288 y ss., el "caballero atrevido" visita, acompañado por la señora del lago, la ciudad bajo las aguas con la prohibición absoluta de comunicar con sus habitantes. Tampoco los ciudadanos hablaban porque era costumbre del país *mantener riguroso silencio durante las siete semanas* siguientes a la llegada de un visitante. El "caballero atrevido" rompe la prohibición para dirigirse a una hermosa dueña. Por último, también los textos didácticos hispano-orientales conceden especial importancia al silencio como manifestación de sabiduría. Una muestra puede encontrarse en esta sentencia del *Libro de los buenos proverbios*, p. 69: "La mejor sapiençia de los buenos es el callar".

(80) Para la simbología numérica es imprescindible la obra de V. F. Hopper, *Medieval Number Symbolism. Its Sources, Meaning and Influence on Thought and Expression*, N. York, Columbia University Press, 1938 (Norwood Editions, 1978).

Matemos a tu padre, e seras tu rrey e sere yo tu muger, ca tu padre es ya de muy gran hedat e flaco, e tu eres mançebo e comiençase el tu bien, e tu deves aver esperança en todos bienes mas que el (p. 11).

La respuesta del infante no se hace esperar, aunque para ello deba romper el silencio impuesto por su maestro:

¡Ay, enemiga de Dios! ¡Si fuesen pasados los siete dias yo te rresponderia a esto que tu dizes! (p. 11).

Estas breves palabras son suficientes para que la mujer comprenda el peligro. A partir de ahora sólo ella (junto con Çendubete y el infante) conoce el plazo impuesto, lo que hace aumentar su nerviosismo conforme transcurren los días. Los privados y el rey permanecen ajenos a esta circunstancia. La reacción posterior de la mujer responde al motivo tipificado dentro de la tradición literaria y folklórica como *acusación falsa*.[81] .

Despues que esto ovo dicho, entendio ella que seria en peligro de muerte, e dio bozes e garpios, e començo de mesar sus cabellos; e el rrey, quando esto oyo, mandola llamar e preguntole que que oviera.— E ella dixo: —Este que dezides que non fabla me quiso forçar de todo en todo, e yo non lo tenia a el por tal (p. 12).

El rey, dada su cualidad de justiciero (señalada al comienzo del relato), no dudará en condenar a muerte a su propio hijo, cumpliéndose de este modo las predicciones de los horóscopos. En el transcurso de la semana se pondrá en marcha el mecanismo narrativo con intervenciones alternadas de la mujer (reiterando su acusación) y de siete privados (auxiliares del infante en su dura prueba). Las palabras de unos y otros se irán contrarrestando y conseguirán de este modo vencer al tiempo; transcurrido el plazo señalado, el infante "se salva a sí mismo", informando previamente a su padre de lo sucedido:

E contole todo commo le acaesçiera e commo le defendiera su maestro, Çendubete, que non fablase siete dias (p. 50).

Con el párrafo anterior podía darse por finalizada la historia. Sin embargo, el relato para ser completo precisa que el héroe asuma su responsabilidad de divulgar la sabiduría adquirida, con lo que, a su vez, rehabilita a su maestro. Así podemos justificar la inserción de cinco cuentos más, narrados esta vez por el infante; a través de ellos transmite la ciencia (se cierra el ciclo de su aprendizaje y puede llamarse "sabio") y se muestra digno heredero de su padre. Esta demostración incidirá sobre Çendubete, contribuyendo a realzar su misión.

El primer encuentro con la asamblea origina una discusión entre cuatro sabios para averiguar quién es el culpable de lo ocurrido. Cada uno acusa respec-

---

(81) Corresponde, dentro del índice de S. Thompson, al motivo K 2.111 (La mujer de Putifar). Aparece en el cuento egipcio de "Los dos hermanos", la historia bíblica de José, Peleo y Astidamía, Fedró e Hipólita, la Vida de Segundo, la historia de Oliveros de Castilla y un largo etcétera. Pueden consultarse, entre otros, los siguientes estudios: S. Thompson, *El cuento folklórico*, p. 435; Th. Gaster, *Mito, leyenda y costumbre en el Libro del Génesis*, Barcelona, Seix Barral, 1973, pp. 279 y ss.; B. E. Perry, art. cit.

tivamente al maestro, al rey, a la mujer y al infante. La disputa se cierra con la intervención de este último, animado por Çendubete y su padre:

> El ynfante se levanto e dixo: —Dios a ti loado, que me feziste ver este dia e esta ora, que me dexeste mostrar mi fazienda e mi rrazon. Menester es de entender la mi rrazon, que quiero dezir el mi saber e yo quierovos dezir el enxemplo desto (p. 51).

Tal relato puede ser considerado como "un caso"[82]. Un hombre invita a comer a unos amigos y encarga a su doncella que vaya a comprar leche. Un milano, agarrando una culebra, sobrevuela la jarra; al apretar el cuello de su víctima, ésta suelta el veneno que va a caer en la leche, ocasionando la muerte de todos. El narrador presenta su historia como un caso jurídico pendiente de resolución:

> E agora me dezid cuya fue la culpa porque murieron todos aquellos omnes (p. 52).

De nuevo los sabios intervienen, acusando sucesivamente al anfitrión, al milano, la culebra y la moza. El rey y el maestro animarán de nuevo al infante para que tome la palabra:

> —Ninguno destos non ovo culpa, mas açertosele la ora que avien a morir todos (p. 53).

Sus palabras resultan también válidas para su propio "caso". No ha habido ningún culpable; el destino es una fuerza superior que rige los designios del hombre. Contra ella sólo cabe oponer ciertas defensas (el silencio, la actuación de los privados, la prudencia del rey...).

Señala esta intervención el reconocimiento inmediato de la sabiduría del infante por parte de la asamblea ("non ay mas sabio que el"). A renglón seguido tratará de demostrar la inexactitud de esta afirmación, reconociendo humildemente los límites de su saber. Dos niños, de cuatro y cinco años "çiegos e contrechos" (cuentos 20 y 21), le superan ampliamente. Sin embargo, la modestia del joven no hace sino agrandar su imagen. En el siguiente relato, un viego "çiego e muy sabidor" será el maestro de una banda de ladrones. Los tres protagonistas de estas narraciones tienen unas características comunes —la ceguera y sus edades extremas— que los sitúan fuera del ámbito de lo "normal". Los niños son el ejemplo de una inteligencia sobrenatural e inocente[83]; por el contrario, la astucia del viejo está próxima a las tácticas diabólicas y procede de la experiencia vivida. En este último caso, un mercader auxiliado por una anciana logrará superarle.

En el último cuento, el infante retoma la temática misógina que presidía las historias de los privados. La mujer se sitúa al mismo nivel que el viejo diabólico del relato anterior. Así, el infante ha dado pruebas de su gran sabiduría, mos-

---

(82) Véase A. Jolles, *Formes simples.*

(83) R. Marsan, *Itinéraire espagnol du conte médiéval (VIIIᵉ-XVᵉ siècles),* dedica el último capítulo de su obra a los cuentos protagonizados por niños. Véase también el estudio de C. J. Jung y Ch. Kerényi, *Introduction à l'essence de la mythologie. L'enfant divin. La jeune fille divine,* Paris, Payot, 1953.

trándose conocedor de los límites de su propio saber (tanto por el lado positivo, los niños, como por el negativo, el viejo y las argucias femeninas). La astucia de las mujeres la ha comprobado personalmente en el incidente con su madrastra, única vía capaz de proporcionar ese conocimiento.

VI

LAS RELACIONES HUMANAS

La moral de los cuentos es habitualmente bifronte. En primer lugar está la salvación del alma —el "ganar el otro siglo"— pero sin descuidar la vida en este mundo. "Salvar el alma et guardar su fazienda et su fama et su onra et su estado"[1]. La cita de Don Juan Manuel responde, con matizaciones, a la ideología subyacente en varios textos anteriores:

> E dizen que en tres cosas se deve el seglar emendar: en la su vida e afiar la su anima por ella; la segunda es por la fazienda deste syglo; e por la fazienda de su vida e *byvir entre los omes* (p. 8).

Las palabras de Ibn al-Muqaffa' en el prólogo tienen su correspondencia en los consejos del mercader a sus hijos, dentro del capítulo III:

> Fijos, sabed qu'el seglar demanda tres cosas que non pueden alcançar synon con otras quatro: e las tres que demanda son estas: abondada vida, e *alguna dignidad entre los omnes,* e anteponer buenas obras para el otro siglo (p. 42).

El orden se ha alterado pero la triple finalidad sigue siendo la misma: riqueza, honores y dignidades entre sus semejantes y, por último, la salvación del alma. Según como se alcancen los dos primeros puntos en este mundo, se habrán hecho méritos para lograr el otro. La salvación del alma no está ligada a la renuncia sino a una vida activa, en contacto con los restantes humanos. No dejarán de aparecer en los cuentos personajes religiosos que vivan apartados de sus semejantes, pero no siempre serán tratados con simpatía. Los cuentos se dirigen preferentemente al laico al que tratan de enseñar cómo evitar a los enemigos, ayudarse de los amigos y encumbrarse sobre los demás[2]. El tema de las relacio-

---

(1) *El Conde Lucanor,* p. 279. Una cita análoga puede hallarse en p. 304. Véase el artículo de I. Macpherson, "Dios y el mundo. The didactism of *El Conde Lucanor",* RPh, XXIV, 1 (1970), 26-38.

(2) Según H. Peirce, "Aspectos de la personalidad del rey español en la literatura hispanoarábiga", *SCSML,* X.2 (1929), p. 36, "el fin de la literatura simbólico-didáctica oriental era puramente práctico, esto es, enseñar al hombre a vivir entre los demás, manteniéndose siempre alerta de modo que pudiera al mismo tiempo burlar los lazos de sus enemigos y aprovecharse debidamente de la buena voluntad de sus amigos".

nes humanas es, pues, esencial, hasta el punto de ser el eje que vertebra gran número de historias. Todas las posibilidades de combinación, amistad pura, de conveniencia relaciones con enemigos, etc., tienen su ejemplificación práctica.

Pero, antes de detenerme en estas divisiones, hay que partir de la existencia de unos grupos antagónicos, entre los cuales son extrañas las relaciones cordiales. En una primera clasificación se enfrentan los humanos a los animales, y dentro de éstos los herbívoros (más ligados a los primeros), contra los carnívoros.

GRUPOS ANTAGONICOS

Tanto los cuentos del *Calila* como los del *Sendebar* alternan personajes humanos con animales (con un predominio de éstos en la primera colección). Esta alternancia es quizá una muestra más de lo que A. Castro calificó de "estilo reversible: falsedad-realidad, aspiración-desengaño, animales-personas"[3]. La oposición entre los dos mundos no se plantea igual en todas las historias —quizá debido a sus diferentes procedencias—, aunque las divergencias no impidan descubrir una cierta sistematización.

La fábula india no contiene exclusivamente personajes animales. Hay unas historias protagonizadas por animales, otras por humanos y ejemplos de coexistencia y enfrentamiento. En el primer caso, la vida de los animales se constituye a imagen y semejanza de la humana, de la que es una fiel réplica. Así vemos reproducida la corte regia en la figura del león y sus consejeros, o el triángulo amoroso en la relación entre las garzas y el "çarapico". Los animales son carnívoros, de vida acuática, terrestre o volátil. Sus esquemas organizativos reproducen los humanos, reduciéndolos a un grado más simple: se agrupan en torno a un rey encargado de sustentar a sus súbditos. Viven al aire libre, en una naturaleza descrita con escasos rasgos, que parece, en muchos casos, un esbozo de "locus amoenus". Según de qué especie se trate, se insistirá más en uno o en otro elemento, aunque para considerar un lugar habitable debe reunir ciertos requisitos: prados, árboles, agua y estar apartado. Cada grupo (hombres y animales) tendrá asignado un espacio apropiado.

El buey Sençeba, tras ser abandonado por el mercader, amaneció "en un prado muy viçioso" (p. 44). Se destaca este elemento por tratarse de un herbívoro, aunque el grato comienzo se torne en funesto presagio de desgracia. En otros casos la descripción es más completa:

Dizen que un leon estava en una tierra viçioso, e avie con el muchas bestias salvajes, e avia ay agua y pasto quanto avian menester (p. 75).

Cuando se trate de peces, se insistirá en las características del agua:

En una clyma de las clymares de tierra de Aliemen que era rribera del

(3) A. Castro, *España en su historia (Cristianos, moros y judíos)*, Buenos Aires, 1948, p. 657.

134

mar, avia un pielago do cayan muchos rrios. E açerca de ay avia un cañaveral, e fizieranse muchos peçes en aquel pielago, e era alongado e apartado de la carrera e de las gentes (p. 348).

La descripción señala como uno de los elementos claves para hacer un lugar habitable que esté "apartado", lejos de presencias humanas y, en ocasiones, de otros animales molestos.

Entre los motivos más frecuentes a partir de los cuales se genera una historia está la vejez (la edad impide salir en busca de alimento), la actuación dañina de otro animal y la perturbación del espacio ambiental, bien por causas naturales (desecación del agua...) o por la proximidad de seres humanos. Se parte de la idea de que hay un mundo hostil cercano, constituido por hombres cuya función es la caza o la pesca, o por otros animales, cuya presencia en el "locus amoenus" contribuiría a agotar los recursos. Los hombres representan una amenaza latente en gran número de cuentos.

·En la historia de Calila y Dimna, el león se siente atemorizado por una voz desconocida. El miedo es injustificado, pues la voz corresponde a un animal (el buey) que pronto se hará amigo del rey. En otros casos, los temores se concretan en la presencia de humanos, destinados a dar caza a los animales. A veces, el lugar es muy recogido, pero el azar hace que se presente de improviso la amenaza humana:

> e era aquel pielago muy apretado e ninguno non lo sabia. E acaeçio que pasaron por ende un dia tres pescadores, e acordaron de echar ally sus redes... (p. 81).

Hay animales que sienten la vecindad del mundo humano como algo próximo y amenazante. Cuanto mayor es su felicidad, más cercana es la presencia de los cazadores, perturbando con su cerco la vida pacífica que llevan. Los "puros amigos", protagonistas del capítulo V, viven en un constante temor:

> Dizen que avia en una tierra *çerca de una çibdat un lugar de caçar donde se caçavan los paxaros e las aves;* e avia ally un arvol muy grande e espeso con muchos rramos en lo qual un cuervo que dezian Geba tenia su nido (p. 166).

La amenaza, anunciada al comienzo, se hará realidad dentro de la historia en tres ocasiones: la paloma, el gamo y el galápago irán cayendo sucesivamente en las redes del cazador. Al intuir la presencia próxima de los humanos, huyen en busca de un nuevo lugar lejano a toda civilización.

Si los animales se sitúan en un espacio abierto, los hombres eligen un paisaje urbano, salvo tres grupos (cazadores o pescadores, mercaderes y religiosos) que se alejan con frecuencia de sus lugares de residencia. Un religioso, caminando en busca de un ladrón, encuentra a dos cabrones luchando (III, 5); otro descubre una trampa donde han caído unos animales y un hombre (XV)... Estos viajes se deben a la condición itinerante de los brahmanes, que se iban alojando en diferentes casas cuando salían a predicar y recoger limosnas. Su lugar de residencia se localiza en un espacio intermedio entre el campo y la ciudad, lo que favorece el contacto entre los dos mundos. Así, el religioso del VI, 8, "estando asentado rribera de un rrio, paso por ay un milano" y se vio sorprendido con la presencia de una ratita que él transformará en niña para facilitar la convivencia.

El atesoramiento de limosnas comestibles hace de los ratones los acompañantes más asiduos de los religiosos. En el cuento XVII, 3 "un rreligioso avia una su choça en el canpo, e eran los mures muy pagados de aquella su choça e de comer sus comeres". Para solucionar el problema de los molestos inquilinos, el religioso recurre a los servicios de un gato, el cual se debate entre la fidelidad a su amo y el respeto por sus congéneres (aunque éstos sean sus "enemigos naturales"). Finalmente, se decide por su amo ("e yo non sere traydor nin yre contra lo que el cree de my"), dando un plazo de cuatro días a los ratones para que cambien de residencia.

Las alteraciones del orden natural nunca tienen resultados satisfactorios. Los animales libres no resisten la vida urbana, al igual que los domésticos mueren en el campo. El asno del VII, 1 abandona a su amo, cansado de malos tratos y deseoso de conocer el lugar paradisiaco que le promete el cerval:

> Sy tu quieres yo te mostrare un lugar viçioso e apartado do nunca anda ome, do ay mucha yerva e agua e ay unas asnas las mas fermosas que ome vio, e an menester asno e non le pueden aver (p. 248).

Sin embargo, la convivencia entre los carnívoros será todavía peor que con el "traydor falso" de su amo y el ingenuo asno morirá bajo las garras del león. A su vez, los animales que residen con los humanos tampoco llevan una existencia muy grata: el asno es apaleado, el camello y el buey abandonados cuando ya no cumplen su función, la culebra, el piojo, la pulga, el mono... mueren, y los ratones sufren persecución cuando tratan de alimentarse. Sólo los papagayos (IV, 4 y *Sendebar,* 2) —que comparten con el hombre la capacidad de hablar— y los gatos logran convivir pacíficamente con ellos.

Son muy escasas las ocasiones en que humanos y animales aparecen dentro de la narración en un plano de igualdad sin manifestarse mutuamente hostiles. En dos cuentos distintos protagonizados por animales aparece un hombre como simple personaje secundario. Su actuación se reduce a pronunciar algunas palabras que son comprendidas y aceptadas por los animales (pp. 107 y 116). Sin embargo, el caso más señalado lo constituye la "Historia del rey Beramer e del ave que dizen Catra" (capítulo X), donde la convivencia entre el rey y el pájaro es perfecta, hasta que un incidente pone punto final a su amistad.

Sólo en una ocasión, dentro del marco dialogado, el texto plantea teóricamente la oposición entre animales racionales e irracionales (capítulo XV). El debate se iniciará con una afirmación rotunda de la condición superior del ser humano sobre los animales:

> non es ninguna cosa de quantas Dios crio en este mundo, de las que andan en quatro pies e en dos e que buelen con alas mas santa nin mejor que el ome (p. 321-2).

La aseveración no explica en qué se fundamenta esta superioridad a diferencia de lo que leemos en Alfonso X: "estas son dos cosas que estreman al ome de las otras animalias, entendimiento et arte de saber"[4]. Argumento semejante repetirá su sobrino Don Juan Manuel: "Por el saber es el home apartado de todas las animalias"[5]. La afirmación axiomática del filósofo del *Calila* viene matizada a continuación por una verdad particular y contraria que sólo sucede "algunas vezes":

> E de los omes ay buenos e malos, e acaeçe algunas vezes que ay en los vestiglos e en las aves algunos que son mas leales e conoçientes que los otros del bienfecho e mas vanderas e gradeçederas e galardonaderas (p. 322).

Según recuerda F. Rico, "ya los sofistas quitaban hierro a la superior dignidad del hombre al subrayar los aspectos en que los animales aventajan a los racionales"[6]. A lo largo del *Calila* no se había planteado tan claramente una confrontación racionales-irracionales, aunque en la mayoría de los cuentos subyace una cierta superioridad del mundo animal. Si la literatura favorable a los racionales suele llamar la atención sobre la prioridad de éstos en entendimiento y razón, el bando opuesto señala la tendencia al agradecimiento como cualidad destacada de los animales (su carácter retributivo constituye un motivo recurrente en el folklore).

En el cuento VIII, 2 se narra la historia de un perro que, tras luchar con una serpiente por defender a un niño, muere a manos del padre del pequeño. Por el contrario, el capítulo XV manifiesta la condición agradecida de unos animales frente al comportamiento egoísta de un hombre. En un foso para cazar animales caen "un ximio e un tasugo e una culebra e un ome" (p. 324). El hecho de que entre los cazadores se encuentre un hombre da pie para la confrontación de ambas conductas. Un religioso que pasaba junto a la trampa se apiada del humano cazado y trata de ayudarle, lo que indirectamente comporta la salvación de los demás. El relato subraya la intencionalidad del religioso de no ayudar a los animales sino a su congénere, a quien evidentemente considera superior. Sin embargo, el narrador demuestra a través de pequeños detalles hacia dónde se inclinan sus simpatías, destacando el comportamiento pacífico de los animales, mientras el religioso los considera enemigos del ser humano:

> E estovieron todos dentro de guisa que *non se fezieron mal unos a otros*. E paso por ay un ome rreligioso e violos estar en aquella cuyta que non podian salyr, e dixo: "Yo non puedo fazer mejor obra que sacar e lybrar este ome desta trybulaçion en que esta, que todas estas alymanias *por enemygo lo an*" (p. 324).

Los rescatados agradecen de palabra al religioso la ayuda prestada y parten cada uno hacia su morada.

(4) *Libros del saber de astronomía*. La cita procede de F. Rico, *El pequeño mundo del hombre. Varia fortuna de una idea en las letras españolas*, Madrid, Castalia, 1970, p. 60.

(5) *Libro Infinido*, ed. cit., p. 3; en los *Bocados de oro*, p. 110 se dice: "La mejoría de los omes sobre todos los animales es razón, pues si non fablare, tornar-se a bestia". En el *Libro de los Cien Capítulos*, p. 23, se aconseja: "Fuid de la guerra, e ganad seso de las bestias del monte que non vienen guerrear con omne synon con cuyta o quando mas non pueden".

(6) F. Rico, *El pequeño mundo del hombre*, p. 60.

Otro día se presenta el religioso por la misma ciudad dando ocasión a cada uno para demostrar su gratitud. El primer reencuentro tiene lugar con el mono, quien aloja y alimenta al religioso por una noche. En combinación con el tejón discurre una estratagema para retribuir dignamente a su salvador:

> Yo se un lugar en esta çibdat por donde entremos al alcaçar, sy me tu anpararares de los omes, e avre yo de ally quanto tesoro el rrey tiene (p. 325).

El religioso se presenta en casa del hombre, confiando en que le compre las joyas, pero, al reconocer su procedencia, le acusa ante el rey. El religioso es acusado del robo que no ha cometido y condenado a muerte; los animales, al enterarse, serán de nuevo sus auxiliares. Esta vez le corresponde actuar a la serpiente, el único animal que aún no había demostrado su agradecimiento.

> Oy me ha menester este rrelygioso, commo yo le ove menester el dia que me saco del foyo que me escuso de muerte; e guisare quanto podiere de le galardonar el bien que me fizo (p. 327).

Para ello muerde a la princesa en la mano y ésta piensa que ha enfermado por una maldición que sólo se marchará con un procedimiento inverso: las plegarias de un religioso; de este modo el condenado se salva y tiene oportunidad para demostrar su inocencia. El rey castigará, en cambio, al ingrato individuo que acusó a su salvador.

El cuento XVI, 1 presenta otro caso extraordinario de animales agradecidos. Un religioso decide hacer buenas obras para ganar su salvación y piensa que "non es ninguna cosa que de mejor mereçimiento sea, segun Dios, que conprar una alma e franquearla por su amor" (p. 344). Para ello libera de su esclavitud a dos palomas, convencido de que son dos almas con forma de ave. En agradecimiento los dos pájaros le señalarán con el pico el lugar donde yace enterrado un cuantioso tesoro.

Entre los animales existen especies enemigas que arrastran sus odios desde tiempos inmemoriales, como sucede entre los cuervos y los búhos. Sin embargo, el antagonismo más representativo será el que enfrente a los animales carnívoros contra los herbívoros. Estos últimos, más vinculados al hombre, no habitan la selva. Su presencia inesperada en ella se debe al paso de mercaderes que utilizan para transportar sus mercancías animales de carga, como bueyes o camellos. En dos historias con inicios semejantes (III y III, 14) uno de estos animales enferma y, al resultar inútil para su misión, el mercader lo abandona en el reino de los carnívoros:

> e traya consygo una carreta que tyravan dos bueyes al uno dezian Sençeba e al otro Bendeba. E cayo Sençeba en un sylo que avia en aquel lugar, e sacaronle dende el mercader e sus mançebos; e fue tan mal trecho de la cayda, que llego a muerte e el mercader dexolo con uno de sus onbres, e mandole que le guardase bien e que le pensase, e sy guareçiese que ge lo levase. E quando vino el otro dia de mañana, enojose el ome de estar ay e dexo el buey; e fuese en pos de su señor fasta que le alcanço, e dixole que el buey era muerto (pp. 43-44).

En el cuento de "El camello que se ofreció al león", la presencia del primer animal en el reino del león se justifica de idéntica forma:

> E pasaron por ay unos mercaderos, e dexaron un camello cansado, e el camello entro en el valle fasta que llego adonde estava el leon (p. 96).

Tanto el buey, como el camello o el asno (VII, 1) pasarán graves penalidades al reintegrarse en el mundo animal hasta acabar siendo devorados. La causa última de las discordias reside en una diferencia esencial que divide a los animales en dos grandes bloques antagónicos: su sistema alimenticio. Desde el punto de vista del buey, esta divergencia será una garantía de seguridad, que no se ve cumplida para su desgracia ("nin entendia commo non devia durar esta segurança, byviendo yo de yerva, e el leon de carne", p. 94). La diferente alimentación hará que sea un elemento extraño para los demás, un personaje integrado dentro de una comunidad que se vertebra en torno a la caza. Hasta Calila, que se caracteriza por su prudencia, no duda en sacrificar al buey en provecho de su rey:

> Pues que asy lo as en coraçon de fazer tan fea cosa e tan mala commo matar a Sençeba syn cabsa e syn culpa, sy lo podieres fazer syn verguença e daño del leon, alla lo ve e fazlo (p. 78).

Idéntica suerte corre el camello del cuento III, 14. Una enfermedad del león orgina el desabastecimiento de toda la corte hasta que los consejeros del rey planean la muerte del intruso:

> ¿Que pro avemos nos deste camello que come yerva e non es de nuestra vida nin de nuestra natura? (p. 98)

Como herbívoro es un marginado dentro de una corte carnívora. Los privados urdirán el engaño de ofrecerse en sacrificio al rey, rechazándose unos a otros hasta que le toca el turno al camello:

> Leon señor, en my as fartura quanta quieras; e mis entrañas son sabrosas e lynpias; comeme, e yo non soy atal commo ellos, que mas linpio e mas sano so que non ellos (pp. 102-103).

Las palabras del camello inciden en un punto ligado a creencias de carácter religioso. Numerosas sectas orientales predican la no violencia y llegan a propugnar la alimentación vegetal como la única acorde con esos ideales de vida. El origen de estas doctrinas puede encontrarse en la creencia en la reencarnación, que conduce a ver en cualquier ser vivo la nueva forma de un humano. De ahí el intento por evitar nutrirse de cualquier parcela de vida. El que no se alimenta de otros seres es más puro[7].

El texto del *Calila* se hará eco en varias ocasiones de estas creencias. Dejando aparte los casos del buey, el camello..., animales "herbívoros por naturaleza",

---

(7) Según C. Caillat, "El jinismo", en *Las religiones en la India y en Extremo Oriente,* vol. IV de la *Historia de las religiones,* Madrid, Siglo XXI, 1978, pp. 175 y ss., esta doctrina ordena "muy particularmente... evitar nutrirse de la menor parcela de vida y se recomienda no dañar ni al más mínimo animal". En el mismo sentido se expresa A. Schweitzer, *El pensamiento de la India,* México, FCE, 1971, p. 79.

otros eligen esta alimentación como una forma de renuncia y perfeccionamiento. El capítulo XIV ("Del leon, e del anxahar e del rreligioso") parece por múltiples detalles una réplica positiva de la historia de Calila y Dimna. El çerval elevado al rango de consejero real contra su voluntad es un animal de vida religiosa y retirada: .

> Señor, dizen que en tierra de Yndia avia un lobo çerval que fazia vida de rreligioso e de casto. E en veniendo con los çervales e con las gulpejas non fazia lo que otros nin matava, nin vertia sangre nin comia carne (p. 308).

Pero los consejeros de la corte, celosos por la ascensión del intruso, le buscan la enemistad con el rey y le acusan de robar la carne destinada al león. Por estas calumnias será condenado a muerte y sólo se librará con la intercesión de la leona madre, quien debe recordar la condición vegetariana del reo.

En otros momentos parece que el relato se complace en parodiar estas posturas extremas, como sucede en el capítulo XII, "Del arquero, la leona y el anxahar". En él asistimos al proceso de conversión de una leona que, convencida por un anxahar, acaba sustentándose exclusivamente de hierbas. El motivo desencadenante de su conversión es el choque profundo que le produce la muerte de sus cachorrillos bajo las saetas de un ballestero. Por vez primera se establece un claro paralelismo entre el comportamiento de los animales carnívoros que viven de sus víctimas y los hombres (en especial los cazadores):

> Dixo el anxahar: "Non te quexes nin ayas tamaño dolor, e faz derecho de ty mesma, que quanto el arquero fizo en tus fijos fecho as tu otro tal a los otros que an pesar dello sus madres e sus amigos bien asy commo tu as de los tuyos, que dizen en el proverbio: 'qual fezieres tal avras', e cada uno ha de aver de su fruto quier de pena quier de galardon" (p. 303).

Tras escuchar estas palabras, la leona dejará de cazar animales para no ejercer sobre ellos la violencia y pasará a alimentarse exclusivamente de frutas. Pero tampoco el anxahar predicador queda satisfecho con este cambio que altera, según él, el equilibrio natural del monte:

> Creo que los arvoles otro año (non) levaran fruta por tu cabsa, porque seyendo comedera de carne comes fruta (p. 303).

El cuento concluye con la total conversión de la leona, quien se pasa al bando de los herbívoros:

> E quando la leona oyo lo que dezia el anxahar dexose de comer fruta e metiose *a comer yervas e a fazer vida de rreligioso* (p. 303).

La crítica a ciertas formas de religiosidad extremas es todavía más manifiesta en el cuento VI, 3, "La gineta, la liebre y el gato". La liebre y la jineta tienen un pleito que deciden contar a un gato muy religioso para que actúe de juez:

> Aquí çerca de nos rribera del rrio ay un gato rreligioso. E vayamos a el, que es ome bueno e de buena vida, que en todo el dia esta

en oraçion, e non faze mal a ninguna bestia nin come salvo yervas (p. 209).

Bajo esta falsa cobertura, el gato va ganándose la confianza de los litigantes hasta cumplir su voluntad:

E non çeso de los castigar e predicar llegandose a ellos con buenas palabras, fasta que salto en ellos e los mato (p. 211).

En la actitud hipócrita del gato se encubre un rechazo hacia el falso ascetismo que practicaban determinadas sectas orientales. Dentro de las fábulas indias es frecuente que este animal simbolice ciertas actitudes religiosas. Según G. Artola[8], la fusión surgió primero en oriente y de ahí se trasladó a occidente donde terminó por identificarse a los felinos con toda religiosidad sospechosa por excesiva. A este respecto, M.ª Rosa Lida de Malkiel[9] aduce el modelo del *Libro de los gatos* en el que dichos animales satirizan a los religiosos hipócritas.

Los enfrentamientos, pues, no sólo se producen entre animales y humanos, sino que dentro de los primeros se establecen subdivisiones que los oponen. La clasificación entre herbívoros y carnívoros se explica en el *Félix* de R. Llull por razones estamentales:

En este tratado, los animales que comen carne significan a los nobles; y los que comen hierba a los plebeyos; el león, al rey; el leopardo, al honrado; la onza, al lisonjero; la zorra, al astuto; la sierpe, al prudente, y así de los demás[10].

Tales identificaciones deben ser matizadas en algunos casos. Dentro del *Calila,* los carnívoros se asemejan a los humanos por su actividad cazadora. Esto dará origen a su vez a una "organización social" paralela. Existirá un grupo encargado de la caza, otro de su almacenamiento y distribución y, finalmente, el trono corresponderá al más fuerte (el león entre los animales) por su mayor capacidad de agresividad. Dentro de estos esquemas no tienen cabida los enfermos, los débiles ni los ancianos. Muchos cuentos se originarán por la expulsión de uno de estos miembros marginados.

Los herbívoros (tanto los "naturales" como los "voluntarios") se enorgullecen de no ejercer la violencia. Llevan una vida apartada (como el çerval, el gato) o al servicio del hombre (buey, camello, asno). Cuando se ven obligados a insertarse en la sociedad carnívora, suelen hallar la muerte bajo las garras

(8) G. Artola, "El *Libro de los gatos:* An Orientalist's View of the Title", *RPh*, IX, 1 (1951), 46-49. Dentro del *Libro de los gatos*, los ejemplos IX, XVI, XXXVI incluyen a este animal con valor simbólico de hipócrita. En *El Conde Lucanor*, p. 211 concluye Patronio: "Et conséiovos yo que siempre vos guardedes de los que vierdes que se fazen *gatos religiosos*, que los más dellos siempre andan con mal e con engaño" Según M. Bloomfield, "On False Ascetics and Nuns in Hindu Fiction", *JAO*, XLIV (1924), 202-242, el papel desempeñado en la ficción occidental por magos y brujos corresponde en la oriental a los mendigos ascetas y *of the feline species the cat persits as the typical sham ascetic* (p. 210).

(9) M.ª R. Lida de Malkiel, "¿Libro de los gatos o Libro de los cuentos?" *RPh*, V, 1 (1951), 46-49.

(10) El pasaje corresponde al libro VII (*Llibre de les bèsties*), en *Obras literarias,* ed. M. Batllori y M. Caldentey, Madrid, BAC, 1958, p. 752.

de otros animales (buey, camello, asno...). Por su alimentación y, en algunos casos por la renuncia a ciertas formas de vida, se pueden identificar con los seguidores de algunas sectas religiosas como el jinismo.

LA AMISTAD

Junto con el saber, la amistad será otro de los temas claves en torno al cual se construyen numerosas historias y hasta un esbozo de teorización. Ambos bienes espirituales se parangonan con los materiales más preciados para establecer la primacía de los primeros:

> Ca çierto quien buen amigo puede aver, creo que ha buen tesoro de que se pueda ayudar a acorrer quando quesiere. E porende todo ome se deve trabajar quanto podiere en ganar amigos, ca el mejor tesoro e el mejor poder que omne puede ganar para meresçimientos, los amigos son.[11]

En otras ocasiones para ensalzar los beneficios de la amistad se niega incluso la posibilidad de establecer semejante comparación:

> Señor, el onbre entendido non conpara con el buen amigo ningun tesoro nin ninguna ganançia (p. 165).

La cita del *Calila* coincide con el texto del *Zifar:*

> Onde dize Salomon: "El amigo verdadero e fiel non ha comparaçion ninguna"; ca nin ay oro nin plata por que pudiesse ser conprada la verdat de la fe e la buena verdat del amigo[12].

La comparación pone de manifiesto otro rasgo coincidente entre ambos conceptos, ya que si el saber se caracteriza por su estatismo, lo que le hace fácilmente transferible, los amigos también se pueden heredar de padres a hijos. El simple cotejo entre las dos citas que siguen contribuirá a poner de relieve la semejanza. La primera procede del prólogo de Ibn al-Muqaffa' y se refiere a las ventajas del aprendizaje desde la infancia:

> ...e seria atal commo el ome que llega a hedat, e falla que su padre le ha dexado gran tesoro de oro e de plata e de piedras preçiosas, por donde le escusaria de demandar ayuda e vida (pp. 3-4).

En los *Castigos* encontramos unas palabras análogas, pero referidas a las virtudes de la amistad:

(11) *El Libro del Cauallero Zifar*, p. 326. La comparación figuraba ya en el *Eclesiástico*, 6-14.

(12) *El Libro del Cauallero Zifar*, pp. 325-326.

Mio fijo, vno de los tesoros que el padre puede dexar al fijo que mucho ama e finca por su heredero mayor si es en dexarle buenos amigos[13].

Para alcanzar algo tan valioso como la amistad hace falta una buena disposición por ambas partes, al igual que era necesaria entre el maestro y su discípulo. El hombre, como el libro, consta de una "corteza" y un "meollo", una cobertura externa que cierra el paso a un mundo interior; amigo será aquél que tenga acceso a ese interior. El principal rasgo de amistad consiste, pues, en conocer la "poridat" que todo hombre guarda en su corazón[14]. Los textos didácticos recogen un conjunto de advertencias en torno a ese "desvelamiento" que tan funestas consecuencias puede tener si no se lleva a cabo con las debidas precauciones. Así como el saber no debe revelarse a cualquiera, tampoco la "poridat", sin haber comprobado previamente si el hombre es digno o no de recibirla, ya que: "non es cosa que peor empleada sea que el amor en el ome en que non ay lealtad (...) e el saber en quyen non lo entiende, e el que descubre su poridat en quien entiende que non ge la guardara" (p. 126).

Para evitar un resultado desafortunado se propugna una doble acción meditadora:

> la primera cual es la poridat en sise, e cual te puede venir della si fuesse descobierta; la segunda cosa cual es el home a quien la quieres decir, e commo es ya probado en otras poridades, e commo te ama derechamente en su corazón[15].

Los asuntos de estado son los más peligrosos de confiar[16]; de ahí la rigurosa selección de consejeros. Las desgracias que pueden venir por descubrirlos son tales que se llega a propugnar como ideal el guardarlos celosamente en el interior de sí mismo. En el *Libro de los Estados*, Don Juan Manuel comentará humorísticamente el tema:

> Et dixome algunas vegadas riéndose et commo en manera de solaz: "Digovos en buena fe, Julio, mi amigo et mi amo, que en los grandes fechos que ove de fazer, que las poridades que me fueron mejor guardadas,

(13) *Castigos e documentos*, p. 165.

(14) El término abunda en la literatura medieval con el sentido de "secreto" y con harta frecuencia esta ligado a relaciones amistosas. A Castro, *España en su historia*, p. 658, ve en este uso una influencia del árabe, que identificó en la lengua cotidiana el secreto —la "poridat"— con la pureza de la amistad. Esta tesis tiene su confirmación en los textos estudiados. Así en el *Calila* los protagonistas del capítulo V serán llamados los "puros amigos". En el *Bonium*, p. 2, leemos: "El puro amigo que te ama es mejor que tu hermano de padre e de madre que te cobdicia la muerte por te deseredar". ·

(15) *Castigos e documentos*, p. 144.

(16) Como sucedía también con el saber, la obligación de guardar un secreto no afectaba a todos por un igual, tal como se lee en la obra de Al-Tortuxi, *Lámpara de príncipes*, trad. M. Alarcón, Madrid, Instituto de Valencia de Don Juan, 1930, p. 425: "Has de saber que la reserva de los secretos es, para el común de las gentes, una cualidad digna de loa: para los reyes, uno de los deberes más imperiosos y obligación rigurosa para los ministros, consejeros y demás funcionarios". En parecidos términos se expresan los textos didácticos medievales que participan del género de "espejos".

las que non dixe a ninguno[17].

Cuando el secreto puede revelarse, previamente conviene elegir el confidente y realizar con él alguna prueba[18] que demuestre su naturaleza:

E otrosy el ome entendido non deve poner su amor con ninguno, synon despues que le provare; que el que se atreve en fyarse en alguno, non le aviendo provado, metese en grande peligro e llega a fuerte lugar (pp. 322-323).

Argumentación semejante utilizan los *Bocados de Oro:*

Punad de ganar amigos, e escoget-los ante que vos aseguredes en ellos; e non fiedes en ellos fasta que los provedes, por tal que non vos arrepintades quando rescibiéredes dellos daño[19]

Las obras medievales son pródigas en anécdotas donde se pone a prueba al amigo o al privado para conocer su fidelidad. Sorprende, por el contrario, la confianza de muchos personajes del *Calila,* quienes desvelan sus "poridades" sin verificar la condición del nuevo amigo. Los resultados de esta acción tan temeraria suelen ser negativos, aunque "a las vezes acaeçe que faze ome bien a la cosa flaca cuyo gradeçimiento non ha provado (...) e sabelo gradeçer e galardonar muy bien" (p. 323). Lo primero que hace el león con su nuevo amigo Sençeba es descubrirle sus secretos. Algo semejante había realizado antes con su consejero Dimna, al confesarle sus temores por la voz desconocida; tal exceso de confianza será la causa de su desgracia.

Según la diferente relación entre los amigos, se distinguen varios tipos de amistad. Don Juan Manuel llega a establecer quince formas de "amor" en su último capítulo al *Libro Infinido,* amplificando, con enseñanzas sacadas de la experiencia, la división tripartita atribuida a Aristóteles y Cicerón[20]. La popularidad de esta clasificación se refleja en las *Partidas:*

Aristotiles que fizo departimiento naturalmienten en todas las cosas de este mundo, dixo que eran tres maneras de amistad: la primera es de natura; la segunda es la·que home ha con su amigo por uso de luengo tiempo por bondat que ha en él; la terçera es la que ha home con otro por algunt pro ó por algunt placer que ha dél o espera haber[21].

---

(17) *Libro de los Estados,* p. 134; en la *Disciplina Clericalis,* p. 11 encontramos: *Consilium absconditum quasi in carcere tuo est reclusum, revelatum vero te in carcere suo tenet ligatum.*

(18) Según las *Partidas,* IV, tit. XXVII, III: "Et por esto dixo Aristotiles que ha menester ante que home tome amistad con otro, que puñe primeramiente en conoscerlo si es bueno". Lo mismo aconseja el *Eclesiástico:* "Si te echas un amigo, echatelo probado, / y no tengas prisa en confiarte a él" (6, 7).

(19) *Bocados de oro,* p. 10.

(20) Véase I. Macpherson, "Amor and Don Juan Manuel", *HR,* 39, 2 (1971), 167-182.

(21) Las *Partidas,* IV, tit. XXVII, ley IV.

En el *Zifar* se recogen dos clasificaciones distintas aunque, bajo el empleo de términos diferentes, vienen a resultar coincidentes:

> Ca tres maneras son de amigos: los unos de *enfinta*, e estos son los que non guardan a su amigo synon demientra pueden fazer su pro con el; los otros son *medios*, e estos son los que se paran por amigo a peligro que non paresçe, mas en dubda sy sera o non; e los otros son *enteros*, los que veen al oio la muerte o el grant peligro de su amigo e ponense delante para tomar muerte por el, que el su amigo non muera nin resçiba daño[22].

En la cita se descubre una gradación entre el "medio amigo" y el "amigo entero", de tal modo que éste sólo supone una perfección casi inalcanzable del anterior. En el conocido ejemplo del "Medio Amigo", el padre del muchacho no ha logrado alcanzar en toda su vida el tercer grado de amistad. El amigo íntegro (el "amor conplido" en palabras de Don Juan Manuel) es algo inencontrable, hasta el punto de que el noble castellano reconoce que "este amor yo nunca lo vy fasta oy"[23]. La tradición repetirá los nombres y las anécdotas de parejas legendarias que alcanzaron tal amistad, como Amic y Amile, Orestes y Pílades...

En la *Glosa al Regimiento de príncipes* de Egidio Romano se distinguen tres tipos de amistad:

> la una es razon de bien e de honestad; e esta es la verdadera; la otra por razón de delectación; e la tercera por razón de aprovechar[24].

La división entre amistad perfecta, interesada y placentera procede del libro VIII de la *Etica a Nicómaco* y reaparece en numerosos textos. Frente a esta clasificación tripartita, en el *Calila* se distinguen sólo dos tipos de amistad —pura y de conveniencia— suprimiéndose la placentera, "propia de los mancebos", como aclaraba la *Glosa*. En distintos momentos de la obra dos personajes (siempre ratones) se encargan de trazar la división:

> Los omes deste mundo danse entre sy a dos cosas unos a otros e ponen su amor entre ellos: *la una es el amor, la otra es el algo*. E los que se dan al amor son aquellos que *pura* e lealmente se aman; e los que se dan al algo son los que se ayudan e se aprovechan uños de otros (p. 174).

Estas palabras tienen su parangón en las pronunciadas por otro ratón en el capítulo IX:

> Los amigos son en dos maneras: el uno es *amigo puro* e leal, e el otro es el que faze amistad con el otro *por cuyta e con nesçesidat* de pelygro

---

(22) *El Libro del Cauallero Zifar*, p. 17. En páginas posteriores se repite la división en términos más ambiguos: "puedes entender que ay tres maneras de amigos: ca la una es el que quiere ser amigo del cuerpo e non del alma, e la otra es el que quiere ser amigo del alma e non del cuerpo, e la otra es el que quiere ser amigo del cuerpo e del alma" (p. 32).

(23) *Libro Infinido*, pp. 77-8.

(24) *Glosa castellana al Regimiento de príncipes*, p. 217, I.

en que se vee; que el puro amigo deve de amar a su amigo mas que a sy mesmo, nin a sus parientes, nin a su aver; e el amigo que pone su amistad con otro con cuyta acabase el amor entre ellos, e el tal amor desfazese muy ayna (p. 260).

A diferencia de lo que encontrábamos en otros textos, aquí la distinción no implica un juicio de valor. El entendido será aquél que sepa en cada momento qué tipo de amistad conviene mantener, según de quién se trate y lo que aconsejen las circunstancias.

a) *Amistad pura*

Dentro del *Calila* se inserta una historia que ejemplifica el tipo de amistad perfecta, como anuncia el título: "De la paloma colorada e del galapago e del gamo e del cuervo, e es capitulo de los puros amigos" (capítulo V). Aisladamente encontraremos otros personajes que mantengan entre sí estrechos lazos de amistad, pero sin llegar a igualar a los protagonistas de este relato. Dentro de una amplia tradición de anécdotas sobre la verdadera amistad, sobresale este capítulo del *Calila* por algunos rasgos distintivos. No destaca la relación entre una célebre pareja de amigos, sino entre un grupo constituido por cuatro personajes, apartándose así de la norma. El mismo Don Juan Manuel, tras señalar las dificultades existentes para encontrar ejemplos de amistad perfecta, añade "amor conplido es entre dos personas"[25]. En el capítulo V del *Calila*, el núcleo inicial de dos (el ratón y la paloma) se va progresivamente engrosando con la presencia del cuervo, el galápago y el gamo hasta constituir una auténtica familia. El principio expuesto por el cuervo ("que el amigo ser amigo de amigo") es la cadena de enlace entre unos y otros, unidos también por el mismo objetivo: su lucha y defensa contra los humanos. Estos últimos representan la antítesis de los puros amigos; asimismo, sus rasgos físicos reflejan su carácter: "...vio venir un ome muy feo e de mala catadura e despojado e mal guisado" (p. 166). El hecho es más sorprendente dado que en la colección no se describe nunca el físico de los personajes.

Un cuervo, desde lo alto de un árbol, contempla la caída de una banda de palomas en las redes extendidas por un pajarero. Desde su posición privilegiada asiste a una serie de lecciones de amistad. La primera enseñanza proviene de las palabras de Collarada —señora de las palomas—, dirigidas a sus súbditos:

Non non desanparedes en queriendovos librar nin aya ninguna de vos mayor cuyta de si que de su amiga; mas ayudemonos todas a una, e quiça que estorçeremos e arranquemos la rred, e lybrarnos hemos unas con otras (p. 167).

Este consejo es el mismo que pondrán en práctica los "puros amigos" cuando caiga el galápago en la red. Los débiles sólo tienen dos recursos para vencer a los más fuertes (en este caso, los hombres): el engaño (del que se sirven muchos personajes de los cuentos) o la unión coordinada de todos ellos.

(25) *Libro Infinido*, p. 77.

146

Las palabras de Collarada surten su efecto, ya que, aunados los esfuerzos, las palomas conseguirán volar llevando consigo la red. A continuación, aconsejadas por su reina, se dirigirán a la cueva de un ratón amigo. El cuervo será testigo de la amistad entre la paloma y el ratón —el cual se dispone a roer la red— y a su vez asistirá a una nueva lección de Collarada, al insistir ella en ser la última en verse libre:

> Comiença en las otras palomas a tajar sus lazos, e desy torna a los mios". E el mur non tornava cabeça por esto, e ella dixogelo muchas vezes (...). Dixo el mur: "Por esto que dizes te deven amar tus amigos e aver mayor codiçia de aver tu amor" (pp. 169-170).

El amor que ejemplifica la conducta de la Collarada es el que se establece entre el rey y sus súbditos, cuando aquél se preocupa por la seguridad de éstos.

Tal escena hace codiciar al cuervo la amistad del ratón, aunque, al menos en principio, no parece guiado por sentimientos muy altruistas ("Yo non soy seguro de (non) me acaeçer lo que acaeçio a las palomas"). Con esta intención decide imitar los gestos de la Collarada. El encuentro entre ésta y el ratón había estado precedido de una previa identificación, tras la cual el roedor se atrevió a salir al exterior:

> e llamole la Collarada por su nonbre, e el rrespondio e dixo: —"¿A quien quieres?" —Dixo ella: —"Tu amigo la Collarada paloma". E el, de que la conoçio, salio luego a ella (p. 168).

El cuervo decide repetir ese ritual, pero carece de un nombre conocido que le sirva de identificación ante el ratón:

> E liegose a la puerta de la cueva e llamole por su nonbre, e rrespondio el mur de dentro de la cueva e dixo: "¿Quien eres tu que me llamas?" Dixo el cuervo: "Yo soy..." (p. 170).

Seguidamente se establece un forcejeo entre ambos, ya que el ratón rechaza en principio la amistad del cuervo. La causa de esta negativa reside en la "enemistad de natura" que enfrenta a las dos especies, de tal modo que uno puede ser alimento para el otro ("¿commo puede ser entre nos carrera de amor, seyendo yo tu vianda e tu my ocasyon?", p. 171). Tras numerosas negativas —que constituyen una prueba para captar las intenciones del cuervo— el ratón se decidirá a salir de la cueva.

El temor inicial del roedor a no ser aceptado por los compañeros de su nuevo amigo se anulará cuando partan juntos hasta la fuente del galápago. Al ofrecerle compartir su "locus amoenus" el cuervo está dando al ratón nuevas muestras de su amor. Una vez allí, la identificación entre los nuevos amigos se lleva también a cabo por medio del nombre:

> Estonçe puso el cuervo al mur en tierra, e posose en un arvol e llamo al galapago por su nonbre, que le dezian Usca; e el conoçiole en su boz, e salio a el... (pp. 175-176).

147

Posteriormente se suma al grupo un gamo que va huyendo de los cazadores y, de este modo, cuervo, ratón, galápago y gamo forman una unión capaz de enfrentarse a la fuerza del destino. Primero el gamo y, posteriormente, el galápago caerán en las redes de un cazador, dando ocasión a los amigos para demostrarles su amor al arriesgar sus vidas por la salvación de cada uno de ellos. El ratón intervendrá en la liberación del gamo y, todos unidos, rescatarán al galápago quien —a diferencia de los otros— no ha caído empujado por el destino sino por la amistad. Ella es la culpable de que quisiera asistir a la salvación del gamo y, dada su lentitud, fue atrapado. Justo es que en su liberación participen todos. Al concluir su rescate se reúnen los amigos de nuevo poniendo punto final a su historia:

> E despues ayuntaronse al mur e el cuervo e el gamo e el galapago, e fueronse todos muy alegres e pagados a su lugar donde solian aver sus plazeres (p. 195).

El motor de este grupo y a su vez el héroe de los rescates es el ratón. Por medio de una historia insertada de forma autobiográfica conocemos su carácter de "converso". Tras perder el dinero y con él sus antiguos amigos que le seguían sólo por sus riquezas, comprende la vanidad del "amor de algo". Renuncia a los tesoros y decide tenerse "por pagado e por abastado de lo que avya" (p. 185). Concluida su narración, interviene el galápago quien así tiene oportunidad, como todos sus compañeros, de demostrar su sabiduría y prudencia. Cada uno de los personajes de la historia manifiesta una doble faceta: por un lado, participan activamente en alguna de las tres operaciones de salvamento, y, por otro, razonan cuerdamente. Sus discursos y, muy especialmente, la autobiografía del ratón contribuyen a desvelar su interior ante los demás, a descubrir sus "poridades", y, por consiguiente, a reforzar los lazos amistosos. A su vez con ello se consigue presentar personajes capaces de compaginar la teoría con la práctica, ya que aquella sola —como dirá el galápago— no sirve para nada:

> e sabe que el bien dezir 'no se acaba salvo con las buenas obras; que el enfermo que sabe que es la medeçina con que ha de sanar e non se melezina con ella, non le tiene pro su saber (p. 186).

El modelo corresponde al ideal del hombre sabio reseñado en el prólogo. Pese a esto, la relación fraternal que une a todos los animales confiere al conjunto de la historia un carácter casi místico. Más que un ejemplo de amistad, parece un modelo nuevo de comunidad donde el amor anula las discrepancias entre especies de distintas naturas. No nos resulta inverosímil la hipótesis de Idries Shah[26], según la cual, los "Ikhwan El Safa" (grupo místico conectado con los sufíes) habría adoptado su nombre a partir de esta historia del *Calila*.

Dentro de la colección encontramos otra pareja ejemplar —Calila y Dimna—, aunque el interés no se centre tanto en sus relaciones como en las intrigas del segundo. Ambos son de la misma "natura" (dos lobos cervales), aunque de diferentes aspiraciones. Sin embargo, Calila actúa como un buen amigo advirtiendo

---

(26) I. Shah, *Los Sufíes,* Barcelona, Luis de Caralt, 1975, p. 323.

a Dimna para que no realice lo que se propone; todos sus consejos los da "en poridat" para evitar descubrir los planes de su amigo:

> E yo non te dexe de fazer entender tu yerro e tus aleves de te afrontar al comienço desta cosa synon porque era cosa que non le queria *fazer saber a ninguno* nin fazer testigo sobre ty (p. 113).

El saber guardar un secreto ha sido siempre una prueba irrefutable de amistad. De las cuatro leyes de Cicerón recogidas en la *Glosa al Regimiento de príncipes* "la terçera ley es que no quiera el omne saber ni descubrir aquello que su amigo quiere encubrir"[27].

Pese a que el capítulo III concluía con la ruptura entre Calila y Dimna por la conducta de éste, el continuador Ibn al-Muqaffa' reanudó la amistad. Cuando Calila conozca la desgracia de Dimna acudirá a visitarlo a la cárcel. El traductor árabe se sirve de esta amistad para plantear un caso de conciencia ya que si Calila delata a su amigo descubre sus "poridades" y si no lo hace se convierte en encubridor de sus crímenes:

> E yo non he tanto duelo de my commo he de ty, que he gran miedo que seras tu preso por amor de my, por el gran debdo que en uno avemos, e que seras sobre ello atormentado e lazrado, e que non podras estar que non descubras mi fazienda, e creerte an e matarme an por ello, e tu non estorçeras despues de mi (p. 147).

Calila no abandona a su amigo, pese al peligro de verse envuelto en la acusación de asesinato, pero el dilema se resolverá con su muerte. Dimna da también muestras de lealtad al lamentar amargamente este fallecimiento:

> ¿Que quiero yo byvir, seyendo muerto mi hermano que me tanto amava e yo a el? (p. 155)

b) *Amistad rota*

La amistad es difícil de alcanzar, pero todavía más de mantener para que no se pierda lo conseguido:

> E otrosy mios fijos, punaredes de ganar amigos e en guardar e retener lo que ovistes ganado; ca muy de ligero se puede ganar el amigo, e es muy grave de retener[28].

En el *Calila* hay numerosos casos de amistades rotas o equivocadas que sirven de contrapunto negativo al capítulo V, ya estudiado. Dentro de la abundante literatura dedicada al tema de la amistad se insiste en las desgracias derivadas por descubrir las "poridades" ante individuos indignos. Se recomienda probar al confidente para ver si es o no merecedor de ello y se recogen tipos y casos en los que nunca se debe confiar. El *Libro del consejo e de los consejeros* siste-

(27) *Glosa castellana al Regimiento de príncipes*, I, p. 208.
(28) *El Libro del Cauallero Zifar*, p. 334.

149

matiza todas estas advertencias en una serie de capítulos dedicados a: "De commo deve omne rredrar de su consejo de poridat al loco; a los lisonjeros; a aquellos que fueron sus enemigos e despues fezieron paz a uno; a aquellos que le aman por themor e non por amor verdadero; a los omnes beodos; al omne de dos lenguas"[29].

Será grave error del león confiar a Dimna sus temores ante la voz desconocida, de lo que inmediatamente se arrepiente:

> Non fize bien en fiarme en este para enbiarlo al lugar do lo enbio (p. 60).

Dimna es lisonjero y rencoroso tras haber sido largo tiempo desdeñado por el león, pero sobre todo responde al tipo de "omne de dos lenguas". Según el *Libro del consejo*, "omne de dos lenguas es dicho todo aquel que faz semejança que con buena entençion e con verdadera loor dize aquello que ha a dezir, enpero tiene lo contrario en su coraçon e obra por ello cuando vee logar e tienpo"[30]. Precisamente Calila recrimina a su amigo la doblez de su comportamiento recurriendo a la misma imagen: "que eres de dos fazes e de dos lenguas" (p. 127).

En el texto se le califica también de "mezclador" y "mesturero", figura que abundaba en las cortes cristianas y a la que los reyes prestaban atención, como refleja la literatura. Según opinan A. Castro y A. Galmés[31], los cristianos copiaron este tipo de los musulmanes. Asimismo A. Castro encuentra en el uso de la voz "mezclar" un calco semántico de un vocablo árabe cuyo significado iba desde "colorear una tela'" hasta "alterar la conducta de una persona con una mezcla de colores que la desfigure". En Castilla "mesturar" mantuvo el aspecto bisémico de la voz árabe que reflejaba. Dentro de las obras medievales es frecuente la asociación entre "mesturar" y "poridat". Así, las *Partidas* dicen al hablar de los escribanos que "maguer el rey e el chanceler e el notario manden fazer las cartas en poridat, con todo esso, si ellos mestureros fuessen, non se podrian guardar de su daño"[32]. En el *Calila* se lee que daña a su propia vida "el que dize su poridat al mesturero que sabe que non gela terna"; precisamente, el error del león.

Adquiere siempre un matiz peyorativo el contraste entre el interior y el exterior, cuando este último es engañoso: Dimna acusa al león de ser de "duçe entrada e (es) lleno de toxigo mortal", a lo que el buey asiente "ca yo he gastado el dulçor e so llegado a la amargura en que yaze la mala muerte" (p. 94). Algo semejante descubre el búho astuto en el cuervo que aparentaba ser su amigo y, sin embargo, era tal como "la maçana que esta fermosa de fuera, e quando la parten, fallanla podrida" (p. 225). El error de los restantes búhos, y contra el que inútilmente clamará el consejero advertido, consiste en confiar en un antiguo enemigo que se presenta bajo el aspecto de amigo:

(29) *Libro del consejo e de los consejeros*, p. 24.

(30) *Ibidem*, p. 60.

(31) A. Castro, *España en su historia*, p. 655; A. Galmés de Fuentes, *Epica árabe y épica castellana*, Barcelona, Ariel, 1978, pp. 82 y ss.

(32) Las *Partidas*, II, 9, 8.

el ome... es engañado en su enemigo maguer que le muestre gran homildat e gran amor e gran lealtad sy se asegura en el (p. 197).

Según el ideal humano propugnado por el *Calila*, el hombre "enviso" debe ser precavido y desconfiado no sólo para evitar la relación con el falso enemigo encubierto, sino con el amigo después que algo irreparable ha sucedido entre ellos.

Este será también el consejo que olvide el rey Cederano (capítulo XI) al confiar sus sueños a la secta de los Baramides[33] que el "avia destruyda e estragada e echada de sus tierras" (p. 274). Los adivinos alteran la interpretación por el rencor que guardan a su detractor:

E pues que el *nos ha descobierto su poridat* e el miedo en que esta, e pues fallamos rrazon e avemos tiempo para rreçebir *vengança* del, acordemos de fablar broznamente e rreprendamos su sueño (p. 275).

Si el rey Cederano, los búhos (cap. VI) y el león (cap. III) pecaron por confiar en exceso en quienes eran indignos de acceder a sus "poridades", pagaron con creces su error.

Otros personajes, como el ave Catra (X) y el simio (VII), comprenderán el peligro de reanudar una amistad rota. El galápago (VII) estaba dispuesto a arrancar el corazón de su amigo para sanar a su mujer; el simio, cuando descubre sus aviesas intenciones, sube a la copa de un árbol y desde allí amonesta a su antiguo compañero. La misma posición alejada (física y espiritualmente) mantiene el ave Catra al conversar con el rey, tras la riña entre sus hijos. El ave actúa como "omne entendido" que "non deve de dexar de guardarse, e de pensar las cosas, e de non se fyuzar, nin se engañar por ninguno" (p. 269).

Sólo en una ocasión (cap. XIV) se reanuda una amistad rota por intercesión de los mestureros. Un lobo cerval, privado del rey, llega a ser condenado por acusaciones falsas de terceros. Una vez descubierta la verdad, el rey coloca de nuevo al lobo en un puesto de confianza. La madre del león establece una distinción según la naturaleza de la persona:

E algunos son con quien ome deve aver amor despues que con ellos ovo enemistad, e otros con quien deve aver desamor despues que con ellos ovo enemistad (p. 318).

c) *Amistad de "algo"*

El segundo tipo de amistad expuesto por los ratones del *Calila* es la "amistad de algo", que consiste en unirse a alguien sólo "por cuyta e con nesçesidat de pelygro en que se vee". Esta relación se mantiene mientras los dos personajes sacan provecho el uno del otro. Coincide con la amistad de "enfinta" del *Zifar*, formada por "los que non guardan a su amigo synon demientra pueden fazer su pro

(33) Según se lee en *El Libro del Cauallero Zifar*, p. 326: "Non devedes mucho asegurar en aquellos que una vegada fueron vuestros enemigos, maguer anden delante vos mucho umildes e corvos, ca non vos guardaran por verdadero amor que vos ayan, mas por fazer su pro con vos".

con el" y con el "amor de provecho" reseñado por Don Juan Manuel[34]; su antecedente aristotélico sería la amistad de interés.

Si el primer ratón que teorizaba acerca de la amistad (cap. V) era protagonista de un "amor puro", el segundo ejemplifica con su comportamiento (cap. IX) la "amistad de algo". El paralelismo y la contraposición entre ambas historias se inicia ya en la descripción del entorno:

> Dizen que avia en una tierra çerca de una çibdat un lugar de caçar donde se caçavan los paxaros e las aves; e avia ally un arvol muy grande e espeso con muchos rramos en lo qual un cuervo que dezian Geba tenia su nido (p. 166 - cap. V).

> Dizen que avia en una tierra un arvol muy grande, e al pie del avia muchos vestiglos, e en sus rramas muchos nidos de aves. E a la rrayz deste arvol avia una cueva de un mur que avia nonbre Vendo (p. 257 - cap. IX).

Ambos lugares están próximos a los cazadores, por lo que no resulta extraño que tanto Geba como Vendo contemplen la caída en las redes de unos animales (palomas en el capítulo V y el gato en el IX). El ratón Vendo —"enemigo de natura" del gato— se alegra al verle en esta situación, pero él mismo se encuentra a su vez rodeado de sus peores enemigos:

> E paro mientes en pos de sy e vio un lyron que yazia en çelada para le dar salto, e cato de suso e vio estar un buho en una rrama del arvol oteando para le levar. E vio que sy tornase atras, que le tomaria el lyron, e sy fuese adelante que le tomaria el buho e sy fuese a la otra parte que le tomaria el gato (pp. 257-258).

La situación recuerda, por lo comprometida, a la que se describe en "La alegoría de los peligros del mundo" (II, 5). En esta parábola, un hombre apoyado en dos ramas, a su vez roídas por unos ratones, con los pies sobre unas culebras y pendiendo sobre un pozo donde otra serpiente le espera, se entretiene probando un poco de miel hasta que "acabaron los mures de tajar las rramas, e cayo en la garganta del dragon e pereçio" (p. 39). Al hombre los sentidos le hacen olvidar el grave peligro que corre. Por el contrario, el ratón del capítulo IX actúa como personaje "entendido" y pacta una alianza con el gato que se encuentra en situación igualmente peligrosa. Este le ayuda contra los enemigos que le acechan, mientras el ratón roe los lazos. La "amistad de algo" se mantendrá mientras dure esta coyuntura pero el ratón, para evitar males mayores, deja un nudo sin desatar y busca refugio en su cueva. Una vez liberados, ambos continúan la conversación pero separados por prudente distancia. El gato, desde lo alto de un árbol, intenta convencer al ratón para reanudar la alianza, pero éste no ve razón para ello una vez modificadas las circunstancias, ya que "el ome entendido non deve poner su amor con el ome que era su enemigo synon fuere en tyenpo de cuyta e de neçesidat" (p. 262). Transcurrido ese tiempo, el "amor de algo" tiene que llegar a su fin, como argumentaba Aristóteles:

(34) *El Libro del Cauallero Zifar*, p. 17; *Libro Infinido*, p. 80. En Don Juan Manuel el amor de "jnfinta" ocupa el puesto treceavo de su escala y es considerado uno de los peores.

¿No es claro que, cuando los amigos lo son por interés o por el placer, no hay nada absurdo en que se separen cuando ya no reúnen aquella condición?[35]

Y, como repite Alfonso X en sus *Partidas,* la amistad de algo: "non es verdadera amistad, porque aquel que ama al otro por su pro ó por placer que espera haber del amigo, desátase por ende la amistad que era entrellos porque non habie raiz de bondat"[36].

LA ENEMISTAD

No es frecuente encontrar en los textos hispano-arábigos una teorización acerca de la enemistad, salvo los consejos ya señalados para precaverse de los falsos amigos. Por otro lado, los últimos grados en la escala de la amistad (la amistad rota y el amor de "danno" o "enganno", en la terminología de Don Juan Manuel) vienen a coincidir con formas de enemistad encubierta. El *Calila* es más explícito en su afán por clasificar a los personajes en grupos antagónicos. Tras la división ya señalada entre humanos y animales, herbívoros y carnívoros, éstos últimos pueden encontrarse enfrentados por dos razones: "natura" o "accidente".

"Enemistad de natura" es la que separa desde su origen a dos especies animales, distinguiéndose a su vez dos tipos. En el primer caso, los animales son opuestos pero iguales en fuerza con lo que el resultado, si luchan entre sí, puede inclinarse hacia uno u otro contrincante. Esta posibilidad facilita el entendimiento mutuo, como se comprueba con la amistad entre el león y el buey en el capítulo III siendo ambos contrarios. En el segundo caso, la desigualdad de fuerzas hace que uno pueda ser alimento del otro.

> La mayor enemistad, sy es aquella de natura, e es en dos maneras: la una es ygual asy commo la enemistad del elefante con el leon, e a las vezes mata el elefante al leon; e la otra es en daño de una de las partes contra la otra (pp. 171-172).

Un modelo de enemistad desigual lo forman los gatos y los ratones. Entre enemigos de este tipo sólo cabe el engaño (para que pueda vencer el más débil) o la "amistad de algo", cuando la ocasión lo propicie, como veíamos en el capítulo IX:

> e asy fio por Dios que escaparemos amos desta trybulaçion, ayudandonos maguer seamos *enemigos de natura* (p. 259).

Ya Aristóteles en su *Etica* establecía la relación entre la amistad de interés y los grupos contrarios:

(35) Aristóteles, *Etica a Nicómaco,* ed. M. Araujo y J. Marías, Madrid, Instituto de Estudios Políticos, 1970, 1165 b.

(36) Las *Partidas,* IV, tit. XXVII, ley IV.

Es entre contrarios, sobre todo, donde suele darse la amistad por motivos de interés, por ejemplo, entre pobre y rico, ignorante y sabio, porque uno aspira a aquello de que está falto y ofrece en compensación otra cosa[37].

De ahí que resulte tan sorprendente la amistad entre el ratón y el cuervo (cap. V), siendo ambos enemigos de "natura", como el mismo texto indicaba.

La enemistad que no es de "natura" se establece a partir de un incidente. Resulta equivalente en sus consecuencias a la amistad rota ya que, salvo casos muy excepcionales, el entendido debe evitar reanudar esa relación. En ocasiones, la enemistad por un incidente se va prolongando en el tiempo hasta que se olvidan sus causas y se considera casi de "natura". La enemistad entre cuervos y búhos (cap. VI) se originó por la oposición de un cuervo a que un búho resultara elegido rey de las aves. La historia resulta tan antigua que un consejero cuervo debe recordar a la corte los orígenes de este enfrentamiento, que "fue por açidente mas ya tanto dura que se torna en natura" (p. 213). Más adelante (cap. XI), cuando Beled pronuncie ante el rey una lista de sentencias numéricas recogerá ésta:

> Quatro son aquellos en que mala voluntad es fyrme: el lobo con el cordero; e el gato con el mur; e el açor con la paloma; *e con los cuervos los buos* (pp. 296-297).

EL REY Y SUS CONSEJEROS

La imagen regia reflejada en las colecciones de cuentos procede de los "espejos de príncipes" persas y árabes y coincide, a su vez, con la que aparece en otros textos didácticos traducidos en el XIII. Las ideas políticas de los relatos no ofrecen un todo sistemático; simplemente algunas normas del arte de gobierno, fácilmente aceptables por los diferentes países que conocieron estas traducciones. Tampoco en la España alfonsí resultarían discordantes en relación con lo expuesto en las *Partidas* y otros textos jurídicos, que asimismo sufrieron influencia de los catecismos hispano-orientales.

Tanto en el *Calila* como en el *Sendebar,* se esboza por un lado la figura ideal del rey y el consejero y por otra la antítesis de este modelo. Como virtudes y deberes de los reyes se elogian especialmente la sabiduría, la justicia, y la mesura, más una larga serie de cualidades de contornos no muy precisos. Según se expone en el *Calila,* el rey debe ser:

> ...bien mesurado e enviso, e aperçebido e de gran poder, e de noble coçon, e pesqueridor de derecho, e de buena vida, e verdadero e acuçioso, e esforçado e de buen rrecabdo, e rrequeridor de las cosas que deve, e entendido, e çierto, e gradeçedero, e agudo, e piadoso, e misericordioso,

(37) Aristóteles, *Etica a Nicómaco,* 1159 b.

154

e manso, e conoçedor de los omes e de las cosas, e amador del saber, e de los sabios, e de los buenos, e bravo contra los malfechores, non enbidioso nin rrefez de engañar, fazedor dalgo a sus pueblos... (p. 38).

El rey que envía a Berzebuey a la India es un modelo de monarca, amante del saber y de los sabios, al igual que Dabshelim (Diçelem) —el personaje del marco dialogado— con sus incesantes consultas al filósofo. Este último, al finalizar la colección y dar con ello por concluida su tarea, alabará el perfeccionamiento alcanzado por el monarca a través de las historias escuchadas. Sus palabras son un reflejo del ideal regio que se proponía alcanzar:

en ty es acabado el saber, e el seso, e el sufrimiento, e la mesura, e el tu perfecto entendimiento. Ca en tu consejo non ha falla, nin en tu dicho yerro nin tacha, e es ayuntado en ty esfuerço e mansedunbre; asy que en la lyd non eres fallado covarde, nin en las priesas non eres aquexado (p. 371).

La posesión de la sabiduría es la calificación máxima para la autoridad política en los "espejos" orientales y occidentales. Según el mismo Ibn al-Muqaffa', autor a su vez de tratados políticos, "la sabiduría es el primer ministro del rey"[38].

La figura del monarca no aparece concebida como la de un guerrero, sino como un gobernante justo y sensato. La alabanza de la justicia es componente esencial de los "espejos" y tratados éticos que coinciden en esto con las ideas de Platón y Aristóteles, para quienes se trata de la "virtud política" principal. En el capítulo III del *Calila*, el león actuaba injustamente al matar a Sençeba por culpa de un mesturero, pero Ibn al-Muqaffa' modificó esta conducta al añadir un nuevo capítulo (IV) con el proceso de Dimna. Si en un caso el buey moría traicionado, en la continuación el león y sus fieles insisten en llevar a cabo un juicio que sigue el modelo de los procesos islámicos. El alcalde es el encargado de exponer públicamente los beneficios del pueblo cuando su rey actúa con justicia:

quando el malfechor es penado por lo que faze, non se atreven a fazer otro tal los otros con miedo de la justiçia, e esto es pro de la mesnada e de los pueblos; (...) quando el falso mentyroso traydor es justiçiado, fuelga el rrey e los suyos ca el tal bevir entre ellos esles gran daño e gran peligro (p. 149).

Tan sólo los gobernantes justos pueden exigir la lealtad y sumisión de sus súbditos. Por el contrario, una actitud relajada de la máxima autoridad es un ejemplo negativo para todos, como argumenta la madrastra en el *Sendebar:*

ca si tu non lo matas, non escarmentaria ninguno de fazer otro tal (p. 17).

Por esto el rey Alcos (modelo de gobernante) no duda en condenar a muerte a su propio hijo[39].

(38) E. Rosenthal, *El pensamiento político en el Islam medieval*, p. 92; G. Richter, *Studien zur Geschichte der älteren arabischen Fürstenspiegel*, pp. 4-33.

(39) En *El Libro del Cauallero Zifar*, p. 318, se aconseja: "E por ende el buen rey para dar buen enxienplo de sy, deve ser justiçiero en sy e en los de su casa".

El comportamiento justo o injusto de un monarca puede llegar a condicionar por completo todo un territorio, haciendo de él un reino ideal (como el de Mentón en el *Zifar*) o un lugar del que se debe huir[40]. Esta dependencia es un reflejo de la íntima relación entre el gobernante y sus súbditos. La idea se expresó ya desde la antigüedad con una metáfora convertida en tópico de larga vigencia: el rey, cabeza del reino, que es su cuerpo[41]. La imagen se repite con frecuencia en los textos didácticos y en los documentos medievales[42]. Esta concepción corporativa del reino implica una cierta unidad e interdependencia entre sus diversos componentes. En el *Calila*, Elbed recuerda la imagen al rey, su marido, cuando éste duda entre su muerte o perder el reino por el mal consejo de unos adivinos:

> —¿Commo, señor, podemos estar alegres, yo nin los de tu rreyno, estando tu, señor, tryste e con gran dolor? Que el rrey tal es con los omes de su rreyno *commo la cabeça con el cuerpo:* que quando ella esta bien todo el cuerpo esta bien (pp. 279-80)

En la comparación va implícita la respuesta: ninguna de las dos partes puede prescindir de la otra. A continuación, Elbed le aconseja consultar con el sabio Caynero para encontrar solución a sus problemas.

Las historias protagonizadas por reyes suelen repetir unos mismos esquemas formales, en los que entran en juego los vicios señalados. El relato se genera cuando el rey, engañado por mestureros y dejándose llevar por la saña, condena a un inocente (el buey en el capítulo III; Elbed en el XI; el lobo cerval en el XIV; el religioso en el XVI; el infante en el *Sendebar...*). En pocas ocasiones la ejecución se lleva adelante; es más frecuente que, gracias a la intercesión de un buen consejero, el monarca recobre su mesura y asuma su función retribuidora, reestableciéndose de nuevo el equilibrio que había sido perturbado por una falsa información. En estas ocasiones, el rey se ha dejado llevar por la saña[43] y la pre-

(40) La relación entre la justicia regia y el bienestar del reino aparece en varios textos. En los *Castigos e documentos*, p. 72,: "Tal es la tierra sin justiçia commo la tierra sonbria e sobre que nunca sale y sol nin corre por y rio nin nasçe y fuente". En el *Exemplario contra los engaños y peligros del mundo*, f.º XXVIII: "Acuerdo me de lo que oy dezir muchas vezes; que en el reyno donde el rrey es justissimo, y los vasallos que temen a Dios, ni hay iniquidad ni crueza ni puede reynar en el gravedad de consejo". Pensamiento semejante puede leerse también en el *Zifar*, p. 175.

(41) Para el desarrollo de la analogía orgánica pueden consultarse, entre otros, los siguientes estudios: L. K. Born, "The Perfect Prince: A Study in Thirteenth and Fourteenth Century Ideals", art. cit.; J. F. Burke, *History and Vision: The Figural Structure of the "Libro del Cauallero Zifar"*, London, Tamesis, 1972, pp. 91 y ss.; J. A. Maravall, "Del régimen feudal al régimen corporativo en el pensamiento de Alfonso X" y "La idea del cuerpo místico en España antes de Erasmo", recogidos en sus *Estudios de Historia del Pensamiento Español*; D. M. Bell, *L'idéal éthique de la royauté en France au moyen âge d'aprés quelques moralistes de ce temps*; J. Beneyto, "Ejemplos, imágenes y esquemas en la construcción política medieval", en *Homenaje a D. Ramón Menéndez Pidal con ocasión de sus 80 años*, Madrid, CSIC, 1954, pp. 351-359, vol. V; J. Gimeno Casalduero, *La imagen del monarca en la Castilla del siglo XIV*, Madrid, Revista de Occidente, 1972.

(42) En el *Libro de los Cien Capítulos*, p. 5, leemos: "La cabeça del reyno es el rrey"; la imagen se repite en las *Partidas*, II, X, II; en la *Glosa castellana al Regimiento de príncipes*, I, p. 28, etc.

(43) Los *Castigos e documentos*, p. 68, aconsejan no "judgar nin mandar fazer iustiçia quando estudieres con sanna, ca por fuerça conuiene que la sanna forçase al derecho, e asi

156

cipitación, vicios contrarios a la justicia y la mesura. Esta última será una de las virtudes más preciadas en todos los individuos y por lo tanto imprescindible para el buen rey:

> e la mas sana cosa e la mejor para todo ome es la mesura, quanto mas para los rreyes... (p. 273).

Los privados del *Sendebar* insistirán con sus cuentos en dos núcleos temáticos: la maldad de las mujeres y el peligro de la acción precipitada. Lo que el rey interpreta como justo —condenar a su hijo— no es más que una decisión apresurada. Por lo tanto, si la virtud más valiosa era la justicia, sin mesura no puede haber juicio acertado:

> Señor, sepas que la cosa que el rrey deve mas usar e con que mas se guarda el rreyno e se sostiene su poder e honrra consigo mismo es mesura (p. 272).

Los textos didácticos coinciden en alabar la virtud de la mesura[44] y el papel de los consejeros, ya que ambos suponen un control de los instintos regios para evitar que se deje llevar por una decisión arrebatada. Dado el poder omnímodo del rey, éstos serán sus únicos frenos.

La importancia de la función del consejero se pone de manifiesto en numerosos relatos. Gracias a ellos se salva el infante del *Sendebar* y vencen los cuervos a los búhos (VI), las liebres a los elefantes y al león (III, 10 y VI, 2), los gatos a los lobos (XVII, 2)... Su valor es tal que un buen rey con malos consejeros se ve irremisiblemente condenado al fracaso:

> quando el rrey es derechero e sus pryvados son malos, apocase al bienfazer a los omes e non se atregua ninguno en el (p. 114-115).

En el capítulo VI la destrucción de los búhos viene por culpa de los malos privados y porque el rey no atiende las palabras del único que le aconseja acertadamente. Asimismo, la victoria de los cuervos es atribuible al valor y la astucia de un consejero.

Los vínculos entre el rey y sus privados son recíprocos y se desdoblan en un conjunto de obligaciones y deberes. Es frecuente la comparación que relaciona al consejero con el médico y el teólogo:

> E sy qualquier de los vasallos al señor, o de los fysicos al enfermo, o de los teologos a la ley al que se conseja con ellos, sy consyenten a sus sabores e non les dizen la verdat de lo que les podria venir, non lo açiertan bien, e metense a gran carga (p. 92).

errarias el derecho que deues guardar. Quando dieres juyçio de justicia tira toda sanna de tu coraçon". Las *Partidas* también se pronuncian contra la saña (II, V, X) y contra la ira (II, V, XI).

(44) Los *Castigos e documentos* dedican el capítulo XIV a la virtud de la mesura. Según Luciana de Stefano, *"El Caballero Zifar:* novela didáctico-moral", *Th*, XXVII, 2 (1972), p. 264, la mesura "consiste en actuar en armonía con la razón, con la verdad... La mesura responde más bien a algo interior, es un atributo del alma".

El paralelismo manifiesta el poder curativo de los consejos, semejante al de las medicinas, y el desagrado que pueden producir en quien los recibe:

> ca dizen que tal es el dicho del consejero leal, en quanto al pedimiento del, commo la melezina amarga que tuelle del cuerpo la gran enfermedat (p. 365).

Comparaciones análogas se repiten en los *Bocados de oro;* asimismo, tanto el médico como el consejero tienen que haber probado anteriormente lo que recomiendan.

El consejero debe cumplir una serie de obligaciones, como no intervenir hasta que se requieran sus servicios[45], no dudar en aconsejar aunque sus palabras contraríen la voluntad regia, ser de noble corazón y agudo... En el *Calila,* y en otras obras de la época, se insiste en que el monarca debe rodearse de personas de "buen seso". Hará falta llegar a los tratados políticos del XV, como señala J. A. Maravall[46], para encontrar una preferencia por conocer el punto de vista de los muchos interesados antes que el consejo de unos pocos sabios. Entre los privados de los cuentos no hay ninguna participación representativa del pueblo. Son seleccionados por su sabiduría práctica y por la agudeza que les capacita para aconsejar al rey en sus asuntos.

En las historias del *Calila* es normal que el buen consejero recomiende el engaño como solución para vencer a los más fuertes. La gran importancia concedida a la justicia no anula la conveniencia de ciertos subterfugios, que se atacan cuando se padecen, pero no cuando se practican. En los momentos problemáticos se recomienda la astucia antes que la guerra, puesto que es forzoso evitar el sacrificio innecesario de vidas humanas[47]. Gracias a este recurso vencen los cuervos a los búhos, anteponiendo el engaño a la guerra:

> E quando el pryvado del rrey conseja de lydiar con el enemigo en las cosas que se pueden vengar en paz, mayor daño le faze que su enemigo (p. 113).

Las relaciones entre los consejeros y el rey serán las mismas que entre dos amigos. Unicamente el rey, en función de su cargo, estará más necesitado de ellos:

> por que a ellos cunple mas consejarse con los sabios e con los entendidos por rrazon que les den el buen consejo; que el rrey, maguer que sea bien esforçado, synon oviere mesura e sus pryvados fueren malos e sus consejeros, maguer que la ventura le guardase bien sus cosas e le meta en alegria e plazer, e en vençimiento e en gozo, non puede ser que a rrepetençia non venga e a peligro (p. 273).

(45) Los *Castigos e documentos*, p. 179, advierten: "Mio fijo, non te pagues nin quieras en la tu casa omne que se atreuiere a yr al tu consejo e a la tu poridat a menos de le llamar a ella".

(46) J. A. Maravall, "La corriente democrática medieval en España y la fórmula *quod omnes tangit",* en *Estudios de Historia del Pensamiento Español,* pp. 177 y ss.

(47) Este consejo se repite en varias ocasiones dentro del *Calila:* "A las vezes el artero rrecabda syn lid mas que el valiente lidiando" (p. 214). Asimismo no son extrañas las opiniones contrarias a la guerra, como vemos en el *Libro de los Cien Capítulos*, p. 20: "Antes que lidies con tus enemigos ante puña por escusar la lid quanto podieres, e non te atrevas, maguer seas fuerte e tu enemigo flaco: non vengas a lidiar synon quanto non podieres mas".

La selección del consejero es análoga a la elección de un buen amigo; hay que probarlo para ver si es digno de que el rey le descubra sus "poridades":

> Los rreyes deven provar los vasallos antes que los pongan en aquellas cosas e ofiçios que los quieren poner (p. 309).

Una vez probado, el monarca debe colocar a cada súbdito en el puesto que merece según sus méritos y cualidades. Se parte de la idea de que cada individuo tiene un lugar destinado en la sociedad en relación con su "medida". La función justiciera del monarca implica conocer estas "medidas" y situar a cada uno conforme a ellas:

> Conviene al rey que conosca a los que se echan a él, se ponga a cada uno d'ellos en su lugar, segunt su seso e su saber e su lealtad, e dé a cada uno d'ellos lo que meresce, e que non enturbie su donadio, de guisa que non lo tenga por bien, e non les plega con ello.

La oposición de Calila a las aspiraciones de Dimna se basa en que carece de la medida adecuada para el puesto que pretende ocupar:

> e non somos de la medida de los que se entremeten de fablar con los rreyes (p. 46).

Junto a esta imagen del rey y el consejero ideal, los textos presentan también el modelo opuesto. La antítesis del buen monarca será aquél que falte a sus cualidades principales —justicia y mesura— y actúe llevado por el arrebatamiento y las palabras engañosas de los que le rodean. Los monarcas que ejemplifican este tipo en el *Calila* suelen ser víctimas de sus malos consejeros, antes que de sus cualidades negativas, con lo que el ideal regio queda a salvo. El poder real aparece disminuido, a merced de los intereses —buenos o malos— de sus consejeros. El león que mata a Sençeba (III) o condena al cerval (XIV) no es culpable directo ya que fue influido por mestureros. Error principal del rey será no seleccionar bien a sus privados y actuar como una mujer, alzando a los indignos y rebajando a los buenos. Esta comparación de matiz peyorativo para indicar la inconsciencia de algunos monarcas se repite en varias ocasiones:[48].

> ca dizen los sabios que el que es de conpañia de rrey o de la muger, que non le allegan assy por mayor bondat que aya en sy que otro, mas porque les es mas çerca bien; asy commo la vid que se nos trava al mejor arbol, mas al que mas açerca esta (p. 50).

La corte se considera un lugar atractivo, pero peligroso —semejante al viaje por mar— sólo apto para determinados individuos:[49]

(48) La analogía se repite en el *Calila:* "Que gran verdat dixo que tales son los rreyes en su poca verdat e lealtad a sus vasallos, e en ser francos de lo que se les pierde dellos, como la muger que sy se le va uno vienesle otro en su lugar" (p. 89). La comparación entre el rey y la vid reaparece en *El Libro del Cauallero Zifar*, p. 280, *Libro de los Cien Capítulos*, p. 8, etc.

(49) El servir en la corte y la mercaduría por mar entrañan análogos peligros según el *Libro de los Cien Capítulos*, p. 14 y las *Partidas*, II, IX, XXVIII. La similitud entre el rey y el fuego se debe a los riesgos de su proximidad. La imagen aparece en el *Libro de los engaños*, p. 8, la *Disciplina Clericalis*, p. 69, el *Libro de los Cien Capítulos*, p. 14, el *Libro del Cauallero Zifar*, los *Castigos e documentos*, etc.

E por ende dizen que a peligro se mete el que mucho entra en la mar, e mayor el que ha afazimiento con el rrey (p. 92).

A consecuencia de ello, los reyes se verán rodeados de personajes indignos, lisonjeros que sólo esperan sacar provecho propio; un buen consejero, en cambio, puede encontrar fácilmente la muerte, acusado por esos colegas envidiosos, como le sucede a Sençeba, al camello, al çerval... Este último, personaje de vida religiosa, rechaza el puesto de privado del rey por miedo a sus propios compañeros:

> Mas quien quiere servir al rrey sana e verdaderamente e syn falago, pocas vezes acontçe que se ençime bien su fazienda; que se le ayuntara la enemistad de los enemigos del rrey a la henemistad de sus amigos. Asy que el que fuere amigo del querra valer mas que non el, e acusarlo ha por ende; e el que fuere enemigo del rrey tenerle ha mala voluntad por la lealtad que fara a su señor. E ayuntandosele estas dos cosas *esta a peligro de muerte* (p. 309-310).

La realidad —al menos en la corte abbasí— no estaría muy lejos de lo descrito; el mismo Ibn al-Muqaffa' murió víctima de una de estas intrigas palaciegas.

La antítesis del buen consejero será aquel que actúe sin ser llamado (como hace Dimna), nunca lleve la contraria al rey (también Dimna, y los consejeros búhos) y se guíe más por sus intereses que por el bien del estado. No es extraño que los consejos de los malos privados sean en sí mismos buenos, y perjudiciales únicamente en el contexto que se dan. No hay nada reprochable en las advertencias de Dimna. Sus palabras son el único ejemplo de heroísmo en toda la obra y el engaño sólo se aprecia en el conjunto de la historia[50]. El lector, al dominar todas las perspectivas, es consciente de sus mentiras; no así cada personaje que se deja engañar por sus sabios razonamientos. La verdad —como insistirán los textos didácticos— sólo depende de las circunstancias en que se sitúe.

LA MUJER

Los cuentos orientales —y en especial el *Sendebar*— presentan una imagen de la mujer centrada sólo en su habilidad para engañar a los que le rodean, y en particular a su marido. Coinciden por su temática con un gran número de obras antifeministas cuyos orígenes se pueden retrotraer hasta el *Génesis,* III, donde la mujer es contemplada como instrumento de tentación. En el *Antiguo Testamento* se castiga el adulterio en varias ocasiones. *(Ex.* XX, 14; *Lev.* XVIII, 20; *Deut.,* V, 18,...) y la mujer sorprendida en el delito es condenada a muerte. La prohibición se reitera en el *Nuevo Testamento (Mat.* XIX, 8; *Marc.* X, 19; *Luc.* XVIII, 20; *Rom.* XIII, 9). Esta corriente es continuada por los Padres de la Iglesia, entre los que destaca S. Jerónimo con su *Adversus Jovinianum,* a partir del cual se multiplicaron las diatribas contra las mujeres. La imagen peyorativa de

---

(50) J. Piccus, "Consejos y consejeros en el *Libro del Cauallero Zifar",* NRFH, XVI (1962), 16-30, sostiene una tesis semejante.

la mujer fue un lugar común en la Edad Media, como antes lo había sido en la antigüedad; de los autores clásicos, Juvenal será imitado con frecuencia.

En el contexto histórico-cultural que dio origen a los cuentos estudiados, la situación de la mujer no era muy diferente. La literatura clásica sánscrita, el *Rigveda*, el *Mahabbarata*, las jatakas..., recuerdan los peligros que se derivan de la proximidad de la mujer. La doctrina budista[51] intentó liberarla de este estado de inferioridad, aunque los textos religiosos de la época recogen testimonios a favor y en contra de esta iniciativa. Se señalan los peligros que representa para un monje que ha dejado su hogar y busca la libertad a través de la castidad, y se describen sus artes seductoras. No faltan textos búdicos de profundo antifeminismo, como el *Loto de la buena ley*. En la descripción del cielo se insiste en que "allí no se encuentra ninguna mujer" y en otras ocasiones se asegura que aquellas mujeres dignas de ir al cielo renacerán como hombres. Un intento de igualar ambos sexos fue la creación de órdenes religiosas femeninas dentro del budismo; sin embargo, esta decisión fue para algunos sectores un delito de fatales consecuencias.

Tanto el antifeminismo occidental como el oriental coinciden en considerar a la mujer suma de todos los vicios, pero destacan como principal de ellos su concupiscencia que la convierte en instrumento de tentación. Las palabras de Ph. Delhaye, referidas a los clérigos cristianos, pueden aplicarse a cualquier religión que propugne la castidad entre sus representantes: *Puisque les clercs et les moines pratiquent le chasteté parfaite où du moins y tendent, il est assez normal qu'ils craignent les tentatives de l'éternel fémenin... Par vertu on devient antiféministe*[52]

Los textos jurídicos son también ilustrativos a este respecto. Como ha demostrado J. Verdon[53], bajo las leyes que castigan el incesto, el adulterio, etc., subyace una forma de concebir a la mujer como origen del pecado. En este punto se muestran coincidentes una gran parte de las obras medievales. Los religiosos advierten en sus homilías contra las tentaciones femeninas; por otro lado, los moralistas, autores de tratados éticos y espejos de príncipes, acusan a la mujer de ir contra el ideal defendido por ellos: el hombre sabio, capaz de controlar todas sus pasiones[54]. Para esta idea se retoman los escritos atribuidos a

(51) Véase el apéndice dedicado a las monjas en la obra de J. López-Gay, *La mística del budismo*, Madrid, BAC, 1974, pp. 110 y ss.

(52) Ph. Delhaye, "Le dossier anti-matrimonial de *l'Adversus Jovinianum* et son influence sur quelques écrits latins du XII siècle", *Med. Stud.*, XIII (1951), 65-86; C. Buridant, introducción al *Traité de l'amour courtois*, Paris, Klincksieck, 1974.

(53) Para J. Verdon, "Les sources de l'histoire de la femme en occident aux X-XIII siècles", en *La femme dans les civilisations des X-XIII siècles. Actes du Colloque tenu à Poitiers les 23-25 septembre 1976*, Poitiers, Centre d'Etudes Superieures de Civilisation Médiéval, 1977, p. 133, *L'interêt de tels textes est de montrer le refus en quelque sorte de la sexualité, consequemment de nous renseigner sur une certaine manière de considérer la femme. Celle-ci est toujours l'être qui entraîne l'homme à commettre le péché le plus craint et le plus stigmatisé, le peché de chair.* B. Matulka, en *The Novels of Juan de Flores and Their European Diffusion. A Study in Comparative Literature*, N. York, 1931, pp. 55 y ss. (Genève, Slatkine Reprints, 1974), dedica un documentado apartado a la "Ley de Escocia" que castigaba el adulterio con la muerte.

(54) "Qui quier aprender la sapiençia guardesse de apoderar las mugeres sobre si". La sentencia, extraída del *Libro de los buenos proverbios*, p. 78, es válida para toda la literatura sapiencial.

Salomón, especialmente los *Proverbios.* Se repite hasta la saciedad la lista de hombres sabios que cayeron en este vicio, David, Salomón, Aristóteles, Virgilio..., a la que se suma la relación de príncipes que perdieron sus reinos por lujuria, ya que "a todo príncipe o regidor es neçesario la castidat, e es cosa conplidera para el pueblo"[55].

A las voces de teólogos y moralistas se añadieron los fisiólogos, en un intento por dar una explicación científica a lo que se consideraba propensión natural de la mujer hacia la libido. Según estas teorías, la mujer es fría y húmeda, por eso es pilosa, mientras el hombre es caluroso y seco, de ahí su calvicie. Tanto Adelardo de Bath, como Guillermo de Conches, se plantearon el problema siguiente: si las mujeres son más frías que los hombres, ¿por qué son más libidinosas? Adelardo estimó que esta propensión no derivaba de la frialdad sino de la humedad; no era, por lo tanto, un vicio sino una necesidad natural[56].

La tendencia misógina tuvo su reflejo en los textos literarios medievales que aparecen claramente enfrentados en dos corrientes: por un lado la imagen idealizada de la mujer y del amor que ofrecen los "roman courtois", y por otro la tendencia contraria de *fabliaux,* cuentos orientales, etc. Ambas corrientes, opuestas a veces, coinciden en un mismo autor, e incluso en una misma obra, como puede verse en *La Celestina* o en el tratado de A. Le Chapelain. La contradicción es un contraste más de los que ofrece la época medieval. En palabras de P. Nykrog, *l'un des symboles chers au Moyen Age a precisèment pour sujet l'âme de la femme: les trois mêmes lettres peuvent exprimer ce qu'elle a de plus précieux, et à l'opposé ce qui fut sa manifestation la plus désastreuse, le tout selon l'ordre des éléments ou selon le point de vue que l'on adopte. Les trois lettres EVA symbolisent la perte de l'humanité par la femme; les mêmes lettres invertiès, AVE, évoquent la douce image de celle qui par sa vertue a rendue la rédemption possible*[57].

El enfrentamiento de estos conceptos opuestos dio origen a partir del siglo XIII a una gran polémica. Hasta entonces la disputa se movía en el terreno erudito, tan sólo para lectores capaces de entender el latín. A partir del *Roman de la Rose,* el debate se popularizó. En Castilla, como ha señalado J. Ornstein no aparecieron textos misóginos hasta el XV. Sin embargo, a través del influjo oriental, proliferaban los relatos antifeministas. Una de las razones del éxito de la *Disciplina Clericalis* y el *Sendebar* reside precisamente en su matiz misógino que hizo que algunos cuentos se repitieran en el púlpito y pasaran después a otros textos literarios. Por lo que respecta al tratamiento de la mujer, hay que esta-

(55) *Libro de los doze sabios,* p. 82.

(56) Véase el artículo de M. T. d'Alverny, "Comment les théologiens et les philosophes voient la femme", en *Actes du Colloque...,* pp. 15-39. La idea es un lugar común de los textos antifeministas, como, por ejemplo, la obra de Luis de Lucena, *Repetición de amores,* ed. J. Ornstein, Chapel Hill, University of Carolina Press, 1954, p. 54.

(57) P. Nykrog, *Les Fabliaux,* p. 206; para la imagen de la mujer en el mundo medieval son imprescindibles, entre otros, los siguientes estudios: J. M. Ferrante, *Woman as Image in Medieval Literature. From the Twelfth Century to Dante,* N. York, Columbia University Press, 1975; A. Wulf, *Die frauenfeindliche Dichtung in den romanischen Literaturen des Mittelalters bis zum Ende des XIII Jahrhunderts,* Halle, Max Niemeyer, 1914 (Romanistische Arbeiten, IV). M.ª Rosa Lida de Malkiel, "La dama como obra maestra de Dios", recogido en sus *Estudios de Literatura Española del XV,* Madrid, Porrúa, 1977, pp. 179-290.

blecer una división entre la *Disciplina Clericalis* y el *Sendebar* por un lado, y el *Calila* por otro.

De todos ellos es el *Sendebar* el más misógino y éste (y no el saber) fue el rasgo que más llamó la atención de sus lectores, como lo demuestra el título que adoptó Amador de los Ríos para la versión castellana: *Libro de los engaños e los asayamientos de las mugeres*. Según el prólogo, de donde se tomó el título, el libro fue mandado traducir por D. Fadrique para apercibir a los lectores contra tales engaños. La razón de incluir tantos cuentos de esta temática viene justificada desde el marco: la madrastra con su astucia es capaz de poner en peligro la vida del infante, haciendo que el rey actúe injustamente contra su propio hijo. Los privados deberán insistir en sus intervenciones en la maldad de las mujeres para lograr que el monarca recapacite.

Asimismo la estructura formal de la colección muestra un ligero desequilibrio en contra de las mujeres. La aparente dialéctica entre los cuentos de los privados y los de la madrastra se altera en primer lugar por el número de relatos narrados en cada ocasión (dos de los consejeros y uno de la mujer). A esto se añade la incongruencia de algunos relatos de la mujer que no se centran en una temática concreta y se han transmitido con errores. En dos de ellos (6 y 8) pretende acusar a los privados, estableciendo un paralelismo implícito entre la fidelidad matrimonial y la que debe el consejero a su rey. Pero lo que podía haber sido un enfrentamiento interesante (narraciones contra las mujeres frente a otras contra los privados) no llega a culminar. Sin embargo, el intento sirve para subrayar las semejanzas entre los lazos que ligan a unos y a otros. Pese a esto, no todas las mujeres reciben el mismo tratamiento en la colección. La madre del infante "era cuerda e entendida e aviala el *provado* en algunas cosas"; gracias a sus buenos consejos consigue el rey tener un heredero. Sin embargo, una vez desempeñado su papel reproductor, desaparece de la historia y queda suplantada por su antítesis, que es una de las noventa mujeres del rey Alcos. Si la madre del infante era un personaje positivo pero sin relieve alguno, no podemos decir lo mismo de la protagonista del cuento 1 ("La huella del león") quien no sólo rechaza el adulterio sino que además es ingeniosa para conseguir que el monarca se avergüence de sus propósitos. Esta es la única mujer casta que mantiene firmemente su postura a lo largo de una narración. En otras ocasiones, los cuentos se inician presentando mujeres virtuosas con la única finalidad de demostrar cómo éstas también se dejan vencer por los asedios de los hombres o de las alcahuetas.

De los numerosos vicios que suele atribuir la literatura misógina a las mujeres, los cuentos de los privados sólo se centran en su carácter lujurioso, que les induce a aprovechar la ausencia del esposo para entrevistarse con el amante. Para lograr sus propósitos, sin que el marido sospeche nada, deben recurrir al engaño y a la mentira. Por el contrario, no se alude a su obstinación ni al espíritu de contradicción, temas éstos comunes a otros textos antifeministas. Al centrarse en las relaciones adúlteras (como gran parte de los *fabliaux*), los privados están recordando la maldad de la mujer de la historia principal, capaz de proponer relaciones amorosas a su propio hijastro.

El adulterio —que fue severamente castigado desde los textos bíblicos— adquiere una nueva dimensión en la Edad Media al contemplarse desde la perspectiva de la fidelidad rota, eje sobre el que se sustenta la sociedad de la época.

En las *Partidas* se castiga severamente el adulterio, haciendo recaer el peso de la ley sobre la mujer antes que sobre el hombre, por las siguientes razones:

> la una porque del adulterio que faze el varon con otra muger non nasce daño nin deshonra à la suya: la otra porque del adulterio que ficiese su muger con otro, finca el marido deshonrado rrecibiendo la muger á otro en su lecho: et demas porque del adulterio que ficiese ella puede venir al marido muy grant daño; ca si se empreñase de aquel con quien fizo el adulterio, vernie el fijo extraño heredero en uno con los sus fijos, lo que non avernie á la muger del adulterio que el marido fiziese con otra[58].

De los veintitrés cuentos del *Sendebar*, siete se centran en las relaciones adúlteras, enfocadas siempre desde un ángulo misógino (a éstos habría que añadir la narración-marco, aunque el adulterio incestuoso no llegue a consumarse). Este sencillo esquema triangular puede complicarse aumentado el número de personajes implicados; a veces de un amante se pasa a dos y puede introducirse otra figura femenina, la alcahueta, cuyo papel resulta en muchas ocasiones equivalente al del mesturero. En ambos casos nos encontramos ante personajes falsos que se interponen entre una pareja (sean marido y mujer o un rey y su consejero) para alterar la relación armoniosa que les une. Una sentencia de los *Bocados de oro* establece el paralelismo entre ladrones y mestureros, a los que cabría añadir las viejas alcahuetas:

> Los mezcladores son peores que los ladrones; que los ladrones tiran los averes, e los mezcladores tiran los amores[59].

El error de unos y otros será prestar atención a sus palabras engañosas. A este respecto es curioso comprobar cómo la misma imagen atribuida a Dimna y a los mestureros (ser de dos lenguas y doble faz) es utilizada por el Arcipreste de Talavera para referirse a la mujer en general[60].

Junto al papel relevante de la misoginia en la *Disciplina Clericalis*, el *Sendebar* y los catecismos hispano-orientales[61], sorprende el *Calila* por la escasa importancia que concede al tema. Aun así cabría distinguir dos enfoques diferentes en el tratamiento de la mujer: por un lado, las sentencias o frases proverbiales que pueblan la obra muestran un tono marcadamente misógino, análogo al de los catecismos mencionados; por otro lado, las figuras femeninas de los cuentos alternan vicios y virtudes sin que se aprecie un predominio tan claro de los primeros como sucede en otros textos. Sin que se pueda calificar el *Calila* de pro-feminista tampoco aparece entre sus páginas la intransigencia acostumbrada.

La imagen de la mujer que brindan los proverbios coincide con la de otros textos coetáneos ("el ome entendido... por tales tiene las mugeres commo

(58) *Partidas*, VII, XVII, I; *Castigos e documentos*, pp. 124 y ss.

(59) *Bocados de oro*, p. 186.

(60) *Arcipreste de Talavera o Corbacho*, ed. J. González-Muela, Madrid, Castalia, 1970, capítulo VI, parte II: "Como la muger es cara con dos fazes".

(61) En estos textos se recogen numerosas sentencias antifeministas atribuidas a Sócrates, Aristóteles, Platón... Una de las más sorprendentes aparece en el *Libro de los buenos proverbios*, p. 138, puesta en boca de Diógenes: "E vido una muger quemada que estava colgada de un arbol y dixo: —Agora levasen todos los árboles tal fructo".

las byvoras"). Su condición social se eleva al estar casada ya que su misión principal es la reproducción dentro del matrimonio:

> Tres son las cosas vagas: el rrio en que non ay agua; e la tierra en que non ay rrey; e la muger que non ha marido (*Cal.* p. 293).
>
> Tres son los que deven ser escarneçidos: (...) e la muger vyrgen que chufa de la casada (*Cal.* p. 295).
>
> Quatro cosas son que omne entendido (non) deve loar fasta que vea el cabo dellas: (...) e la muger, fasta que sea preñada (*Send.* p. 7).

Los proverbios numéricos copiados parecen remitir a un contexto en el que la situación de la mujer es idéntica. Asimismo tras algunas sentencias del *Calila* parece descubrirse una reprobación de los amores adúlteros tanto por parte de la mujer como del hombre:

> E una de las locuras de las faziendas deste mundo querer amigo syn lealtad, e aver el otro syglo con adulterio e amor de las mugeres... (p. 115).
>
> Dos son los que cobdiçian lo que non pueden aver: el adulteryno que non teme a Dios, que cuando muere, quiere aver la dinidat de los santos... (p. 294).

El concepto en el que se tiene a la mujer debe situarse dentro de todo el sistema de relaciones humanas y en franco contraste con la idea del buen amigo y consejero propugnada en el texto. La amistad entre seres de distinto sexo o entre dos mujeres es inconcebible, ya que la mujer —por su propia naturaleza— parece incapacitada para cumplir las reglas de esta relación. Su proximidad llega a ser tan peligrosa como la del rey, salvo que en este caso la cercanía tenía el atractivo del poder:

> Ca dizen los sabios que el que es de conpañia de rrey o de la muger, que non le allegan a ssy por mayor bondat que aya en sy que otro, mas porque les es mas çerca bien (p. 50).

No puede comprobarse la fidelidad de la mujer ni ella es capaz de guardar las "poridades"[62], factores ambos imprescindibles para distinguir al buen amigo del que no lo era:

> que dizen que la plata se prueva en el fuego: e los amigos e su lealtad en dar e tomar; e la fuerça de la bestia con la gran carga; mas las mugeres non es cosa con que se puedan provar (pp. 244-245).
>
> tres cosas son a que se non atreve synon ome loco, nin se guarda dellas synon el sabio: la una es servir rrey; e la otra es meter las mugeres en su poridat; la terçera es bever ponçoña a prueva (pp. 51-52).

---

(62) La incapacidad femenina para guardar secretos aparece en el *Corán*. Véase el artículo de R. Arnaldez, "Statut juridique et sociologique de la femme en Islam", *Actes du Colloque...*, pp. 41-53; la idea es un tópico recogido por todos los moralistas.

A esto se añade su incapacidad "natural" para dar buenos consejos, como recoge la *Glosa castellana al Regimiento de príncipes*. La debilidad de su constitución, que dirigía a la mujer inexorablemente hacia la lujuria, es causa de su imperfección espiritual, por dos razones:

> asi commo los mozos no han consejo acabado, porque son menguados en el entendimiento e en la razón, bien así las mugeres no han consejo acabado, porque son menguadas de los entendimientos.

De otro lado,

> han la complexión mala e flemática, ca son muelles e la molleza les viene de gran abundancia de flema... Por la cual cosa las mugeres no pueden haver consejo conplido, ca la malicia de la complexion las embarga el uso de la razón[63].

El capítulo VIII del *Calila* opone el amor marital a la amistad, con un claro triunfo de esta última. Es la historia del galápago que decide sacrificar a su amigo el simio para curar la misteriosa enfermedad de su mujer, que sólo puede sanar con corazón de mono. El mismo galápago vacila antes de llevar a cabo su plan convencido de que "Querer ome matar a su amigo por cabsa de la muger non es de las obras que a Dios plazen (...) En fazer trayçion a my amygo por amor de my muger seria muy fuerte cosa" (p. 242).

El relato se encarga de confirmar estos temores, pues la enfermedad de la mujer es un engaño para sustraerle a la influencia del simio, de quien se sentía celosa. Este es quizás el único personaje femenino falso y engañador, como corresponde a la tradición misógina.

Responde el capítulo XVII al clásico triángulo amoroso, característico de los *fabliaux* y de los cuentos del *Sendebar*, salvo que aquí está representado por animales: una garza macho, su hembra y un *çarapico*, amigo de esta última. En la primera parte de la historia triunfa el engaño de la hembra, la cual logra llevar consigo a su amante al nuevo "locus amoenus" descubierto por el macho. Pero en la segunda parte destaca la traición del "çarapico" quien se libra de la pareja de garzas para poder disfrutar él solo del paraje. Primero convence a la hembra —quien le obedece ciegamente— para que mate a su marido. Después de prometerle un nuevo esposo, prepara una trampa para que un lobo devore a la hembra. La mujer, pues, no termina triunfadora sino que muere víctima del engaño. La culpabilidad de lo sucedido no recae finalmente sobre la garza hembra sino sobre el "aparçero falso". en quien no debe confiar ningún hombre "enviso".

Rasgos semejantes encontraremos en otros cuentos que traten la temática del adulterio. En el II, 2 ("El amante que cayó en poder del marido") se destaca la falta de decisión del amante que le hace encontrarse con el marido; en el VII, 6 ("El carpintero engañado por su esposa"), la mujer recibe al amante mientras el marido escucha debajo de la cama; pero ella, consciente de su presencia dice

---

(63) *Glosa castellana al Regimiento de príncipes*, II, pp. 114-115. Sánchez de Vercial, *Libro de los exenplos por a.b.c.*, n.º 370, se muestra más generoso: "El consejo de las mugieres non lo deves despreçiar, / ca algunas vegadas ouo de aprovechar".

las palabras apropiadas. De nuevo el texto del *Calila* no se centra en la traición de la mujer, sino en la falta de entendimiento del marido para apercibirse del engaño. Esto puede hacerse extensivo a las restantes historias de tema análogo (III, 7; IV, 1...); en todas ellas, los engaños de las mujeres son un trampa más (a idéntico nivel que la actuación de los mestureros) que el hombre sabio debe evitar.

Pese a que el fondo proverbial de la obra parece coincidir en la maldad intrínseca de todas las mujeres, hay cuentos protagonizados por figuras femeninas leales y justas, que contradicen lo expuesto en tales sentencias. Salvo una de ellas (IV,4), prototipo de mujer casta acusada falsamente de adulterio, las demás son familia directa del rey. Con esto entra el *Calila* en la tradición de los "espejos" de príncipes que, junto a advertir al rey del peligro de la lujuria y la compañía de malas mujeres, ensalzaban el papel de la reina. Tanto las *Mil y una noches*, como la *Glosa castellana al Regimiento de príncipes*, la *Lámpara de príncipes*, los *Castigos e documentos*[64], etc..., recogen historias donde la madre, la mujer o la hermana del monarca cumplen una función importante. Todos los vicios que imposibilitaban la relación con un personaje femenino se anulan, al igual que las causas "científicas" que hacían negar a E. Romano la posibilidad de una mujer consejera. Los familiares del rey o, en otro caso distinto, las viejas (recordemos el ejemplo XV de la *Disciplina Clericalis*) son la única excepción, y sus consejos suelen ser acertados.

La madre del león (capítulo IV) se indigna ante el carácter débil de su hijo y actúa con insistencia hasta que consigue el castigo del traidor. Está convencida de la culpabilidad de Dimna, ya que el león pardo le ha contado una conversación privada entre los dos chacales (Calila y Dimna). Sin embargo, ella no puede utilizar este argumento ante el rey, pues el testigo le rogó que guardara la "poridat". De este modo, la figura que ejerce una mayor resistencia en toda la obra a descubrir una "poridat" es precisamente una mujer, pese a que continuamente se afirme el peligro que conlleva confesar un secreto a un personaje femenino:

> El que me lo dixo rrogome en poridat que fuese, e deve ser fyel aquel a quyen a se descubre la poridat, e sy la descubre non faze ninguna bondat e avra por ello pena en el otro syglo, e despues ninguno non le querra mas descobryr su porydat nin fyara del (p. 132).

Un comportamiento análogo tiene la madre del león en el capítulo XIV, que tantas semejanzas guarda con el añadido por Ibn al-Muqaffa' (IV). Si en aquella ocasión conseguía castigar a un culpable, ahora logra salvar a un inocente. Entonces contaba con el testimonio secreto del león pardo, mientras que en esta historia es su propia intuición la que le hace entender que el cerval "era mezclado a tuerto". Tras conseguir la liberación del inocente, la madre del rey da una nueva lección a su hijo, aconsejándole que reintegre al privado a su antiguo puesto de confianza.

Por último, hay un tercer personaje, Elbed, la esposa del rey Cederano, que reúne en sí numerosas virtudes. Tras conocer el rey el resultado de su sueño profético, según la interpretación de los malos adivinos, se aísla de los demás.

---

(64) *Glosa castellana al Regimiento de príncipes*, I, p. 204 y II, p. 367; *Castigos e documentos*, cap. LXXXII; R. Marsan, *Itinéraire...*, p. 367 y ss.

El consejero Beled anima a la reina para que vaya a verle, convencido de que es la única visita aceptada:

> non puede ninguno entrar a el salvo tu, que yo le oy dezir muchas vezes que quando el avia gran cuydado e gran pesar e oteava a Elbed que luego lo perdia (p. 279).

Cederano se resiste a confesar sus preocupaciones, pero finalmente lo hace, siendo así su mujer la primera en conocer sus "poridades". Ella, a su vez, da muestras de ser digna de semejante confianza al aceptar la muerte, si es preciso, para salvar el reino. Pero, a continuación, le da dos buenos consejos gracias a los cuales logrará el rey liberarse de sus problemas. El primero es que nunca más se fíe de tales adivinos, ya que él los había ofendido con anterioridad; y el segundo, que consulte al sabio Caynero. La nueva interpretación de este sabio será la acertada y las antiguas desgracias presagiadas se tornarán en numerosos regalos de reyes vecinos. Elbed da muestras de su humildad al rechazar los paños preciosos —que adquiere la concubina Jorafa— y elige una corona. Tal cambio de objetos será la causa de la desgracia de la reina, quien pone así un vez más a prueba su amor por el rey y su carácter virtuoso. Acusada de muerte sin motivo, sólo por la ira del rey, se salva gracias a las buenas artes del consejero Beled. Finalmente, el rey, arrepentido de su orden, eleva a su mujer al más alto rango de la corte al conocer que aún vive:

> que yo quiero que ella sea poderosa sobre todas las mugeres de mi rreyno e quanto ella mandare de mi rreyno que sea fecho (p. 301).

168

VII

EL DESTINO

\

La moral predicada por los cuentos orientales es esencialmente práctica, aconsejándose el uso de la prudencia y de la astucia como valores más extendidos. Los rasgos religiosos que pudieran caracterizar los textos se han ido depurando con el transcurso del tiempo. Precisamente, el hecho de propugnar una ética fácilmente acomodable a otras culturas, favoreció ampliamente su difusión. No obstante, estas afirmaciones no deben hacer olvidar el papel relevante que desempeña en los cuentos la predestinación, hasta convertirse en tema recurrente en gran número de ellos. Este concepto, que tampoco resulta extraño al mundo cristiano, se desarrolló especialmente en el Islam, donde —al igual que en otros pueblos orientales— se aprecia una tendencia hacia el fatalismo como reflejan las páginas del *Corán*.

En el *Calila* podemos señalar dos aspectos diferentes del mismo concepto, designados a su vez con términos diversos. Por un lado, el destino predetermina la *natura*[1] básica del hombre, de un modo que resulta difícil, cuando no imposible, de modificar. Ya con anterioridad a su nacimiento el individuo está condicionado por una serie de factores (el linaje, su propia naturaleza humana...), a los que se añadirá su constitución física o la situación de las estrellas en el momento del parto. Por otro lado, se culpa al destino de provocar acciones incomprensibles e inevitables, las *venturas,* que escapan al poder humano.

LAS "NATURAS"

Los cuentos del *Calila* predican como norma aquélla que logre la felicidad y el éxito en este mundo, soslayando las imágenes negativas de la existencia humana.

(1) Según J. J. Bustos Tovar, "Notas para el léxico de la prosa didáctica del siglo XIII", *Studia Hispanica in Honorem R. Lapesa,* II, Madrid, Gredos, 1972, 149-155, "natura" en un caso claro de polisemia. En singular significa "naturaleza", "manera de ser", "carácter", mientras en plural equivale a "ciencias de la naturaleza". La voz aparece en el *Poema de Mio Cid* (3275, 3354), *Loores* (32) y *Milagros* (630d) con el valor de "linaje"."Ventura" equivale a destino o suerte, especialmente la buena (*Poema de Mio Cid,* 223).

En contraste con esto, la autobiografía de Berzebuey que inicia el libro (capítulo II de la versión castellana) revela un espíritu atormentado y pesimista, ajeno al que preside el resto de la obra.

Las investigaciones de distintos orientalistas han contribuido a aclarar, en parte, el misterio de esta autobiografía. Su autenticidad fue primero afirmada por I. Guidi y más tarde negada en bloque por Th. Nöldeke, quien pensaba que era obra del traductor árabe; en un segundo momento, el citado orientalista alemán retrocedió, tras conocer las investigaciones de Hertel, y se limitó a atribuir a Ibn al-Muqaffa' alguna interpolación. La opinión más aceptada hoy[2] —y a la que me atengo— considera que el traductor árabe añadió un excurso, donde cuestiona la verdad de una religión frente a otra, critica a los que siguen las creencias heredadas y termina por afirmar su propósito de atenerse a la "religión natural". El *núcleo original* del relato se centraría en una oscilación entre el goce de los bienes materiales y el estado de ánimo ascético, reforzado por la consideración pesimista de las penas que acompañan al hombre desde su nacimiento hasta la muerte. Todo ello narrado con cuentos insertados.

La autobiografía se inicia con el aprendizaje del joven Berzebuey hasta que consigue hacerse un médico famoso y alcanzar la sabiduría ("vençio el saber deste mundo", p. 19); a continuación, dedicará sus esfuerzos a curar gratuitamente esperando ganar así "el otro siglo", pero pronto será consciente de los límites de su ciencia:

> falle qu'el fisico non puede melezinar a ninguno con melezina que le segure de enfermedat toda su vida (p. 22; ms. A).

Hasta aquí el proceso resulta paralelo al que conocíamos por la misión de Berzebuey a la India (capítulo I). En aquella ocasión, el saber resultaba la única vía para alcanzar la inmortalidad; ahora decide preocuparse más por las almas enfermas que por sus cuerpos:

> E por ende falle que las obras del otro syglo son cosas que libran a los omes de las enfermedades. E falle que la enfermedat del alma es la mayor enfermedat. E por ende despreçie la fisica e trabajeme de la ley e ove ende sabor (p. 23).

El camino quedaba abierto para el excurso de Ibn al-Muqaffa'.

En el núcleo original de Berzebuey —afirmación que debe aceptarse con las naturales reservas —el autor basa su pesimismo en un conocimiento científico de la frágil condición humana. La perfecta correspondencia que guarda con las doctrinas fisiológicas de la época hace más aceptable la atribución. La concepción negativa de la existencia se manifiesta en un extenso apartado donde cuenta los padecimientos del hombre desde su génesis hasta el día de la muerte. La gestación, el nacimiento, la infancia, madurez, vejez y muerte son descritos con

---

(2) F. Gabrieli resume acertadamente el estado de la cuestión en su artículo sobre "L'opera di Ibn Al Muqaffa", parcialmente resumido en el primer capítulo de esta obra. A. Christensen, "La légende du sage Buzurjmihr", opina asimismo que el relato originario de Berzebuey fue ampliado por el propio traductor árabe.

numerosos detalles coincidentes en señalar su debilidad e impotencia. Así, por ejemplo, del feto se dice lo siguiente:

> tiene las manos sobre las mexillas, e la barbilla sobre los ynojos, e yaze encogido en su mantillo, asy como sy fuese ligado en una bolsa, e rrespyra por un sospyro con muy gran pena, e non ha en el mienbro que le non semeje atado, e esta ligado de su onbligo fasta el onbligo de su madre, e con el chupa e beve de la vianda que toma su madre. E en esta guisa esta en las tynieblas e angostura fasta el dia que naçe (p. 37).

La cita recuerda a un apartado del *Conde Lucanor* donde se enumeran las miserias de la existencia humana, si bien con notables divergencias. Todos los pormenores, fisiológicos o no, que acumula Berzebuey se soslayan en el *Conde Lucanor* (parte III), en unos casos para no herir la sensibilidad de los lectores, y en otros por no repetir lo conocido por todos. Asimismo el comentario final es divergente[3], pues lo que en el *Calila* es rechazo absoluto de las miserias de este mundo, en Don Juan Manuel produce una reacción más atenuada, como lo había sido también la descripción:

> Assi podedes entender que por todas estas razones, todo omne de buen entendimiento que bien parasse mientes en todas sus condiçiones, devía entender que non son tales que se diviesse mucho presçiar[4].

Por su parte, el *Calila* insiste de nuevo en la necesidad de buscar una salida:

> Debria ser contado por perezoso et por desacordado, o por home que ama dolor, el que *alguna arte non feziese contra esto cuando mas podiesse* e se non dejase de las cosas que le destorbasen, que son los sabores e los engaños deste mundo (p. 18).

A través de este repaso por las diferentes edades del hombre, Berzebuey ha mostrado las penas y el dolor de la existencia. Sus conocimientos fisiológicos serán siempre la raíz de su pesimismo. El conocido esquema de los cuatro humores, base de la ciencia médica hasta muy entrada la Edad Moderna, vertebra su pensamiento. Según estos principios, la salud consistía en la proporcionada mezcla de los humores (eucrasia) y la enfermedad en su perturbación, lo que da origen en la autobiografía a diferentes comparaciones. El hombre es semejante a un ídolo roto y arreglado pero, cuando falla el pegamento, "caense las junturas e desfazese todo" (p. 20). En otra ocasión, recuerda la contienda del individuo "con el sus quatro enemigos, es a saber: la colora e la sangre, e la flema e la malenconia, que le son byvoras mordederas e mortales" (p. 37). La imagen se repite en la parábola del pozo, donde las cuatro culebras son semejantes "a los quatro umores que son sostenimiento del ome; e quando se le mueve alguna dellas, esle atal commo el venino de las byvoras e el toxigo mortal" (p. 39).

(3) Véase J. Gimeno-Casalduero, *"El Conde Lucanor:* composición y significado", en *La creación literaria de la Edad Media y del Renacimiento,* Madrid, Porrúa, 1977, pp. 19-34.

(4) *El Conde Lucanor,* p. 300.

Por último, "la alegoría de los peligros del mundo" (II, 5) sirve de ejemplificación perfecta para combinar la endeble condición humana y la fugacidad de la existencia, con los "engaños y sabores deste mundo". La parábola es una de las más difundidas, siendo incontables tanto sus versiones literarias como las artísticas[5]. Su popularización vino a través del *Barlaam* y, posteriormente, gracias a las tres versiones que incluyó en su obra Vicente de Beauvais. Sólo en la España medieval pueden encontrarse más de siete, insertadas dentro del *Barlaam, Calila, Lucidario, Libro de los gatos, Espéculo de los legos, Exemplario, Enxiemplos muy notables...*[6], divididas en dos grupos. En el primero —con certeza, el más próximo al original— la vida humana se compara a la historia de un hombre que, huyendo, fue a parar a un *pozo* y allí se agarró a unas ramas de la orilla *(Barlaam, Calila, Exemplario, Espéculo...)*. La causa de la huida originariamente sería un *unicornio*, como se lee en numerosas versiones *(Barlaam, Espéculo, Libro de los gatos, Lucidario...)*. Este animal, conocido según algunos bestiarios por su fiereza y sus gritos terroríficos, es aquí símbolo de la muerte[7]. En algunos textos se sustituye el unicornio por animales menos fantásticos, como el león *Exemplario)*, el elefante, o bien queda sin especificar la razón de la huida, como sucede en la versión castellana del *Calila* ("un ome que con cuyta e con miedo llego a un pozo", p. 39). En el otro grupo se cambia el pozo por un *árbol*, al que sube el hombre asustado *(Lucidario, Libro de los gatos...)*.

Las dos familias coinciden en lo esencial: dos ratones, uno blanco y otro negro, roen las raíces; una o varias fieras esperan la caída del hombre, mientras éste se entretiene degustando miel o el fruto del árbol al que se ha subido. En el grupo del pozo se añade la presencia de cuatro serpientes, sobre las que el hombre, inconsciente, se apoya. La alegoría concluye en todas las versiones con una explicación detallada de sus elementos, lo que contribuye a reforzar el valor didáctico:

> E yo fize semejança del pozo a este mundo, que es lleno de ocasyones e de miedos, e de las quatro culebras a los quatro humores que son sostenimiento del ome; e quando se le mueve alguna dellas, esle atal commo el venino de las byvoras, o el toxigo mortal. E fize semejança de los dos rramos a la vida flaca deste mundo, e de los mures negro e blanco a la noche e al dia, que nunca çesan de gastar la vida del ome; e fize semejança de la serpiente a la muerte, que ninguno non puede escusar;

(5) Pueden consultrarse los siguientes estudios: R. Marsan, *Itinéraire...*, pp. 322 y ss.; E. Hermes, *Die drei Ringe aus der Frühzeit der Novelle*, Göttingen, Vandenhoeck und Ruprecht, 1964, pp. 72 y ss.; E. Cerulli, "The *Kalilah wa Dimnah* and the Ethiopic Book of *Barlaam and Josaphat* (British Museum ms. or. 534)", *JSS*, 9, 1 (1964), 75-99; J. W. Einhorn, *Spiritalis Unicornis. Das Einhorn als Bedeutungsträger in Literatur und Kunst des Mittelalters*, München, Wilhelm Fink Verlag, 1976 (con amplia bibliografía sobre esta parábola en pp. 219-231).

(6) "La Estoria del rey Anemur e de Josaphat e de Baarlam", cap. XV; *Los Lucidarios españoles*, ed. R. Kinkade, Madrid, Gredos, 1968, cap. XXIII; *Libro de los gatos*, n.º XLVIII; *Espéculo de los legos. Texto inédito del siglo XV*, ed. J. M. Mohedano, Madrid, CSIC, 1951, n.º 2379; *Exemplario contra los engaños y peligros del mundo*, f.º XI; *Enxiemplos muy notables*, texto inédito recogido por R. Marsan, *Itinéraire*, p. 334.

(7) J. W. Einhorn, *Spiritalis Unicornis*, p. 221; F. McCulloc, *Medieval Latin and French Bestiaries*, Chapel Hill, University of North Carolina Press, Studies in Romance Languages and Literatures, 23, 1962.

e fize semejança de la miel a este poco de dulçor que ome ha en este mundo que es ver, e oyr, e sentyr, e gostar, e oler; e esto le faze descuydar de sy e de su fazienda, e fazelo olvidar aquello en que esta, e fazele dexar la carrera porque se ha de salvar (p. 40).

No se modifica sustancialmente la interpretación en otros textos, salvo la intrusión de pequeñas variantes que cristianizan la parábola. Así, en el *Espéculo de los legos* el animal que acecha la caída del hombre no es la muerte, sino el diablo o el infierno; el *Lucidario* distingue una bestia situada a la izquierda (la sierpe, símbolo del infierno) y otra a la derecha (el unicornio, equivalente al purgatorio). El proceso de adaptación de esta parábola india a la religión cristiana es semejante al que sufrió toda la leyenda de *Barlaam e Josaphat* hasta hacer de sus protagonistas dos santos famosos en la Edad Media, como lo atestigua su presencia en la *Leyenda Aurea*.

Al igual que esta parábola, también la autobiografía original de Berzebuey contenía los elementos necesarios para —con algunas modificaciones— dar un matiz religioso al conjunto. Aunque en el caso de *la interpolación atribuida a Ibn al-Muqaffa'* se narra la tentativa por abrazar alguna religión, frenada por el escepticismo de su autor. El proceso que sigue es gradual. Examina primero distintas creencias, tratando de elegir la más conveniente pero fracasa, ya que no "falle en ninguna dellas rrazon que fuese verdadera nin derecha" (p. 24). Decide atenerse a la religión de sus padres (quizá aquí subyace una crítica al mazdeismo) pero "non falle para fyncar en la ley de mis padres ninguna carrera nin ninguna escusaçion" (p. 28); tras estas decepciones acaba eligiendo la ley natural, es decir, decide atenerse a aquello en que todas las religiones coinciden:

> E rretove mi mano de feryr, e de avyltar, e de rrobar, e furtar, e de falsar. E guarde my cuerpo de las mugeres, e mi lengua de mentyr e de toda rrazon que daño feziese a alguno (p. 30).

Tras nuevas vacilaciones por la dureza del camino elegido —que teme no ser capaz de soportar— decide continuar en él ante su visión pesimista del mundo y de la existencia humana.

En la versión alfonsí, el apartado interpolado —si bien algo confuso— mantiene el estilo característico, acompañado de sentencias y ejemplos, lo cual no es extraño dada la asimilación de Ibn al-Muqaffa' de los textos que traducía. Así, la religión se define con términos idénticos al saber, con el que coincide en su capacidad de renovación:

> e vi... que es mejor cosa que el thesoro que el padre e la madre le dexan, e que non mengua por la despender, ante se faze mas fermosa e mas nueva (pp. 28-29; ms. A).

Como prueba también de autenticidad, F. Gabrieli[8] ha demostrado las correspondencias de expresión entre este pasaje y un texto de Ibn al-Muqaffa'.

(8) F. Gabrieli, art. cit., p. 239; a esto puede añadirse el paralelismo existente entre unas frases de la interpolación atribuida a Ibn al-Muqaffa' y un fragmento de la *Lámpara de príncipes* de Abubequer de Tortosa. La semejanza carece de valor probatorio, dada la posterioridad del texto de Abubequer, pero puede confirmar el origen islámico de algunas sentencias (*Calila*, pp. 33-34 y *Lámpara*, I, p. 75).

El tono herético del excurso dificulta pensar que se redactara y difundiera en la Persia sasánida, siendo el mazdeismo religión oficial, ni en la sociedad musulmana del siglo VIII; parece más verosímil que un espíritu inquieto como el de Ibn al-Muqaffa' encubriera sus íntimas convicciones, poniéndolas en boca de un personaje legendario. Corroborarían esto las noticias acerca de la tibieza religiosa del traductor, el cual —obligado por las circunstancias— se convirtió al islamismo, abjurando del mazdeismo. En la interpolación se refleja el escepticismo de un converso, al renegar de todas las religiones reveladas.

La autobiografía de Berzebuey, modificada por su traductor árabe, se difundiría sin mayores inconvenientes entre los abbasíes, al igual que en la España alfonsí. No sucedió lo mismo con las versiones occidentales. Alguno de los traductores hebreos (Joël o posiblemente el converso Juan de Capua) consideró este pasaje excesivamente ambiguo e introdujo en él cambios sustanciales. La primera crisis de Berzebuey, cuando decide alejarse de la medicina, se describe con términos anacrónicos para ser escritos por el filósofo persa: "dio al traste con Avicena y con Galieno". Al examinar las diversas religiones duda entre seguir la de sus padres ("que havian sido gentiles") o la de Mahoma ("estimando aquella secta ser mas conveniente al servicio de Dios quando la veya tan crescida y con la rienda tan suelta, teniendo por cierto que no sin causa era en este mundo tan dilatada y llena de tantos favores"). Sin embargo, no se decide por ninguna de las dos a causa de "la dissolucion que en las susodichas veya y no podia assentar mi juyzio en cosas que no consentia la razon natural"[9]. La religión natural que practica tampoco le satisface enteramente hasta que descubre que "solamente es en la religión christiana sufficiente para poder salvar", decidiendo por último hacerse religioso. El cotejo revela una vez más cómo los traductores introducían libremente modificaciones, cuando el texto chocaba con sus creencias morales o religiosas.

En el núcleo original del relato, Berzebuey, partiendo de sus conocimientos médicos , llegaba a despreciar los placeres de este mundo y a desear una vía que le permitiera acceder al "otro siglo". Ahí empiezan sus vacilaciones y su decisión de atender las enfermedades del espíritu, entre cuyos presupuestos puede incluirse el viaje a la India en busca del saber. A su regreso con los libros se siente satisfecho por haber contribuido a que sus lectores curen las enfermedades del alma:

> E persevere en este estado atal, e torneme de las tierras de Yndia a mi tierra, despues que ove trasladado este libro e tove que traya algo en el para quien le entendiese, e rrogue a Dios por los oydores del que fuesen entendedores de las sus sentençias e del meollo que yaze en ellas (p. 40).

Sin embargo, no en todas las ocasiones estas sentencias estarán de acuerdo con la vía religiosa elegida por Berzebuey, sobre todo al recomendar el empleo del engaño, la astucia o la mentira.

La propia constitución humana condiciona su comportamiento al estar siempre próximo a la muerte —a la caída al pozo donde aguardaba el dragón. El recordar la alegoría, así como las continuas penalidades que sufre desde su nacimiento, debería contribuir a modificar la conducta humana. El destino del hom-

---

(9) *Exemplario contra los engaños y peligros del mundo*, f.º VIIv y VIIIr.

bre se presenta, pues, en este capítulo condicionado del modo más irremediable. La única solución ante tan negras perspectivas es la religión, más o menos concretada según los sucesivos refundidores. Esta imagen del hombre, eterno desterrado y condenado a muerte, no volverá a repetirse en el libro, con el que carece de ligazón. No obstante, su presencia al inicio de la obra no deja de condicionar en parte la lectura del conjunto, al que recubre de una finalidad espiritual.

SU INMUTABILIDAD

Para Berzebuey, el hombre, por el hecho de serlo, estaba condenado desde su origen al sufrimiento y a la muerte. Los placeres de este mundo servían sólo para distraerle y hacerle olvidar su precaria situación. En el resto de la obra, el hombre (o el animal) están predestinados de una forma menos trágica, aunque igualmente rígida: su naturaleza originaria será inalterable, por muchos esfuerzos que se hagan para cambiarla. En este punto coincidirán de nuevo los textos orientales con el pensamiento alfonsí. En los *Bocados de oro*[10] se afirma que "muy grave cosa es cambiar las naturas"; más tajante es el *Libro de los buenos proverbios:*[11]

Todas las cosas del mundo se pueden cambiar sinon las naturas.

Para Alfonso X:

El departimiento que ha entre natura e naturaleza es este, que natura es una virtud que faze seer todas las cosas en aquel estado que Dios las ordenó; et naturaleza es cosa que semeja a la natura, et que ayuda á seer et a mantener todo lo que depende della[12].

Los vínculos de naturaleza, establecidos por el hombre, contribuirán a mantener el ordenamiento natural de origen divino.

Los textos utilizados entienden por "natura" una manera de ser propia (carácter, constumbres, constitución...), que viene predeterminada desde el nacimiento. El concepto puede tener una vertiente individual o social; en este último caso la pertenencia a un estamento condicionará totalmente el modo de ser del individuo. Sea en uno o en otro aspecto, la "natura" es prácticamente inmutable; los cuentos enseñarán los graves riesgos que se corren por intentar cambiarla.

Calila se arrepentirá de haber aconsejado a Dimna, olvidando que —dada la falsedad de su "natura"— el esfuerzo era baldío:

(10) *Bocados de oro*, p. 18.

(11) *Libro de los buenos proverbios*, p. 60; según *El Libro del Cauallero Zifar*, p. 110, "lo que la natura niega, ninguno lo deve cometer".

(12) *Partidas*, IV, tit. XXIV, I.

E yo desfyuzado esto de ty e de tu natura e de tus costunbres, que nunca se muden nin canbien en bien. Que se que el arvol que amarga, maguer que le unten con myel, non se muda de su sustançia (p. 126).

Su error es semejante al del ave (III, 18) que pretende sacar al simio de su error. Un hombre, presente en la escena, le aconseja:

> Non te entremetas de endereçar al que no se endereça, nin abyvar al que non se abyva, nin castigar, nin enseñar al que non se castiga; ca la piedra que non (se) puede tajar, non la pruevan con las espadas, e el fuste que se non puede dolar non se entremete ninguno de lo dolar ca quien esto faze que te yo dixe arrepientese (p. 116).

Por esto es inútil enseñar al necio, entablar amistad con quien no es digno o confiarle los secretos. Debe probarse antes al recipiendario de estos dones para conocer su "natura" y evitar así el posterior arrepentimiento.

El hombre (como el libro) estará compuesto de una parte exterior visible y otra interior. La cobertura puede ser engañosa, pero el interior es inmutable. Las pruebas o la ciencia fisiognómica ayudarán a conocer ese interior a través de señales externas. En el capítulo VI, el cuervo aparentará haberse hecho amigo de sus antiguos enemigos, pero el búho sabio descubrirá que es "como la mançana que esta fermosa de fuera, e quando la parten, fallanla podrida" (p. 225). El espía infiltrado anuncia su intención de cambiar de "natura" y convertirse en búho. Piensa quemarse vivo y rogar a la divinidad que lo reencarne en la especie de sus nuevos amigos. El buen consejero del rey de los búhos adivinará la falsedad de sus propósitos:

> E bien me pienso que sy te nos quemasemos, que te tornarias a tu sustançia e a tu natura, asy commo a la rrata que le fueron mostrados muchos buenos maridos e non los quiso, e despues tornose a su natura (p. 225).

Seguidamente narra uno de los relatos más hermosos de la colección: "La historia del ratón cambiado en niña" (VI, 8). Un religioso se encontrará inesperadamente con un ratón. Decidido a cuidarlo, ruega a Dios que lo convierta en niña para facilitar su tarea. Pasados unos años, se le planteará al ermitaño un segundo problema, ya que debe buscarle marido a la niña; ésta, a su vez, impone sus condiciones: "quiero yo tal marido que non aya par en valentia nin es fuerça nin en nobleza nin en poder" (pp. 226-7). A continuación asistiremos a una serie de preguntas encadenadas a los diferentes candidatos, según un procedimiento frecuente en el folklore. El sol reconocerá ser inferior al ángel, éste al viento, el viento al monte, el cual, a su vez, confiesa su impotencia ante el ratón que horada sus entrañas. El religioso, a petición de la niña, rogará a Dios que la torne a su anterior condición y ella "fue pagada porque tornava a su rrayz e a su natura" (p. 229).

Raíz, sustancia, natura, serán términos equiparables para designar la condición primitiva de cada cual. El búho pretende con este cuento demostrar al cuervo la inutilidad de sus intentos, ya que siendo "engañador e mentyroso, tal seras en te tornar a tu rrayz". La transformación sufrida por el ratón resulta inútil, al final, por su reversibilidad. Algo semejante sucede en el cuento de "Los tres deseos" (*Sendebar*, 17). La aparente movilidad es engañosa, ya que el cuento concluye con un regreso al "statu quo" primero. Tanto en un caso como en otro, la vuelta a la situación inicial es deseada por sus protagonistas.

El capítulo XIII ("La historia del rreligioso e del huesped") demostrará los graves riesgos de intentar alterar lo inmutable. En este caso, las costumbres, el lenguaje y el modo de caminar aparecerán como manifestaciones externas de la naturaleza interior. Un religioso recibirá en su casa a un huésped a quien en tres ocasiones advertirá contra el peligro de alterar el orden natural. El desarrollo del tema se hará de forma gradual. Cuando el recién llegado se lamente por la ausencia de dátiles en su tierra, el religioso le enseñará a conformarse:

> Non es buena andança del que ha menester lo que non puede aver e procura por ello... (p. 304).

A continuación el huésped desea que el religioso le enseñe hebreo y decide prolongar allí su estancia con la intención de aprender esta lengua. Pero el anfitrión le corta sus aspiraciones científicas con el ejemplo de "El cuervo que quería andar como perdiz" (XIII, 1). Este animal no sólo fracasa en su intento, sino que llega a olvidar su anterior forma de caminar. La conclusión insiste en el error de pretender cambiar las costumbres:

> E asy con gran derecho te podra acaeçer otro tal por querer aprender lo que non es para ty; que dizen que loco es el que se entremete de fazer lo que non le esta bien e mudarse de la medida a otra que non le esta bien; que a las vezes acaeçe mucho mal a los omes en mudarse de la medida alta a la baxa, e asy se derraman sus cosas e sus estados (p. 305).

El primer deseo del huésped afectaba al ordenamiento físico; los otros dos, atañen a la propia "natura" humana. La forma de andar aparecerá estrechamente relacionada con el carácter, como señalará el *Exemplario*. Según esta versión, el cuervo "tenía su andar sobervioso y alçado con gesto muy lindo", mientras que la paloma "yva con passos humildes y llanos"; de ahí que el cambio afecte a la personalidad. Asimismo el aprender una nueva lengua puede interpretarse como un intento por romper vínculos anteriores dada la condición hereditaria de la lengua: "y dize se que es loco el que busca la sciencia de la qual no es digno ni la usaron sus antepasados"[13].

La relación entre "natura" y división estamental, anunciada en esta historia, aparece aún más clara en otros relatos. Bajo la insistente advertencia de no intentar cambiar la propia "natura" subyace un deseo de mantener el orden social establecido[14]. El ejemplo más claro es el caso de Dimna. Su principal pecado —de

(13) *Exemplario contra los engaños y peligros del mundo*, f.º LXXVI.

(14) El utilizar fábulas protagonizadas por animales para predicar el acatamiento al orden social establecido es característico de los ejemplarios. En el *Libro de los gatos*, ejemplo 1, p. 543, se cuenta la historia de un galápago que ruega al águila que lo eleve para contemplar el campo desde arriba. Una vez en lo alto se lamenta por no estar abajo; el águila lo suelta de golpe, muriendo en la caída. La moraleja advierte: "por el galápago se entienden

donde derivarán todas las desgracias– es pretender ascender de categoría, mudar de estado y llegar a ser un consejero del rey. Calila le recordará que "estamos en muy buen estado", que "cada uno ha su medida e su pres" y que ninguno de los dos es "de la medida de los que se entremeten de fablar con los rreyes" (p. 46). Una vez alcanzado su nuevo estado, Dimna deberá ser falso y traidor para poderse mantener en él, lo que le conduce a provocar la lucha entre el león y el buey. Su falsedad se trasluce en sus palabras que, aunque dirigidas al buey, pueden aplicarse a su propio caso:

> El falso non syrve al rrey con amor, mas por miedo, e por que lo ha bien menester. E despues que es enrriqueçido, tornase a su rrayz e a su sustançia; asy commo la cola del perro, que esta sienpre derecha mientra que esta atado, e quando le desatan tornase asy commo era, corvada e torçida (pp. 82-83).

Un pensamiento semejante –aunque más desarrollado– encontraremos en el capítulo XVI ("Del fijo del rrey e del fidalgo e de sus compañeros"). Ya en el marco, el rey plantea el dilema entre determinismo y libre albedrío, a lo que el filósofo responde dejando los últimos destinos en manos de la divinidad:

> non es ninguno que por seso nin por arte se pueda desujar de lo que Dios prometio e juzgo ante (p. 331).

Como se verá en la historia, la justicia divina regirá el universo, ordenando la sociedad en clases. Cada individuo estará determinado por su estamento, que será el de sus antepasados.

La división en clases fue practicada por todos los pueblos indioeuropeos. Aunque la estructuración se vaya ajustando a los cambios producidos en las distintas sociedades, en esencia podemos reconocer en la clasificación tripartita medieval (oradores, defensores y labradores) a los "varna" de la India (brahmanes, defensores y ganaderos-agricultores). G. Dumézil[15] ha demostrado que las estructuras míticas –calcadas de las sociales– son las mismas en todo el dominio indoeuropeo. Los textos recogen la división en cuatro castas fundamentales –en las que se reconocen las tres funciones– más una masa indiferenciada dedicada al servicio de las precedentes. Estas serían: 1. Casta sacerdotal encargada de la autoridad espiritual; 2. Nobleza que dispone del poder temporal; 3. Casta dedicada al aprovisionamiento y producción de bienes económicos, como agricultura, ganadería, comercio, administración...; 4. Casta dedicada al servicio de las anteriores. Entre los musulmanes, Al Dawwani distingue cuatro clases políticas, relacionadas, según E. Rosenthal[16], con los cuatro elementos del temperamento

algunos homnes que son pobres lazrados en este mundo, o por aventura que han asaz segun su estado, mas non se tienen por contentos con ello, e desean sobir en lo alto, e volan en el aire, et ruegan al diablo que los suba en alto en cualquier manera". Véase también el artículo de M. Favata, "Stactic Society in Medieval Spanish Exempla", en *Oelschläger Festschrift*, Chapel Hill, 1976, Estudios de Hispanófila, 36, pp. 185-9.

(15) Véanse los estudios de G. Dumézil, *Mito y epopeya*, Barcelona, Biblioteca Breve, 1977, y *Los dioses de los indoeuropeos*, Barcelona, Seix Barral, 1970. Según J. López-Gay, *La mística del budismo*, p. 651, "existe la creencia compartida por todos los hindúes, de que el complejo de las castas debe su origen a una disposición divina, o por lo menos se introdujo con la aprobación de los poderes divinos".

(16) E Rosenthal, *El pensamiento político del Islam*, pp. 230 y ss.

físico. Unidas constituyen y conservan la equidad del cuerpo político, "el temperamento político". La primera la integran los hombres de saber (doctores en teología y leyes, jueces, médicos, poetas...), garantizadores del mantenimiento de la religión. Vienen después los guerreros y defensores que aseguran el bienestar público. La tercera clase la forman comerciantes, artesanos..., cuya función es satisfacer las necesidades de todos. Por último, los cultivadores producen nuestro alimento. E. Rosenthal pone de manifiesto la relación entre esta clasificación y los estados de Platón, con una subdivisión del último grupo para aproximarse a la realidad social del Islam.

El capítulo XVI del *Calila* reproduce unos esquemas análogos. En una encrucijada se encuentran cuatro jóvenes de orígenes diversos: un príncipe destronado por su hermano y los hijos de un mercader, un hidalgo y un campesino. Los cuatro coincidirán en hallarse sumidos en la mayor pobreza. La miseria contribuirá a su amistad y les hará sentirse iguales, aunque el desarrollo posterior de la historia insista en sus diferentes orígenes. Entre ellos se planteará el tema de cómo lograr riqueza, a lo que cada uno dará una respuesta distinta, acorde con el estamento al que pertenece.

El príncipe se relacionará por sus palabras con la divinidad y el saber:

> E dixo el fijo del rrey: —El señor del mundo es la aventura, que Dios ha prometido al ome; e quanto le es prometido le a de venir e syn duda, onde ser ome bien sofrydo a la ventura e atenderla es muy buen seso (p. 332).

La sociedad medieval señalará como obligaciones reales el cuidado de los designios divinos y la protección de la Iglesia. También en los *Vedas,* se establecía la solidaridad entre la autoridad espiritual y el poder temporal, simbolizada por la unión del príncipe con su capellán, "El sacerdocio no es nada sin el imperio, el imperio no es nada sin el sacerdocio"[17]. Son las dos fuerzas principales que sostienen el universo.

El mercader se asociará al trabajo y la agudeza:

> Dixo el fijo del mercadero: Por ser ome entremetiente e agudo e acuçioso en las cosas deve ante aver rriqueza e algo por otra cosa (p. 332).

Será el hidalgo el personaje más difícil de encajar dentro de la clase establecida. Sus palabras no lo vincularán a los defensores sino a una nobleza inactiva, cuyas únicas fuentes de ingreso parecen ser la belleza, las buenas maneras y el linaje:

> Dixo el fidalgo: Por ser fermoso e aguisado e aver buenas mañas e apostura a quien Dios la quiere dar, rrazon es que aya por ende bien, e non es cosa que mayor ayuda le faga para su vida que esto (p. 333).

También resulta extraño el orden de intervención, ya que aparece el mercader en segundo lugar y el hidalgo en tercero, en situación inversa a como los presentan otras versiones árabes y a lo que cabría esperar.

(17) J. Varenne, "La religión védica", en *Historia de las religiones. Las religiones antiguas,* Madrid, Siglo XXI, 1977, II, pp. 348-405.

Por último, el labrador sólo concebirá la riqueza como fruto del trabajo:

Dixo el fijo del labrador: —Non se ninguno que pueda aver que coma para una dia synon lazrare (p. 333).

La segunda parte del relato consistirá en la puesta en práctica de las opiniones anteriores. El primero en salir a ganar el sustento de los demás es el labrador, quien lo hace obligado por las palabras descorteses de sus compañeros: "Ve mesquino, e gana que comamos oy con tu lazeria", (p. 333). Tras pasar el día cortando leña, obtiene un maravedí, dinero suficiente para comer los cuatro.

Al hidalgo le tocará en suerte ser el siguiente en salir. El personaje, caracterizado por su belleza, linaje e incapacidad ante el trabajo, pensará en huir: "E queriase yr de aquella çibdat e dexarlos desesperadamente". Pero su apostura hará que una joven se fije en él y le mande llamar. En el texto medieval la doncella, tras conocer su historia y linaje se apiada de él y le da lo necesario. Posiblemente en la versión original la joven atendería menos al linaje y más a la belleza del hidalgo.

En tercer lugar saldrá el mercader, situándose así en una posición inmediatamente inferior al príncipe y superior al hidalgo. La explicación a esto puede encontrarse en la gran importancia concedida en el *Calila* —y, en mayor medida, en el *Panchatantra*— al comercio. Las cualidades atribuidas al mercader (agudeza, sabiduría, capacidad de engaño) son las preferidas dentro de la axiología del *Calila*. Su actividad consistirá en comprar a bajo precio todo el cargamento de una nave para después revenderlo por mil maravedís.

Por último, el hijo del rey, que se mostraba inicialmente remiso, saldrá en busca del sustento para sus compañeros. Coincidirá su llegada a la ciudad con el paso del cortejo fúnebre por la muerte del rey. Las escasas señales de duelo del joven príncipe provocarán que un duque lo encarcele. El nuevo rey deseará conocer al extranjero encarcelado y le mandará llamar. Una vez escuchado su relato, le dará cuanto necesita. Gracias a esta ayuda el desheredado recobrará el trono y una vez establecido en él, mandará escribir en la puerta de la ciudad el siguiente mensaje:

El lazerio de un ome, que faga por sus manos en un dia, fazele ganar que coma el e tres conpañeros por un dia; e el buen enseñamiento, e su lynaje, e su fermosura fazele ganar amor de los omes e fazele perder señeridat, maguer sea en estraño lugar fuera de su tierra; e fazele ganar en un dia çien maravedys; e la ynvisydat e la hemençia, e la agudeza, e entremetymiento faze ganar al ome en un dia mill maravedys; e encomendarse a Dios, e meter su fazienda en sus manos, e atender a su juyzio, faze al rrey que perdio su rreyno, fazelo cobrar e tornarlo en mejor estado que nunca fuese; que todas las cosas deste mundo en el juyzio de Dios son e por la ventura (pp. 340-341).

El destino, encarnado en la divinidad, rige la vida de todos los hombres, los cuales también actúan determinados por su origen social. La actitud de los distintos personajes ante la pobreza permite clasificarlos en dos grupos: activos (labrador y mercader) y pasivos (hidalgo y príncipe).

180

Tanto el labrador como el mercader iniciarán su jornada dirigiéndose al centro de la ciudad. Allí recabarán la información necesaria para poderse integrar en la marcha del trabajo:

> (labrador) ...e rruegovos que me digays que obra padre fazer con mis manos de mañana fasta la noche (p. 333).

> (mercader) ...e fuese el mançebo e demando por el lugar donde mercadeavan los de la çibdat (p. 336).

El labrador ganará un maravedí vendiendo la leña cortada; el mercader, mil, comerciando con lo que acaba de comprar. Ambos se insertan dentro de una sociedad mercantil. Su diferencia estriba en que el primero vende el fruto de su trabajo manual y el otro realiza una labor más intelectualizada para la que es necesario cierta agudeza.

El hidalgo y el príncipe coinciden en nombrar a Dios en su invocación inicial:

> (principe) El señor del mundo es la aventura, que Dios ha prometido al ome (p. 332).

> (hidalgo) Por ser fermoso e aguisado e aver buenas mañas e apostura a quien Dios la quiere dar... (p. 333).

Ambos desconocen cualquier oficio con el que poder ganar dinero, por lo que se desesperan inicialmente. Ninguno de los dos intentará ponerse a trabajar; en lugar de dirigirse al núcleo comercial de la ciudad se situarán en las afueras:

> (hidalgo) E el fidalgo fuese *a la puerta de la çibdat* e dixo en su coraçon. *"Yo non se fazer cosa, nin se que faga* por que de a mis conpañeros que coman, e ser me ya gran verguença de me tornar a ellos asy vazio". E queriase yr de aquella çibdat e dexarlos desesperadamente; e estando en aquel pensamiento, *arrymose a un arvol* que estava a par de la carrera, *e pasava por ay mucha gente* (p. 334).

> (príncipe) Dixoles el: Por buena fe *non se que faga, nin puedo cosa ganar...* E salio dende fasta que llego a la puerta de la çibdat. E acaesçio que en aquella çibdat morio esa mañana el rrey de aquel rreyno (...) *E pasaron el cuerpo del rrey que levavan a enterrar* por donde el estava (...) E *el asentose en un poyo* e non fizo senblante ninguno commo era de antes (p. 337).

Ambos serán conducidos por un intermediario (una doncella, un duque) en presencia de otra persona (una dueña y un joven rey). Responden a un interrogatorio y cuentan su historia que es corroborada por los oyentes, conocedores del linaje del extranjero. Seguidamente tiene lugar la retribución:

> (hidalgo) E levantose el escudero e fuese con la dueña fasta la posada de la senora. E *la dueña le llamo* aparte e rrogole mucho que le dixese *algo de su fazienda e su nombre e su lynaje* (...) E el dixogelo, e ella *ovo de conoçer los de su lynaje* (...) E la dueña mando dar posada a el e a sus conpaneros e quanto avian menester; e despues dio çien maravedys al fidalgo... (p. 335).

(príncipe) E el rrey nuevo oyo aquello e *mando traer* aquel mançebo ante sy, e traxeronle. E el rrey *le pregunto de donde 'era e de que gentes*, e el rrespondio (...) E quando esto ovo dicho, *conoçiole el rrey* e quantos eran en la corte (...) e luego *mando dar posada e bestyas e paños nobles e muchas viandas, e todas las cosas que ovo menester...* (pp. 338-339).

Tanto el uno como el otro reciben ayudas por su origen estamental, sin necesidad de realizar ningún trabajo. Previamente han superado unas pruebas (el interrogatorio) que han revelado su linaje. Frente al comportamiento de Dimna, en esta historia cada personaje ha obrado conforme a su "natura", que era la propia de su clase social.

LAS "VENTURAS"

Cuando se analiza el tema desde otra perspectiva, se le acusa al destino de provocar desgracias inesperadas e injustificadas: las "venturas". Aunque el término sirve en la lengua medieval para designar cualquier acontecimiento futuro, sea bueno o malo, los textos estudiados coinciden en restringir su empleo al aspecto negativo. Los personajes de los cuentos admiten las "venturas" con la resignación fatalista del que conoce su impotencia para evitarlas. El tema, aunque común a todas las literaturas orientales, conserva especial relieve en los originales sánscritos. La razón puede estar ligada a creencias religiosas, ya que, como recuerda G. Parrinder, "en la literatura hindú la doctrina de la reencarnación es un supuesto básico. Todas las alegrías y desgracias de la vida se aceptan como resultado de males pasados; cada hombre es responsable de su propio destino"[18].

En el capítulo III, la caída de Dimna estaba predestinada por intentar ir contra su "natura" al pretender ascender de categoría social. La desgracia del buey se justificará narrativamente por no poder evitar lo que "avia en ventura". Tras la aparición de Sençeba en el prado, se inserta la historia de "El hombre que murió arrimado a una pared", que carece de narrador expreso. Este hecho contribuye a reforzar el carácter premonitorio del relato. Un hombre logra librarse de un lobo tras sufrir numerosos percances; una vez a salvo, muere aplastado por una pared. La localización a comienzos de capítulo contribuye a situar la trayectoria del buey bajo el condicionamiento de la "mala ventura" que le aguarda en el prado. El "locus amoenus" inicial queda ensombrecido.

Dimna, al hablar con el león, acusaba al buey de querer ascender contra su "natura". Más adelante él mismo anunciará a Sençeba que ha caído en desgracia con el rey (desgracia provocada por Dimna) a causa de la "ventura". En su discurso, el chacal insiste en el poder del destino que afecta a todos por igual, aunque la proximidad del rey, la mujer..., sea siempre una fuente de desgracias:

¿Quién es aquel que puede contrastar a lo que ha en aventura?

(18) G. Parrinder, "Religiones de Oriente", en *La vida después de la muerte*, Barcelona, EDHASA, 1978, p. 107.

182

¿O quien es aquel que sube en gran lugar o en gran dinidat, que fuese
seguro que malamente non lo matasen? (p. 88)

Sençeba acepta la interpretación de Dimna y se lamenta de su mala suerte. Pero
entonces el chacal cambia de táctica, pues le interesa convencer al buey de la
culpabilidad del león; de este modo va a ir despertando los recelos entre la pareja
de amigos:

> E sy por alguna destas maneras non es la mi muerte, es por aventura a
> que se non puede ninguno anparar; ca ella tuelle al leon su fuerça fasta
> que lo toman e lo meten en una arca, e faze andar al ome flaco sobre el
> elefante fuerte, e apodera el encantador sobre las byvoras, asy que les
> saca e juega con ellas; e trae al muy entendido fasta la muerte, e faze al
> sabio mal andanté, e allega al codiçioso, e festyna al tradinero, e faze
> al muy escaso rrico e abondado, e enpobreçe al franco, e esfuerça al
> covarde, e acovarda al esforçado, e faze otras tales cosas que corren por
> las venturas cada una por su rrazon en que fue aventurada (pp. 93-94).

Si "natura" implicaba el orden establecido, todas las alteraciones de ese orden se
achacarán a la "ventura". El destino engañará a los hombres presentando "venturas encobiertas" donde menos se sospecha. La prudencia, la sabiduría ... poco
pueden hacer para evitarlas. Por eso no será extraño que los personajes "envisos"
sean los más lamentosos de su mala fortuna. Así en el capítulo V (La historia de
los puros amigos) tres animales culparán al destino de sus desgracias; los humanos
actuarán de intermediarios. Cuando el ratón sorprenda a Collarada trabada en
una red, se extrañará de su situación:

> —Hermana, ¿quien te echo en esta tribulaçion?
> Dixo ella: —¿Non sabes que non es cosa en este mundo que es aventura
> non la aya aquel a quien conteçe? E asy la ventura me echo en esto, que
> me mostro los granos e me encubrio la rred, asy que me trave en esta
> rred con mis conpañeras. E non es maravilla de non me poder anparar
> de la ventura, que non se puede anparar della quien es mas fuerte e de
> mayor guisa que yo; que a las vezes se escureçe el sol e la luna, e pescan
> los peçes del agua do ninguno non nada e fazen deçender las aves del
> ayre, sy lo an en parte. Onde la cosa que faze rrecabdar al perezoso lo ha
> menester, eso mismo le faze perder al enviso; e asy la ventura me metio
> en esto que vees tu (pp. 168-169).

Una conversación semejante mantendrán el cuervo y el gamo, cuando éste último
caiga en la trampa:

> —Amigo, ¿quien te echo en estos lazos e en esta tribulaçion seyendo tu
> tan sabidor e tan delibre? Dixo el gamo: ¿Que pro tiene el ome ser de-
> libre con las aventuras encobiertas que non son vistas? (p. 190)

Finalmente cuando el galápago esté en poder del cazador, el ratón recordará todas sus "venturas" que le hicieron perder hogar, familia, dinero y ahora a su
amigo. Las mismas lamentaciones se repetirán cada vez que cualquier personaje
de un cuento sufra una desgracia inesperada, como las palomas del capítulo XVI
o el simio del XVII. Los lazos de los cazadores, las enfermedades... serán mani-

festaciones de los extraños designios del destino, que se complace en alterar el equilibrio natural.

LA PREDESTINACION DE LAS CIENCIAS

En las antiguas civilizaciones orientales alcanzaron gran desarrollo un conjunto de ciencias —más o menos ocultas— que entraban en pugna con el libre albedrío. Por medio de traducciones árabes se difundieron en occidente y su popularidad perduró hasta épocas muy posteriores. En la obra alfonsina son constantes las referencias a estas ciencias, especialmente la astronomía (astrología), cuyo estudio es necesario a todo "sabio":

> las tres artes del trivio como dixiemos ensenna a omne seer razonado, et las quatro del quadruvio le fazen sabio, et estos otros tres saberes, con aquellos (se refiere a la metafísica, el saber de la "naturas", es decir física, y a la ética), le fazen conplido e acabado en bondad e le aduzen a aquella bien aventurança empo's la que non a otra[19].

De estas ciencias, la principal era la astrología, aunque a su amparo surgieron otras como la fisiognómica, la aritmomancia, los lapidarios..., de las cuales encontraremos huellas en los cuentos y en los "espejos de príncipes". La base de estas seudo-ciencias reside en la creencia de que los astros influyen y determinan la configuración del universo y del cuerpo humano.

Una variante de la astrología (la genetlíaca)[20] constituye la trama argumental del *Sendebar*, el *Barlaam*, el cuento del hijo del rey Alcaraz, dos ejemplos insertos en la *Poridat...* Consiste en establecer el futuro del individuo a partir del estudio de la situación de los astros en el momento del nacimiento. Conociendo "el punto y la hora", los astrólogos de la corte anuncian el rasgo más sobresaliente en el porvenir del recién nacido. El infante del *Sendebar* se verá en peligro de muerte al entrar en conflicto con su padre, Josafat abrazará el cristianismo, el hijo de Alcaraz morirá en accidente, los protagonistas de los ejemplos insertos en la *Poridat* seguirán oficios contrarios a su origen... El horóscopo se convierte en un recurso narrativo frecuente ya que, al anunciar un suceso completamente inesperado, ganará el interés del relato. Profecías, horóscopos, sueños, etc., son elementos equivalentes, cuya presencia es casi obligada en los relatos de tipo tradicional[21].

Los personajes que rodean al niño intentan oponer fuerzas contrarias que fracasan siempre ante el poder del destino. En el *Sendebar*, lo anunciado —la vida del infante peligrará por un enfrentamiento con su padre— se realiza ante el fracaso del sistema defensivo ideado por Çendubete ("guardar silencio durante siete días"). Igual sucede en el *Barlaam*, pese a la decisión de Anemur de encerrar a

---

(19) *General Estoria*, I, p. 197, 3a y ss.

(20) Véase la obra de Juan Vernet, *La cultura hispanoárabe en Oriente y Occidente*, p. 150.

(21) O. Rank, *El mito del nacimiento del héroe*, p. 79, señala la presencia obligada de una predicción durante la infancia del futuro héroe. V. Propp recoge también esta función en su *Morfología del cuento*.

su hijo; en el *Libro de Buen Amor,* a pesar de los cuidados del privado, o en la *Poridat,* con los intentos por educar a los jóvenes conforme a sus orígenes respectivos. La astrología aparece, pues, en estos relatos como una forma de determinismo ante la cual no hay oposición posible. Los mismos textos intentan con frecuencia conciliar esta tendencia con el libre albedrío, sin llegar a ser muy convincentes. El rey Alcos acepta con resignación el resultado del horóscopo, dejando el futuro en manos de la divinidad: "Todo es en poder de Dios que faga lo quel toviere por bien" (p. 6). Transcurridos los siete días, los sabios buscarán al culpable de lo sucedido. El infante demostrará, por medio del ejemplo 19, que hay unos designios superiores e inexplicables:

> Ninguno destos non ovo culpa, mas açertosele la ora que avien a morir todos (p. 53).

Al entrar en contacto directo con el mundo occidental, las distintas versiones de estas obras intentarán suavizar el determinismo astrológico. Tanto la novela de Cañizares como los *Siete sabios* suprimen el horóscopo en el momento de nacer. En el primer caso son los siete sabios quienes conocen el peligro futuro al interpretar un sueño premonitorio del infante, y en el segundo, al contemplar su estrella antes de separarse. Así, el doble horóscopo de la rama oriental se va simplificando.

El texto castellano del *Barlaam,* tras recoger la opinión del astrólogo, apostilla: "Non deziendo la astrologia la verdat mas dios por los adversarios aquellas cosas que son de la verdat significadera"[22]. El problema se torna más complejo, si tenemos en cuenta la cristianización que sufrió la leyenda pagana. Idénticas palabras atenuantes aparecerán en *El Libro del Cauallero Zifar,* el *Libro de Buen Amor* o el *Arcipreste de Talavera,* tras haber dado pruebas sus autores de creer en el determinismo astrológico.

A través de sus versiones latinas, fue la *Poridat de las poridades* el texto introductor en occidente de estas ciencias, al amparo del prestigio de Aristóteles, supuesto autor. En la obra se ponen de relieve las ventajas de la astrología ya que, al predecir el futuro, sirve para que el individuo pueda tomar sus precauciones:

> conviene al omne de saber las cosas que an de seer maguer non se pueda estorcer dellas, mas pero rogara a Dios quando lo sopiere et pedir le a merçed et guardar se a quanto pudiere, commo fazen los omnes antes que venga el tienpo del ynvierno[23].

Sin embargo, los ejemplos comentados manifiestan la inutilidad de tales precauciones, como sucede también en dos cuentecillos insertos en la *Poridat.* Los astrólogos anuncian que el hijo de un tejedor será alguacil del rey y un joven príncipe se hará herrero. Los esfuerzos de los padres no podrán hacer nada para evitar que se cumplan estas predicciones, ya que "...maguer quel quieran mostrar otro mesteyr que nol da su nacencia, *alla tira a su natura*"[24]. La natura puede

(22) "La Historia del rey Anemur...", p. 42.

(23) *Poridat de las poridades,* p. 42.

(24) *Poridat de las poridades,* p. 45.

ser más fuerte que el linaje; la astrología, como otras ciencias, resultará un medio eficaz para revelar lo que en un principio permanece oculto, ya sean las "venturas encobiertas" o las "naturas". Las ciencias ocultas serán consideradas un valioso elemento auxiliar para desvelar los designios del destino, aunque en muchas ocasiones no haya ningún procedimiento para evitar el cumplimiento de lo profetizado.

En el mismo texto pseudo-aristotélico se recogen otras creencias: "las poridades" que el filósofo quiere transmitir a Alejandro. Todas estas ciencias tienen una vertiente práctica que las hace imprescindibles para un buen gobernante; de ahí su aparición en otros "espejos de príncipes". Quizá una de las más curiosas sea la fórmula para vencer en todos los combates por medio de un sistema cabalístico que atribuye a cada letra un número determinado. Conociendo el nombre de los contendientes y, auxiliándose con unas tablas de equivalencias recogidas en el texto pseudo-aristotélico, la victoria queda garantizada[25].

Igualmente, se atribuye gran valor a la fisiognómica[26], puesto que el rey nunca debe seleccionar a sus consejeros sin un estudio previo de sus rasgos físicos. Tuvo su origen esta ciencia en las antiguas civilizaciones mesopotámicas que extraían presagios de las manchas de la piel y de los lunares. Fue cultivada, igualmente, por los griegos y los árabes y alcanzó gran predicamento en épocas posteriores. Se apoyaba en la medicina y en la astrología, lo que contribuyó a su credibilidad. De las combinaciones de humores surgían los temperamentos, caracterizados a su vez externamente por unos rasgos físicos determinados, como leemos en el *Arcipreste de Talavera*.

Las menciones a la fisiognómica, presentes en los textos analizados, permiten distinguir dos aspectos: a) los rasgos físicos del cuerpo humano —especialmente del rostro— dejan adivinar su carácter. El predominio de uno de los cuatro humores sobre los demás facilita la clasificación de los individuos en distintos grupos caracteriológicos, apreciables por unas señales externas; b) la expresión y los gestos denotan el estado de ánimo de la persona. En un momento dado uno de los cuatro humores puede apoderarse sobre los demás y este cambio se reflejará también en el semblante. Asimismo según las horas del día dominarán en el individuo unos elementos u otros.

En el *Calila*, Dimna se apoyará en este segundo aspecto para enfrentar al buey con el león. El traidor advierte al león que Sençeba trama algo contra él y le anuncia las señales que encontrará en el buey como prueba de la veracidad de su acusación:

> verle as la color demudada, e sus mienbros tremer, e catando a diestro e a syniestro, e atras de sy, e adereçando sus cuernos asy commo quien cuyda enpujar (p. 87).

A su vez se encargará de informar al buey acerca de las señales del león:

(25) J. Vernet, ob. cit., pp. 119 y ss. y 176 y ss.

(26) Véanse las obras de Zaniah, *Diccionario esotérico*, Buenos Aires, Kier, 1974; J. Vernet, ob. cit., pp. 23, 81; P. Dunn, "De las figuras del arçipreste", en *Libro de Buen Amor Studie's*, London, Tamesis Books, 1970, pp. 79-93.

veras quando entrares al leon estar agachado contra ty e moviendo los pechos, e catandote muy fuertemente, e feriendo con la cola en tierra, e abriendo la boca e boçeçando, e rrelamiendose e aguzando las orejas... (p. 110).

Estas descripciones corresponden a las de alguien fuera de sí, tanto por temor como por ira. Las advertencias de Dimna harán el resto y los dos animales, con miedo al contrario, reconocerán en su oponente los gestos anunciados y se lanzarán a la lucha.

En el *Libro del consejo e de los consejeros* se recogen los gestos que debe evitar aquel que quiere parecer mesurado:

nos apremie mucho las sobreçejas nin cate mucho a tierra, que es sennal de tristeza; nin arrugue las narizes, que es sennal de menospreçiamiento; nin muerda los labros, que es sennal de sanna; nin abra mucho la boca, que es sennal de torpedat; nin tuerça mucho la çeruiz, que es sennal de soberuia, ca ninguna cosa destas non plaze a los omnes de bien quando las veen desordenadas[27].

Dimna, que utiliza la creencia en las señales externas para sus propios fines, será, a su vez, víctima de estas creencias. Durante su proceso (cap. IV), uno de los presentes le acusará de tener todos los rasgos característicos del falso y el traidor. En este caso ya no se trata de fisiognómica gestual sino de un estudio caracteriológico:

Fallase en los libros de los sabios, que el que ha el ojo syniestro pequeño, e tiene la nariz encorvada fazia la diestra parte, e tiene las çejas alongadas, e entre las çejas tres pelos, e cata sienpre en pos de sy, e le salta todo el cuerpo, e *todas estas señales ay en este falso traydor* (pp. 151-152).

Dimna responderá en esta ocasión con un discurso mesurado, en el que rechazará el determinismo científico:

e si todos los bienes que el ome faze e los males non son synon por las señales que son en el ome, pues manifiesta cosa es que non avra el rreligioso buen galardon por el serviçio que faze a Dios, e el que mal faze non avra pena por el mal que faze e por sus malos fechos, e que non son bienandantes nin malandantes synon por las señales que son vistas en ellos (p. 152).

Se halla el mismo rechazo ante el determinismo fisiognómico en el *Libro del Cauallero Zifar* y en el *Conde Lucanor*. En el primero de ellos ("Del enxenplo de un filosofo que dio el rey de Menton a sus fijos sobre las naçencias de los omes") se recoge una anécdota, semejante a otra atribuida a Ptolemón e Hipócrates y difundida a través de textos árabes y de algunas versiones del *Secreta secretorum*. Las facciones del maestro Filemón (Hipócrates en otras variantes) denotan un personaje lujurioso, envidioso, etc., según las doctrinas que él mismo enseña. Ante las preguntas de su alumnos, el maestro confiesa haber vencido esta tendencia natural gracias a su propio esfuerzo:

E yo forçelo de guisa que non paso nin mucho a nada de quanto

(27) *Libro del consejo e de los consejeros*, p. 45.

187

la natura del cuerpo codiçia, e puno toda via en esforçar el alma e en la ayudar, porque cunpla quantos bienes deve conplir.[28]

Pareja vacilación se presenta en el marco dialogado del *Conde Lucanor* (ejemplo XXIV). El conde quiere averiguar cuál de los dos jóvenes que se crían en su casa será mejor en el futuro. Patronio subraya en su respuesta la importancia de las señales del rostro, especialmente los ojos, y del "donayre". Sin embargo, concluye su discurso negando la certeza de tales señales:

> et pues digo señales, digo cosa non çierta, ca la señal sienpre es cosa que paresçe por ella lo que deve seer; mas non es cosa forçada que sea assí en toda guissa. Et estas son las señales de fuera que siempre son muy dubdosas para conoçer lo que vós me preguntades.[29]

Más certeras resultarán, según Don Juan Manuel, las denominadas "señales interiores", equivalentes a los rasgos de conducta.

Resumiendo, podríamos afirmar con C. S. Lewis[30], que el "modelo de universo" codificado por el hombre medieval estaba formado por creencias contrapuestas conjugadas armónicamente. En esta especie de "cañamazo ideológico", el determinismo científico heredado de culturas paganas convivía con las creencias religiosas. Los cristianos supieron conjugar la teoría platónica de los siete cielos con la idea de una octava esfera, donde se situaría el auténtico cielo[31]. La Iglesia admitía la influencia de los planetas sobre los seres vivos, aunque se oponía al total determinismo astrológico. Sin embargo, ya hemos visto cómo en los textos literarios el determinismo se hacía patente, aunque algunos autores intenten suavizar sus afirmaciones. El planteamiento se va paulatinamente modificando (al entrar en pugna con las distintas creencias religiosas) hasta hacer de estas ciencias ocultas un auxiliar eficaz para conocer previamente las "naturas" y "las venturas". Sin embargo, en la mayoría de las ocasiones el hombre será incapaz de evitar lo predestinado.

¿PREDESTINACION O LIBRE ALBEDRIO?

En varios relatos, el tema del destino (en su doble acepción estudiada) implica un determinismo total; con ello se cuestiona la finalidad de la enseñanza transmitida, ya que si el hombre debe obrar conforme a su "natura" y no puede evitar las "venturas encobiertas", ¿qué papel queda reservado al libre albedrío?, ¿qué sentido tiene adquirir la sabiduría, practicar la prudencia, la astucia..., es decir los valores dominantes en estos textos?

(28) *El Libro del Cauallero Zifar*, pp. 266 y ss.

(29) *El Conde Lucanor*, p. 138; véase H. Sturm, *"El Conde Lucanor*. The Search for the Individual", en *Juan Manuel Studies*, pp. 158 y ss.

(30) C.S. Lewis, *The Discarded Image. An Introduction to Medieval and Renaissance Literature.*

(31) Un planteamiento análogo se encuentra en *El Libro del Cauallero Zifar*, p. 296: "E maguer que los aparejamientos de las estrellas e mas digna que ellas; ca estan so el çielo noveno e el alma viene sobre el çielo dezeno".

En el *Calila* no se encuentra una respuesta clara a estos interrogantes. Se aprecia una alternancia entre el fatalismo que deja todo en manos de la divinidad y el triunfo del hombre sabio sobre el destino. En el marco dialogado del capítulo XVI, el rey manifiesta su extrañeza ante el caso de individuos pobres y desgraciados pese a practicar las normas aconsejadas por el filósofo:

> Ya entendido he todos tus enxenplos e oy dezir que non es cosa que mas ayna faga al ome ser bienandante e rrico e abondado e venir a buen estado que el buen seso. E sy asy es ¿por que veemos al neçio aver tanta de onrra e de bien e quanto codiçia, e mucho mas que non puede aver el cuerdo que es de buen entendimiento? Que veo que el que mas sabe traer su fazienda con seso, mas trybulaçiones ha en este mundo que los negligentes que non se alvedrian e son antojadizos e de poco seso (p. 330).

Con estas palabras el rey está cuestionando la utilidad del libro ya que, si todo está predestinado, carecen de valor las reglas de conducta que en él se exponen. El filósofo en su respuesta asegura que esto sucede porque ninguno "se puede desujar de lo que Dios prometio e juzgo ante" (p. 331). En consecuencia el individuo debería adoptar una solución totalmente pasiva.

Contra la actitud pasiva se pronuncia Ibn al-Muqaffa' en su introducción al insertar el cuento 5 ("El pobre que se aprovechó del ladrón"). Es la historia del pobre que se vio sorprendido por la fortuna, cuando menos lo esperaba, al tratar de detener a un ladrón. El relato ofrece una doble enseñanza. Por un lado, muestra al lector que no debe desesperar, pues será finalmente socorrido; por otro lado, es un modelo negativo, pues el hombre no "se deve huiar por aquellos a quienes vienen las aventuras syn alvedrio de sy o trabajo" (p. 8). Aunque en esta ocasión la "ventura" resulte favorable al pobre, la intencionalidad de Ibn al-Muqaffa' —patente también en otras partes del libro— queda clara: el hombre debe trabajar para alcanzar el saber y seguir las normas de conducta expuesta en el *Calila*. Si no obtiene en vida el fruto de su trabajo, se verá recompensado en el "otro siglo".

Los valores considerados superiores dentro de la axiología de la obra, (el saber, la amistad, la prudencia, el esfuerzo...), pueden en ocasiones vencer al destino o, cuando menos, paliar sus efectos contrarios. Ya vimos cómo los hombres y los animales aparecían divididos en clases (herbívoros, carnívoros, diferentes estamentos...), según un ordenamiento natural. El cambio de "natura" implicaba graves riesgos para el cuervo (XVI,1) que quería andar como perdiz, sin ninguna justificación válida. Sin embargo, en dos ocasiones se puede vencer este obstáculo, cuando el cambio obedezca a razones superiores. Así, en el capítulo XVI la leona terminaba por hacerse herbívora y en el XIV el cerval seguía idéntico camino. En ambos casos la transformación supone una forma de perfeccionamiento al ir acompañada de una modificación en la conducta ("e metiose a comer yervas e a fazer vida de rreligioso").

La enemistad que separa al ratón y al cuervo del capítulo V obedece a razones superiores y ajenas a su vida, como aclarará el primero: "nos fue prometida en parte que oviesemos nos enemistad de natura". Sin embargo, la fuerza de la amistad podrá vencer al destino y los dos animales se convertirán en un ejemplo de "puros amigos". La unidad existente entre los protagonistas de este capítulo no impedirá que el gamo, la paloma o el galápago se vean sorprendidos por los cazadores (agentes del destino), pero sí sirve para que puedan salir con bien de las "venturas encobiertas" en que habían caído. Como se dice en el *Zifar:*

> buen conorte vençe mala ventura, e non ha ome por de buen coraçon que sea que pueda bien sofrir la fortaleza de la desventura, sy solo es en ella, que sy conpañero ha, pasa e sufre su fortaleza mejor[32].

Un papel igualmente relevante desempeñan los consejeros del rey; dada la similitud entre sus funciones y las del amigo, no resultará extraño este paralelismo:

> E quando el rrey fuere sabio e su consejero leal, vençera a sus enemigos e avra buen entendimiento e *buena ventura* (p. 273).

Por último, ante las desgracias más previsibles cabe oponer la prudencia y el esfuerzo que ayudarán a evitarlas. En la historia X, el ave Catra se alejará del rey sin dar ocasión a éste de vengar la muerte de su hijo. Como repiten el *Libro del Cauallero e del escudero* y los *Castigos e documentos:* "Buen esfuerço vençe mala ventura"[33].

En conclusión no se aprecia en estos textos un determinismo absoluto, pues algunos de los valores preferentes ayudan a vencer al destino. Sin embargo, el tema cumple otras funciones dentro de los relatos:

a) Proporciona una explicación para las pequeñas calamidades incomprensibles.

b) Justifica la debilidad en los caracteres de ciertos personajes[34].

c) Sirve de apoyatura a un sistema social inamovible y poco amigo de cambios.

---

(32) *El Libro del Cauallero Zifar*, p. 484.

(33) *Libro del Cauallero e del escudero*, p. 32, p. 110 y p. 154; *Castigos e documentos*, p. 173.

(34) Un ejemplo de esto puede encontrarse en la respuesta de la ingrata serpiente en la *Disciplina Clericalis*, p. 21: *Tunc homo: Quid, inquit, facis? Cur malum pro bono reddis? Naturam meam, dixit serpens, facio.*

CONCLUSIONES

A lo largo de este estudio he enfocado desde muy distintos ángulos el *Libro de Calila e Dimna* y el *Libro de los engaños (Sendebar)*, buscando alguna respuesta a estos interrogantes: ¿a qué causas obedeció la popularidad de estos textos?, ¿qué aportan temática y formalmente en el panorama de la literatura medieval? Para ello me he visto obligada, en ocasiones, a alejarme de estos dos libros para analizarlos insertos en un contexto literario mucho más amplio. Sólo así puede explicarse su éxito y trascendencia.

Al comenzar con un resumen de la historia de ambas colecciones, no pretendía modificar su trayectoria, fijada ya por numerosos orientalistas. Pero tampoco podía olvidar los antecedentes de estos textos, ya que su conocimiento era una forma de aclarar algunos aspectos de las versiones castellanas. Las divergencias formales apreciables entre los seis primeros capítulos del *Calila* y los doce restantes obedecen a la directa dependencia de los primeros de un original sánscrito perdido, identificable hoy con el *Panchatantra*. Sin embargo, el capítulo IV, más próximo a un contexto islámico, es una interpolación del traductor árabe Ibn al-Muqaffa'. Sólo así se explica la continuación de la temática tratada en el capítulo precedente y la necesaria presencia de dos testigos para castigar al acusado. Al mismo traductor se debe un pasaje añadido en la autobiografía de Berzebuey, donde expresa sus dudas acerca de las religiones reveladas. Algunos datos biográficos de Ibn al-Muqaffa' —su condición de converso, la afinidad entre su obra y los "espejos de príncipes", y su proximidad a las altas esferas políticas— justifican la predilección por el *Calila*, así como la intencionalidad de tales interpolaciones. El texto de Ibn al-Muqaffa' sufrió sucesivas imitaciones y alteraciones, que hacen imposible distinguir hoy el original. Dadas estas circunstancias, la versión castellana del XIII resulta de indudable valor no sólo para reconstruir la traducción árabe perdida (como intentó Alemany), sino para la historia de la colección.

Los datos contradictorios que aportan los colofones de los dos manuscritos escurialenses —versión intermedia latina y fecha de realización— han sido objeto de múltiples controversias. Parece razonable admitir la opinión más generalizada, según la cual la traducción castellana fue realizada directamente del árabe por deseo del infante Alfonso en 1521. A. G. Solalinde se opuso a esta datación,

191

basándose en la presencia dentro de la *General Estoria* de un fragmento del *Calila* (la misión de Berzebuey a la India), narrado de forma distinta a como figura en la versión castellana. Según Solalinde, esto era razón suficiente para considerar la traducción del *Calila* posterior a la *General Estoria*. Críticos como G. Cirot, G. Menéndez Pidal, etc., han rechazado esta tesis buscando distintas soluciones al problema. A sus opiniones puede sumarse otra hipótesis. El pasaje de la *General Estoria* no supone una mayor literaturización ni una infiel reproducción memorística de la traducción precedente. Nos hallamos ante dos textos diferentes procedentes de dos tradiciones diversas. Alfonso X, al realizar este capítulo de la *General Estoria*, eligió otro original árabe, quizá por concederse en él mayor valor a la actuación regia.

El *Sendebar* ha sido considerado por la crítica como un hermano gemelo del *Calila*. La historia de esta última colección ha servido de modelo para configurar la trayectoria del *Sendebar*. Se ha supuesto la existencia de un original sánscrito y de unas primitivas versiones en pahlevi y árabe de las que sólo hay lejanas referencias. El paralelismo, en algunos aspectos evidentes, se refuerza por la coincidencia de fechas en las traducciones castellanas. El *Libro de los engaños* fue compuesto en 1253 por mandato del infante don Fadrique, hermano de Alfonso X, sólo dos años después de realizada la versión del *Calila*. Sin embargo, las recientes investigaciones de B. E. Perry conducen a distanciar ambas colecciones, al suponer para el *Sendebar* un origen persa. A ello pueden añadirse, por otra parte, algunos datos internos que me llevan a rechazar la imagen del *Sendebar* como correlato exacto del *Calila*.

El texto del *Calila* guarda fiel similitud con otras versiones árabes a lo que se suma la gran coherencia de todos sus relatos. Los mínimos fallos existentes responden al intento de suprimir algunos detalles poco gratos. En el *Libro de los engaños* se incluyen narraciones parcialmente incomprensibles, cuya única explicación se halla tras un riguroso cotejo con otras versiones, aunque tampoco éstas están bien conservadas. No son extraños los casos de contaminación, con dos relatos unidos y viceversa, o la supresión de rasgos "inmorales". Estos fallos podrían estar ya en la fuente árabe, hipótesis de imposible comprobación, o ser debidos al equipo traductor. A ello podrían sumarse las diferentes circunstancias que rodearon la difusión de ambas colecciones. Como ha recordado Juan Vernet, las alteraciones no son extrañas en la transmisión de las colecciones cuentísticas. Al no tratarse de *textos científicos ni didácticos*, cada traductor se siente autorizado para cambiar detalles de la obra que tiene entre manos que, de este modo, va modificándose con el transcurso de los siglos. Precisamente la fijeza extraordinaria del *Calila* responde a las razones contrarias. El texto fue considerado en distintas épocas una obra de categoría superior a la simple ficción, un compendio de sabiduría práctica, útil para todos sus lectores y en especial para la clase política.

La vinculación de *Calila* al género de "espejos de príncipes" no sólo explica su buena conservación, sino proporciona la clave para comprender la gran popularidad de la obra. Ya entre los indios se inserta en la corriente del *nitisastra*, colección de normas de conducta. Los árabes adoptaron la moda de los espejos procedente de los persas y vino a confluir con el *adab*, de temática más amplia. Los diferentes prólogos añadidos a la obra vinculan el texto a distintos monarcas deseosos de contribuir con su traducción a la difusión del saber. No resulta extraño que Alfonso X patrocinara la versión castellana, dadas las correspondencias ideológicas existentes entre ésta y su producción, tanto original como traducida.

La transmisión y aceptación de unos textos procedentes de tierras remotas merece un estudio detenido. No existe, por supuesto, ningún fondo oriental que haga irreconciliables estos textos con la mentalidad castellana del XIII; los mínimos elementos extraños fueron adaptados o eliminados, sin que esto implicara graves modificaciones. La base ideológica remite a unas sociedades cerradas, fácilmente identificables con el califato abbasí o con la Castilla de Alfonso X.

El tema que vertebra las colecciones cuentísticas y los catecismos hispano-arábes es el *saber* concebido no como investigación sino como acumulación de conocimientos. No faltan los viajes a tierras remotas en busca de la ciencia, como leemos en el prólogo al *Calila* o al *Bonium*, rodeados a su vez de resonancias míticas. La aventura se convierte en un intento por hallar la inmortalidad, identificada posteriormente con la sabiduría y la fama. Una mentalidad familiarizada con el concepto de *translatio studii* aceptaría sin dudar estos presupuestos. Una vez localizado el depósito de la ciencia, la obligación del sabio es llevarlo a la práctica y darlo a conocer. Para facilitar esta tarea se presenta la materia bajo diferentes formas didácticas.

Los contenidos pueden reducirse a sentencias y comparaciones o amplificarse en ejemplos. Los textos didácticos del XIII se han venido dividiendo en dos corrientes —catecismos éticos y colecciones cuentísticas— según predominara uno u otro procedimiento. Sin embargo, las divergencias resultan más aparentes que reales. En unos casos, el contenido adopta una forma más oscura y en otros se allana con ejemplificaciones. Pero la temática es sustancialmente la misma, por lo que no he dudado en estudiar ambos grupos conjuntamente. Dentro de las obras se reproducen con frecuencia conversaciones didácticas, donde un personaje alecciona a otro y éste con sus preguntas hace avanzar la acción. El recurso puede ser un marco general para las colecciones, como sucede en la *Disciplina Clericalis* o en *El Conde Lucanor*, y aparecer también dentro de las propias historias, como en el *Calila*. Existe otro procedimiento, la enseñanza visual, de indudable interés, mencionado en un pasaje del *Sendebar*, aparentemente oscuro. Todo el marco narrativo de esta colección se aclara considerablemente tras un cotejo con fragmentos del *Libro de los buenos proverbios*, *Bonium* y *Llibre de saviesa*. El aprendizaje del infante, de innegables connotaciones míticas, remite también a la educación tradicional destinada a personajes nobles. La culminación de estas técnicas se dará en *El Conde Lucanor*, donde convergen los distintos métodos didácticos —diálogos, ejemplos, sentencias e imágenes— agrupados progresivamente para facilitar la comprensión gradual del contenido. El lector, al igual que el conde, va venciendo las dificultades hasta alcanzar el saber. Don Juan Manuel rechazó, en cambio, el modelo de construcción de historias propugnado por el *Calila* donde los paralelismos, oposiciones y aparentes digresiones apoyan la intencionalidad didáctica. El cotejo entre dos ejemplos de *El Conde Lucanor* (XIX, XXIII) y dos capítulos del *Calila* (VI y III), muestra la superioridad de esta última obra.

El ideal propugnado en los textos sapienciales es el hombre "entendido", capaz de convivir con sus semejantes y de triunfar en este mundo, pero sin olvidar el otro. Las normas prácticas resultan válidas sólo en determinadas circunstancias. El engaño puede ser recomendado en unos casos y condenado en otros. Todas las ideas teóricas deben hallar su correspondencia práctica, ya que por sí solas no conducen a nada. Estos aspectos se aprovechan en el *Calila* para lograr resortes irónicos. Unos personajes (Dimna) no se conducen como hablan, otros son castigados por hacer el bien (el joyero del capítulo XV) o por aconsejar el perdón del enemigo (los búhos del capítulo VI). Críticos como M. Menéndez Pelayo aludían a estas condiciones al calificar la moral del *Calila* de "no muy elevada", sin tener en cuenta todos los datos adyacentes. Los cuentos no responden, en efecto, a una ética cristiana pero tampoco carecen de unas reglas mínimas. Se recomienda actuar con prudencia, medir todos los factores y probar a las personas antes de confiar en ellas. Los amigos pueden ser un tesoro tan valioso como el saber si cumplen los requisitos indispensables: ser "probados" y saber guardar las "poridades". La corriente misógina, presente en especial en el *Sendebar*, concibe a la mujer como la antítesis del buen amigo, incapaz de ser fiel ni de guardar un secreto. Sólo algunas de ellas, de familia real o de edad avanzada, son la excepción que confirma lo anterior. Asimismo, la proximidad de los reyes puede resultar tan peligrosa como la de las mujeres, con quienes se les compara a menudo. El poder ilimitado de los monarcas facilita las arbitrariedades, a lo que se añade la presencia en la corte de "mestureros" (equivalentes en su función a las alcahuetas).

Aquel que siga estas normas debería alcanzar la felicidad en este mundo, pero los textos didácticos son conscientes de las dificultades del camino. El sabio, el "entendido", puede hallar la desgracia donde menos la espere, pese a seguir una conducta prudente. La respuesta a este enigma se encuentra en el *destino*. El hombre está determinado desde su nacimiento por su origen; la *natura* resulta inmutable. Algunas ciencias vienen en su auxilio al revelar el sentido oculto del destino, aunque nunca pueden modificarlo. La astrología, la fisiognómica o la aritmomancia contribuyen a construir los relatos, pero se les asigna un papel limitado. En el *Sendebar* o en el *Barlaam* se conoce el porvenir del infante gracias al horóscopo, pero los esfuerzos por evitar el futuro son vanos. Ante las *venturas* cabe oponer la fuerza del saber; cuando éste fracasa, la resignación y la esperanza en próximas recompensas superan el fatalismo.

Los temas recurrentes analizados, el saber, la amistad y el destino, se presentan como conceptos cerrados, identificables con sociedades estáticas. Ello hace posible la inserción y adopción de estos textos en culturas con análogas características. Al compararlos con la creación original de Alfonso X, los *Castigos e documentos* de Sancho IV, las obras de Don Juan Manuel, etc., surgen múltiples correspondencias temáticas. En muchos casos, podemos hablar sin temor a equivocarnos de influencias directas, en otros, las semejanzas responden a una ideología parecida.

No sólo temática sino también formalmente, el interés de las colecciones cuentísticas orientales es innegable. El sistema de inserción de cuentos dentro de un marco narrativo se conoció en occidente gracias a las versiones latinas del *Sendebar*, el *Calila* y el *Barlaam*, aunque pudieron contribuir también obras de la antigüedad greco-latina. Entre los siglos XII y XIII se localiza el período de difusión escrita de estas colecciones, pues con anterioridad pudo existir una transmisión oral. Ello explicaría, por ejemplo, el trasvase de la materia oriental a los ejemplarios en fechas anteriores. Sin embargo, resulta difícil admitir que su forma fuera captada por medio de la difusión oral. La compleja inserción del *Calila* o las *Mil y una noches* exige la presencia de un lector. Paralelamente a la popularización de estas obras se recopilaban por escrito los ejemplos para uso de predicadores, y ejemplos del *Sendebar,* el *Barlaam* o el *Calila* (algunos a través de Pedro Alfonso) pasaron a los púlpitos. Los ejemplarios fueron la vía de penetración de los relatos orientales en occidente como unidades aisladas, donde halló la narrativa profana del XIV su fuente de inspiración. Pero de ahí no pudo copiar el sistema organizativo, pues éste se limitaba a la ordenación lógica o alfabética. Los principios de inserción utilizados por Don Juan Manuel, Chaucer o Boccaccio suponen una reelaboración de las técnicas orientales.

Estos recursos no son los mismos en las tres colecciones estudiadas, *Sendebar, Calila* y *Barlaam.* La primera es el prototipo de novela-marco, donde cada uno de los relatos subordinados incide directamente sobre la acción del marco. El procedimiento fue rápidamente captado hasta el pundo de que algunas versiones latinas sólo conservan un cuento en común con la rama oriental. Los cambios no alteran el sistema, pues la función de los nuevos cuentos sigue siendo la misma.

En el *Calila,* los relatos subordinados cumplen un papel accesorio, condicionado a la acción principal. La aportación del *Calila* reside en la importancia concedida al receptor de las historias. Este se permite rechazarlas o admitirlas, según su conveniencia, y ello provoca matices irónicos hábilmente captados por el narrador como apoyatura didáctica. El error de los destinatarios, e incluso de los propios narradores, estriba en no descubrir los avisos ocultos que, bien interpretados, presagiarían el resultado final. De este modo, los cuentos insertados forman un contrapunto irónico de la trama principal.

El modelo sencillo, pero técnicamente perfecto del *Sendebar,* se complica en el *Calila.* Un personaje de una historia puede contar otro relato, el cual a su vez contenga otro, por el procedimiento llamado de la "caja china". El número de cuentos subordinados es teóricamente infinito, aunque el recurso nunca se lleve a los extremos de las *Mil y una noches* o *El manuscrito encontrado en Zaragoza,* donde la aparición de un nuevo personaje implica la historia virtual de su vida. En el *Calila,* el narrador suele contar lo que a su vez ha oído (como en el *Sendebar)* pero no faltan los intentos acertados por modificar esta rutina.

Un personaje, testigo de algo excepcional, pasa a relatarlo desde la primera o la tercera persona. En ocasiones, asiste a una sucesión de escenas sorprendentes y ensartadas (como el religioso del capítulo III), cuya simple contemplación suponen una forma de aprendizaje. A diferencia de los cuentos "escuchados", cuya incidencia sobre el receptor no siempre es la deseada, los relatos "vistos" ejercen mayor influencia, sólo superada por los directamente "vividos". La historia en primera persona es algo insólito en las colecciones medievales. Dentro de unos esquemas narrativos elementales, como los del *Calila,* su empleo supone una gran novedad. Tres personajes distintos, Berzebuey, un ratón y un religioso, narran sus aventuras pasadas para explicar su presente y convertirse en modelos vivos para los demás. Sus experiencias implican una conversión hacia nuevas formas de vida, más acordes con ideales místicos. Las escasas referencias a historias "leídas", frecuentes en las colecciones de sentencias, separan las dos corrientes didácticas, según distintos niveles culturales.

Las divergencias apreciadas en los marcos del *Sendebar*, el *Calila* y el *Barlaam* quizá apunten al origen de las obras. El modelo de novela-marco empleado en el *Sendebar* es el más clásico, usado en el mundo grecolatino y el próximo Oriente, frente a la complejidad y aparente deturpación del sistema apreciable en el *Calila*. El *Barlaam* guarda estrecho paralelismo con los ejemplarios, tanto ideológica como estructuralmente, ya que las parábolas evangélicas apoyan los dogmas del anciano Barlaam.

Con este trabajo he pretendido revalorizar unas producciones que alcanzaron tan gran popularidad en épocas pasadas. Las claves de este éxito residen, a mi juicio, en sus aciertos formales y, sobre todo, en su sustrato ideológico de fácil acomodación a distintos contextos. Por último, al confluir con otras corrientes como los "espejos de príncipes" fueron consideradas algo más que simples ficciones.

ÍNDICE DE SIGLAS

Al-An: Al-Andalus
AO: Acta Orientalia
Ar: Arabica
BECh: Bibliothèque de l'Ecole des Chartes
BHi: Bulletin Hispanique
BNYPL: Bulletin of the New York Public Library
BRABLB: Boletín de la Real Academia de Buenas Letras de Barcelona
BRAE: Boletín de la Real Academia Española
CD: Ciudad de Dios
CL: Comparative Literature
CLex: Cahiers de Lexicologie
EUC: Estudis Universitaris Catalans
Fab: Fábula
FR: Filología Romanza
HR: Hispanic Review
JAO: Journal of American Orientalism
JSS: Journal of Semitic Studies
MLN: Modern Language Notes
NRFH: Nueva Revista de Filología Hispánica
PAAJR: Proceedings of the American Academy of Jewish Research
PMLA: Publications of the Modern Language Association of America
Proh: Prohemio
RF: Romanische Forschungen
RFE: Revista de Filología Española
RIEEI: Revista del Instituto Egipcio de Estudios Islámicos
RLC: Revue de Littérature Comparée
RLit: Revista de Literatura
Ro: Romania
ROcc: Revista de Occidente
RPh: Romance Philologie
RSO: Revista degli Studi Orientali
SCSML: Smith College Studies in Modern Language
Sef: Sefarad
Spec: Speculum
Th: Thesaurus
ZDMG: Zeitschrift der Deutschen Morgenländischen Gesellschaft
ZRPh: Zeitschrift für Romanische Philologie

INDICE ONOMASTICO

Battaglia, S., 43

Beauvais, Vicente de, 36, 47, 172

Bédier, J., 11, 48, 83

Beled, 95, 118, 154, 168

Bell, D.M., 36, 156

Belmud, 20

Beneyto, J., 36, 156

Benfey, Th., 8, 11, 12, 16, 19, 23, 26, 29, 34, 42, 125

Beramer, 95, 96, 136

Berceo, Gonzalo de, 109

Berges, W., 36

Berzebuey, 12, 14, 17, 18, 20, 21, 35, 56, 67, 72, 74, 102, 103, 104, 105, 106, 107, 108, 118, 121, 155, 170, 171, 173, 174, 175, 191, 192, 195

Berzeuay, véase Berzebuey

Béziers, Raimundo de, 48

Biblia, 37, 39, 101

Bidpai, 11, 20, 21, 35, 72

Blecua, J.M., 79, 100, 113

Bloomfield, M., 141

Blüher, K., 37

Boccaccio, G., 46, 50, 53, 195

Bonilla, L., 104

Bonilla y San Martín, A., 24, 30

Bonium o Bocados de oro, 7, 37, 38, 82, 100, 105, 106, 111, 124, 126, 137, 143, 144, 158, 164, 175, 193

Bonnell, E., 44

Born, L.K., 36, 156

Bourbon, Etienne de, 40, 45

Bourneuf, T., 69

Bozon, N. de, 45

Brattuti, V.B., 7, 19

Brhatkatha, 23

Brockelmann, C., 8

Bruyne, E. de, 45

208

210

Ruiz de Conde, J., 96
Ryding, W.W., 94, 96

Sabiduría, 101
Sacy, S. de, 16
Saladino, 78, 79
Salisbury, Juan de, 36, 49
Salomón, 43, 162
Sánchez de Vercial, C., 166
Sancho IV, 8, 36, 37, 194
Santillana, Marqués de, 36
Sarmiento, 16, 17
Satiricón, 50
Scala Coeli, 30, 55
Scobie, A., 52
Schmitt, J.C., 45
Schwartzbaum, H., 49, 83, 84
Schweitzer, A., 139
Secreta secretorum, 38, 187
Segre, C., 36
Sem Tob, Don, 106, 109
Sençeba, 56, 57, 58, 75, 88, 89, 94, 112, 134, 139, 144, 155, 159, 160, 182, 186
Séneca, 35, 39
Sept Sages de Rome, Les, 29
Sezgin, F., 21
Shah, I., 148
Scherezade, 51
Siete Sabios, 22, 28, 30, 59, 185
Siete Visires, 22, 28
Sinbad, 22, 23, 24, 26
Sklovski, V., 49, 50, 62
Sobremesa, 42
Sócrates, 164

INDICE